不再一樣

改變生命的操練，察驗並活出神的旨意

EXPERIENCING GOD

KNOWING AND DOING THE WILL OF GOD

布克比、金科德合著
HENRY T. BLACKABY & CLAUDE V. KING

尚維瑞、葉自菁合譯
Translated by
Shang Vee Sui & Marty Ip

浸信會出版社
BAPTIST PRESS

浸

不再一樣：改變生命的操練，察驗並活出神的旨意

作者：布克比
　　　金科德
譯者：尚維瑞
　　　葉自菁
責任編輯：袁玉麟
美術設計：鍾穎思
出版兼發行：浸信會出版社（國際）有限公司
　　　　　　香港九龍太子道西322號
　　　　　　電話：(852) 2336-0161
　　　　　　傳真：(852) 2336-4186
　　　　　　電郵：info@bappress.org
　　　　　　網址：www.bappress.org
印刷：中編印務有限公司
©1995 浸信會出版社（國際）有限公司
1995年3月初版
2006年6月第二版第十二次印刷
編號：ED098
國際書號：978-962-933-043-9
版權所有
中國印刷

Experiencing God: Knowing and Doing the Will of God

Authors: Henry T. Blackaby
　　　　　Claude V. King
Translators: Shang Vee Sui
　　　　　　 Marty Ip
Editor-in-Charge: Yuen Yuk Lun
Designer: Banjomen Chung
Published & Distributed by: Chinese Baptist Press (International) Limited
　　　　　　　　　　　　　322 Prince Edward Road West, Kowloon, Hong Kong
　　　　　　　　　　　　　Tel.: (852) 2336-0161
　　　　　　　　　　　　　Fax: (852) 2336-4186
　　　　　　　　　　　　　e-mail: info@bappress.org
　　　　　　　　　　　　　http://www.bappress.org
Printer: China Translation & Printing Services Limited
Originally published in the English language under the title of
　　EXPERIENCING GOD: KNOWING AND DOING THE WILL OF GOD
　　© Copyright 1990 LifeWay Christian Resources
Chinese edition published by permission of LifeWay Christian Resources
　　©1995 Chinese Baptist Press (International) Limited
First Edition: March 1995
Second Edition Twelfth Printing: June 2006
Code No.: ED098
ISBN: 978-962-933-043-9
ALL RIGHTS RESERVED

Printed in China

目錄

作
者
簡
介

布克比（Henry T. Blackaby）是美南浸信會國內傳道部禱告及靈性覺醒運動（Prayer and Spiritual Awakening）部門的主任。他所得的屬靈承襲，可追溯到十九世紀，布氏家族中四位曾就讀於司布眞學院的傳道人。他的父親是一位執事，在加拿大曾協助開設一些教會。

布克比畢業於加拿大溫哥華英屬哥倫比亞大學（俗稱卑詩大學）和美國金門浸信會神學院。神學院畢業後，他先在洛杉磯牧養一間教會，其後接受邀請，在加拿大薩斯克其萬省薩斯克頓市之信心浸信會（Faith Baptist Church）牧會。布克比寫了一本書，名為*What the Spirit Is Saying to the Church*（暫譯《聖靈向眾教會所說的話》）。在這書裡，他詳述了神在信心浸信會衪子民中間扣人心弦的作為。布克比在薩斯克頓市牧會十二年，其間信心浸信會先後協助成立了三十八間堂會，其中包括新教會和這些新教會屬下的福音堂。

布克比在加入國內傳道部之前，曾任加拿大溫哥華區聯會的宣教主任。他曾為多份刊物撰寫文章和參與美南浸信會祈禱事工奮勇傳道會動力委員會的事奉。布克比已先後在美國、加拿大、贊比亞及奧地利主領過研討會。目前，他正為美南浸信會屬下的各機構，州聯會，區聯會及地方教會提供發展禱告及靈性覺醒計劃的諮詢服務。

布克比的妻子就是以前的韋美蓮（Marilynn Sue Wells）小姐。他們共有兒女五人，就是：理燦、多馬、明詠、諾曼及嘉莉。這五個孩子都已回應神的呼召，分別在教會機構或宣教工場中事奉。

金科德（Claude V. King）現以志願人士身分在美南浸信會國內傳道部一個聯絡組織（Mission Service Corps）擔任顧問。並在「祈禱與靈性覺醒」部門從事寫作及顧問工作。過去他曾在美南浸信會主日學部工作八年，為平信徒裝備學院（Lay Institute for Equipping）及該學院出版的支援系列發展及編輯門徒訓練課程。

金氏畢業於包文學院（Belmont College），並獲紐奧良浸信會神學院道學碩士及宗教教育碩士學位。曾與其他人合作撰寫了好幾本書，其中一本就是《不再一樣》。

目前，金氏和他的妻子麗德（Reta）及兩個女兒住在田納西州他們自己的家鄉。

編按：布克比乃本書內容所載資料的主要作者。他彷如你的個人導師，當你學習的時候就坐在你旁邊對你講話。金科德撰寫書內的教學活動資料，在你學習時提供適切的援助。

作者所使用的事例，多是從他們個人的觀點引伸。倘若書上提及的其他人士也有機會執筆，他們可能會有不同和更全面性的論述。雖然如此，諸多不同的論點皆以神的作為為依歸，因為衪成事的方式必須從衪的臨在和作為著眼，才能解釋得明白。

序言

神大能的彰顯

一九八六年，當我第一次遇見布克比和聽他教導的時候，沒想到神會使用他來校正我生命和事奉的方向。過往四年，我的生命經歷了一些最徹底的改變。布克比引導我回到聖經，查看許多聖經人物的事例。這些人物都經歷過這位滿有能力及恩慈的神藉著他們所作成的工。他更讓我知道他們是怎樣認識神並遵行祂的旨意；我立時感到茅塞頓開。神藉著祂子民作工的計劃既清楚又簡單，為甚麼我從前未曾這樣明白呢？

以往我經常嘗試用自己的方法或採取一連串步驟去尋明神的旨意。屢次的失敗，證明這些做法顯然出了問題。我感到空虛、混亂、沮喪，也覺得自己的事奉毫無果效。

布克比的教導吸引了我的注意力。他指出明白神的旨意是由於神採取主動向人啟示，而非靠人自己尋索得知。他舉出許多當今的事例，說明一般人和一般的教會，怎樣個別經歷神戲劇性、甚至像奇蹟一樣的作為。我想起保羅的說話：「我說的話、講的道，不是用智慧委婉的言語，乃是用聖靈和大能的明證，叫你們的信不在乎人的智慧，只在乎神的大能」（林前2：4-5）。布克比教導的時候就像保羅講道那樣——一個簡單的聖經信息、與一個神彰顯祂大能的生命結合在一起。布克比經常促使我留意自己與神的關係，這種關係，是我經歷神透過我彰顯祂能力的重要關鍵。

我查考聖經，祈求神教導我透過經歷而非藉著一套理論認識祂和祂的法則。從此，我平庸的生活轉而成為令人振奮的探險歷程，事奉主的道路也從未像現在這樣充滿刺激和興奮。

徹底的失敗

一九八四年神學畢業後，我和妻子辭去工作，遷往喬治亞州。我清清楚楚感到神呼召我作一個「織帳棚」的植堂工作者——就是在社會上找一份工作，供給自己經濟上的需要；另一方面，「免費」協助建立新的教會。我閱讀了許多正合需要、有關植堂及教會增長的書，沈醉在要為神作大事的美夢中。我花了十八個月的時間訂好計劃，開始一步一步將計劃付諸實踐。

六個月後，我們的傢具仍舊存寄在倉庫中，在失業率只有百分之二點五的情況下，我們沒有工作，銀行存款已經用盡，支票戶口空空如也，欠款的數額卻不斷上升，但是我們連建立一間新教會的基本成員也沒有。我們筋疲力竭，身心交瘁，只好搬回老家與父母同住。直到最近，我才曉得當時問題出在哪裡。

依舊蒙召作帶職的植堂工作者

我仍然確信神呼召我做一個帶職的植堂工作者，但我獲得惟一的工作機會就是在「美南浸信會主日學部」任編輯。我無法想象為何在急需建立許多教會的時候，神卻將我安置在一張辦公桌後面。

後來我遇見布克比，他帶領我在認識及跟從神的問題上有嶄新的領悟。那時候，我所在地的區聯會來了一位新的宣教主任，鮑雅各。他有一個負擔，要在公元2000年前建立八間教會。經過禱告，我體會到這是我成為義務的帶職植堂工作者的一個機會，區聯會也邀請我參與這項義務工作。這一趟我沒有推展自己的計劃，我不再沈醉在要為神作大事的夢想中。

我們決定單單與眾教會分享，在自己區內向居民傳福音的需要；向他們說明這些新建立的教會可以被神使用，接觸教會未能接觸到的群體。我們也談及神可能用種種不同的方法開設一間教會。之後，我們留意神在甚麼地方作工，以致我們可以與祂同工。

神成就一切

三個月後，我有一張已列出十四個需要成立教會的地點或群體的清單。這些資料從何而來？有時候在聚會之後有人截住我說：「神賜給我一個負擔，要在……成立一間教會」，或說：「我們那一區有幾個人跟我們一樣，覺得需要有一間新的教會……」。兩年後，我們建立了六間有全時間牧者牧養的新教會，和一個家庭查經小組，這個小組也計劃成為第七間教會。眾弟兄姊妹發現神為我們所計劃的，遠超我們自己所能夢想的。

神親自呼召人來事奉，又賜給他們一個負擔；神也呼召地方教會去承擔拓展新的工場。我們無需絞盡腦汁推動他們去參與。事實上，弟兄姊妹主動接觸我們，要接受裝備作神呼召他們去作的工。教會增長的關鍵不是一個人，也不是一間地方教會；教會得以增長，是神藉著祂的子民作成的！過去兩年，我們對神有更深入的認識和了解，並相信最美好的時光快將來臨！

學到一個功課

在喬治亞州的時候，神容讓我按自己的計劃行事，結果慘敗收場。神要教導我一個重要的功課，我卻選擇了一個艱難的方法去學習。我終於發現我不能計劃，甚至不能想象得到神會怎樣作祂的工。我明白到最重要的，是我與神之間的關係。我學會更深切地愛祂、更忠心地禱告、和全然信賴祂，並常懷盼望、等候仰望祂自己。當神準備用我，祂自會讓我知道，這時我就要作出相應的調整和服從祂。在此之前，我只需要儆醒禱告。祂的時間和祂的方法常常是最好和最恰當的。

為著祂國度的緣故我祈求神藉著這個課程，深深觸動你的生命。神在你一生中的作為，會遠超過你自己一切的計劃和夢想。祂會使你的生命和事奉變得有方向、有意義，並滿溢著歡樂。願你藉著我們永活的主耶穌基督，得著神的恩惠、喜樂和平安。願榮耀歸給祂，從今時直到永遠。

金科德

（Claude V. King）

譯序

認識神，遵行祂的旨意

在舊約時代，神曾經滿腔傷痛地呼喊說：「我養育兒女，將他們養大，他們竟悖逆我。牛認識主人，驢認識主人的槽，以色列卻不認識；我的民卻不留意。」神的子民顯然沒有察覺到神內心的傷痛，他們更不會承認自己並不認識耶和華神，他們豈不是常常向神獻祭、守節、禱告嗎？神對他們這一切外在的宗教儀式有何反應呢？祂說：「你們不要再獻虛浮的供物。香品是我所憎惡的；月朔和安息日，並宣召的大會，也是我所憎惡的；作罪孽，又守嚴肅會，我也不能容忍……你們舉手禱告，我必遮眼不看；就是你們多多的祈禱，我也不聽。」哀哉！有甚麼比活在背道的景況中，卻自以為認識神更可悲的呢？

耶穌在世的時候，曾經發出一個嚴重的警告：「凡稱呼我『主啊，主啊』的人，不能都進天國；惟獨遵行我天父旨意的人才能進去。當那日必有許多人對我說：『主啊，主啊，我們不是奉稱的名傳道，奉稱的名趕鬼，奉稱的名行許多異能麼？』我就明明的告訴他們說：『我從來不認識你們，你們這些作惡的人，離開我去吧！』」哀哉！有甚麼比自以為為主辛勞一生，最終卻不能進天國，不為主所認識更可憐的呢？

今天，我們是否也像昔日的以色列人那樣，徒具一切外在的宗教儀式，卻沒有真正的敬拜？自稱是屬神的子民，卻活在背道的景況中？自以為認識神，卻不斷刺傷祂的心？我們是否常常奉主的名，在教會中推動傳福音、栽培信徒的事工，卻沒有遵行天父的旨意？我們會否自以為認識神，最終卻不為神所認識呢？我們的生命，是否正處於這種既可悲，又可憐的景況之中？

悔改、覺醒，「不再一樣」！

一九八八年，布克比牧師加入美南浸信會國內傳道部後，領受了向美南浸信教會領袖傳悔改信息、帶領會眾尋求靈性覺醒的召命。在《不再一樣》這本書中，布克比牧師一針見血指出現今信徒和教會的問題，在於沒有與神建立好真實的、活潑的愛的關係。神對我們說話，我們卻懵然不知；神在我們身處的環境中工作，我們也不曉得放下自己的計劃，立即與神同工。因此，個別信徒及教會整體常常活在虛幻的景況中，經歷不到屬靈的真實，經歷不到神大能的作為。布牧師把聖經中的真理闡明，一方面教導信徒與神重建個別的、愛的關係，另一方面也提醒地方教會要與神同工，以致福音可以傳遍天下。神藉布牧師傳講的信息，豈不同樣是華人教會的需要麼？悔改歸向神，尋求靈性的覺醒，豈不同樣是我們迫切的需要麼？惟願施憐憫的神，在這動盪的年間，使用《不再一樣》的中譯本，成為華人教會的祝福，使我們真知道祂！

九四年三月，當我知道布牧師在美南浸信會承擔的職事，及覽閱過《不再一樣》英文版後，深深感到聖靈願意使用書中的信息，幫助一些陷於荒涼景況的教會，脫離屬靈的貧窮，享受基督的豐盛，便不自量力，答允了浸信會出版社同工請我翻譯這書的邀約。過去半年多時間，在翻譯的過程中，經歷到那位憐愛北美教會

的神，同樣是要施恩憐憫華人教會的神；那位引導美南浸信教會尋求復興的聖靈，同樣是要在華人教會中賜下大復興的聖靈，主恩實在奇妙！

感謝，感恩！

過去半年多時間，有些弟兄姊妹天天為兩位譯者和出版工作獻上禱告，除了浸信會出版社眾同工外，要特別感謝馬耀文弟兄，馬杜淑微姊妹和「521求復興祈禱團契」眾成員恆切的代求。他們在主裡愛心的禱告，是神在一九九四年賜給我的一份珍貴禮物。這些禱告良朋，是神的能力在我這個軟弱、無用的人身上顯得完全的見證人。其次，我要感謝已逾古稀之年的父親，他在一九九四年，歸入了基督的名下，過去半年來，他肩負起一切的家務，使我們享受著在主裡同工的喜樂。最後，我要俯伏敬拜那位天天救我脫離死亡，用豐盛的慈愛懷抱我的主耶穌，祂藉著《不再一樣》中譯本的出版，再一次印證了祂對我的恩召，印證了祂是那位要復興華人教會的主。

願神使用這本書，使我們愛主更深。

主耶穌啊，願祢快來！

尚維瑞
1994年除夕夜

單元一

神的旨意與你的一生

八六年世界博覽會

當世界博覽會快將在溫哥華市舉行之際，我們所在的浸信會區聯會確信神要我們接觸那二千二百萬將會前來博覽會的群眾，向他們傳福音。在大溫哥華，各會員堂合共約有二千人。這區區二千人，又怎能對來自世界各地，人數極多的遊客產生巨大的影響呢？

博覽會舉行之前兩年，我們開始推行既定的計劃。是年，聯會的總收入為九千元，下一年的收入約為一萬六千元。博覽會舉行那年，我們釐定了一個二十萬零二千元的財政預算。預算案中大約百分之三十五已有人願意奉獻，其餘的百分之六十五要藉禱告仰賴神的供應。你是否可以靠禱告釐定一個預算呢？當然可以，但是，當你這樣做的時候，你是試圖去做一件只有神才能作成的事。我們大多數人會怎樣做？我們會按自己的能力製定一個實際可行的預算，另外又憑信心製定一個預算。可是，我們真正採用的，往往是那按自己能力行得通的預算，我們並不真正相信神能作任何事。

我們一致認定是神帶領我們進行那耗資二十萬零二千元的事工，這二十萬二千元便成了我們採用的預算。所有成員隨即開始禱告，祈求神供應所需，並努力籌備一切神引導我們在博覽會舉行期間當作的事。那年的年終，我向負責財務的同工查詢我們收到了多少捐獻。從加拿大、美國及世界各地，我們一共收到二十六萬四千元。各地的弟兄姊妹都樂於幫助我們。博覽會舉行期間，我們就成為橋梁，導致大約二萬人得以認識耶穌基督。除了神自己親自參與，不可能有其他原因解釋這件事，惟獨神可以作成這件事。神藉著一群定意作祂僕人、願意被祂塑造、及隨時聽候差遣的子民作成了祂的工。

本週背誦金句

我是葡萄樹，你們是枝子。常在我裡面的，我也常在他裡面，
這人就多結果子；因為離了我，你們就不能作甚麼。

——約翰福音15：5

第1天

耶穌是你的道路

你若每天一步一步跟從耶穌，祂會保守你行在神的心意中。

不是一套課程
不是一種方法

是與神之間相愛的關係

屬血氣的人不領會神聖靈的事，反倒以為愚拙，並且不能知道，因為這些事惟有屬靈的人才能看透。

—— 哥林多前書2：14

前言

耶穌說：「認識祢獨一的眞神，並且認識祢所差來的耶穌基督，這就是永生」（約17：3）。永生的內涵及這課程的內容是讓你**認識神**及**認識**神所差來的**耶穌基督**。認識神並不是透過一套課程或運用某種方法；認識神是與一位至高者建立關係，一種親密的、愛的關係。神藉著此種關係啓示祂的意旨，並邀請你在祂已動工的地方與祂同工。你若順服神，祂便會藉著你完成只有祂才能作成的事情，**透過神藉著你作工的經歷**，你便能更深入地認識神。

我願意幫助你進入與神相愛的關係中，以致你能豐豐富富經歷永遠的生命。耶穌說：「我來了，是要叫人得生命，並且得的更豐盛」（約10：10）。你是否願意經歷豐盛的人生？你若願意回應神的邀請，與祂建立親密相愛的關係，你便會經歷一個豐盛的人生。

先決條件 —— 與耶穌基督的關係

我假設你已經相信耶穌基督是你的救主，並且承認祂是你生命的主。假若你還未作出這一個一生中最重要的決定，這個課程對你來說並沒有甚麼意義，因為屬靈的事，只有那些有基督的靈住在心內的人才能明白（參林前2：14）。

➡ **假若你感覺有需要接受耶穌作你的救主和主，現在就是你與神處理這件事的時刻，當你閱讀下列幾段經文的時候，祈求神向你說話：**

☐ 羅馬書3：23　　　世人都犯了罪

☐ 羅馬書6：23　　　永生是神白白賜給人的一份禮物

☐ 羅馬書5：8　　　因著愛，耶穌為你的罪付上了死的代價

☐ 羅馬書10：9-10　承認耶穌基督是主，並且相信神叫祂從死裡復活

☐ 羅馬書10：13　　祈求神拯救你，祂一定會這樣做

信靠耶穌，並接受祂所賜永生的禮物，你必須：

- 明白自己是一個罪人，需要與耶穌基督建立一個救贖主與被拯救者的關係
- 同意神的看法，承認自己有罪
- 為自己的罪悔改，從罪中回轉歸向神
- 請求耶穌施恩拯救你
- 將生命的主權交給耶穌，讓祂作你的主

➡ **假若你需要協助，可以請你的牧者、執事或一位基督徒朋友幫助。倘若你剛才作出了這個重要的決定，請與別人分享這個好消息，告訴別人神在你生命中所作的事，也請你將這決定與教會的弟兄姊妹分享。**

你是否期望更多經歷神？

在你基督徒的經歷中，你可能因為知道神為你所預備的，遠較你所經歷的更為

豐盛而自責；或許你正熱切地期待神對你的生命和事奉的路向作出指引；你也可能遭遇過悲慘的人生經歷；面對自己這個破碎的人生，你感到茫茫然不知所措。不管你現在的景況如何，我深切祈求神藉著這段與你一同學習的時間，使你能夠：

- 當神對你說話的時候，可以聆聽得到
- 清楚認同神在你生命中的作為
- 相信神自己，並相信祂會成就祂的應許
- 調整你的信念、性格和行為，來適應神和神行事的方式
- 看明神引導你一生行走的方向，及祂期望透過你的生命要作成的事
- 清楚知道神在你生命中的作為，並作出適當回應
- 經歷到神透過你作成只有祂才能作成的工

你的學習本

這個課程本身不可能幫助你做到以上七件事。這些事情只有神才能在你的生命中作成。我願嘗試成為你的指導者、鼓勵者和敦促者，幫助你透過採取合宜的行動來回應神，以致你有一個更親密的、與神同行的關係。我會與你分享一些聖經原則，那是神一直用來引導我的生活和事奉的。我會與你分享，當神的子民應用聖經的原則來跟從祂之時，神為他們所作的一些「奇妙事工」。

在課程中的學習活動部分，我會邀請你與神相交，向祂作出回應，以致神可以向你啟示，讓你知道如何在你個人的生命、教會和事工中應用這些原則。

你的導師

但保惠師，就是父因我的名所要差來的聖靈，祂要將一切的事指教你們。

—— 約翰福音14：26

神所差來的聖靈會成為你個人的導師（約14：26），祂就是引導你按著神的旨意、應用這些原則的那一位。聖靈會向你啟示神自己、祂的目的和祂對你的引導。耶穌說：「人若立志遵著祂的旨意行，就必曉得這教訓或是出於神，或是我憑著自己說的」（約7：17）。這句說話，應用在這個課程中，也是真實的。在你裡面作工的聖靈，會在你內心印證聖經的真理。當我向你說明我所領受的聖經中的原則時，你可以倚靠聖靈，印證我所說的是否從神而來。因此，你在禱告、默想及研讀聖經的時候，與神建立起親密無間的關係，是參與這課程不可或缺的一件事。

你的最終權威的依據

聖經是神對你說的話語。聖靈尊重神的說話，並藉著神的道向你說話。聖經是你的信心和實踐信心的權威依據；你不應倚靠傳統、你自己、或別人的經驗，作為神的旨意和神行事法則的正確權威。經驗和傳統必須經常用聖經的教導加以查驗。

在你生命中發生的任何重要事情，都是神在你生命中作工的結果。神對你一生的關注，必遠超過你或我對你一生的關注。願聖靈引領你與這位宇宙的神，就是那位「能照著運行在我們心裡的大力，充充足足的成就一切，超過我們所求所想的」神，進入親密的關係（參弗3：20）。

課程特性

- 參加者可按本身的進度，每天用三十至六十分鐘時間，從這本書中學習與生命有關的課題。
- 參加者每星期出席一次為時一個半至兩個小時的研習小組。
- 小組組長引導組員對過往一星期所學習的功課作出反省和討論，並在每天的生活中把所學到的應用出來。當組員都彼此相助，以致各人都能在生活中明白及實踐聖經的教導時，這個小組就成為一個支持小組。

研讀《不再一樣》

　　這本書與你可能熟悉的許多其他書籍不同。本書的設計，並非讓你安坐下來，從第一頁看至最後一頁。我期望你學習、明白聖經的原則，並應用在你的生活中。這個具挑戰性的目標需要時間。要從這課程獲得最大的效益，你必須花時間每天學習一天的功課，切勿在一天內學習幾天的功課。你需要時間讓所學到的深化在你的思想中，並在生活中徹底實踐出來。你渴慕經歷的，是那位至高者——耶穌基督，你必須花時間，多默想，好讓聖靈在你生命中把耶穌基督活畫出來。

切勿漏掉任何學習活動

　　不要漏掉任何學習活動。這些活動的設計方式，是用來幫助你在生活中應用學到的真理，幫助你學習每天與神同行。大部分活動的設計方式，是要帶領你藉著禱告、默想和研讀聖經，與神相交，向祂作出回應。若你漏掉這些活動，你可能會因而失去一次徹底改變你一生的與神相遇的機會。你會發現要認識並遵行神的旨意，你與神之間的關係是最重要的。沒有這個親密的關係，神便不能在你生命中、並藉著你的生命，作祂要作的事。

➤ **所有習作前面（像這段一樣）都有一個箭號，並且會縮入兩格排印。請依從指示完成學習活動，然後你可以繼續研讀課程的內容。**

　　通常在學習活動之後，會有答案提供，以致你可以作出核對。請在寫完你自己的答案後，才閱讀我提供的答案。有時候我只要求你提出個人的看法或意見，因此，我便不會提供任何答案。倘若在進行學習活動時候遇到困難，或對所提供的答案有疑問，請你在每頁旁邊的空白處記下你的問題，然後在小組聚會時提出討論。

　　你必須出席每星期一次的小組聚會。小組聚會的目的，是幫助你與其他組員一同討論在過去一個星期學到的功課、分享各人的體驗和見證、彼此鼓勵，一同禱告。小組的功能要達到最佳效果，組員人數不應多過十人。組員人數過多的話，成員之間的關係便沒有那麼緊密，彼此間會較少親密的交流，缺席人數及退出小組的人數亦會隨之增加。假若超過十個人願意研讀這個課程，可以招募更多的組長，每組人數約六至十人。

小 組

　　倘若你開始研讀《不再一樣》這本書，但你卻沒有加入任何一個小組，你可以邀請幾位朋友與你一起研讀這個課程。你會發現基督身體中的其他肢體，可以幫助你更充分認識及明白神的旨意。不參加一個小組與其他人一同學習，你會錯過許多這個課程中可以學到的東西。

　　《不再一樣》這課程的材料包括：

- 組員本：《不再一樣：改變生命的操練，察驗並活出神的旨意》
- 組長本：《不再一樣——組長本》

耶穌是你的道路

　　我在加拿大薩斯克其萬省薩斯克頓市前後牧會共十二年。有一天一位農夫對我說：「布克比，有空歡迎到我農莊逛逛。」他給我的指示大致是這樣：「駛離市區四分之一哩後，在你左邊會看見一間紅色的大倉庫，再駛入下一條公路後便向左轉，沿著這條路前進四分之三哩，你便會看見一棵樹，轉右之後再駛四哩路，你會見到一塊大岩石……」我記下他所講的一切。一天我根據他的指示找到了他的農莊。

我第二次去拜訪這個農莊的時候，這位農夫伴我一起上路。由於前往農莊的路線有很多，他可以隨意選一條路線帶我前去，瞧！他成了我的「路線圖」，我需要做的，只是聽從他的指示。每次他說：「轉彎！」我便照他的指示做。他帶我走的路線是我從未走過的，我自己決不懂得依照那路線重新走一次。這位農夫成了我的「路線圖」，他知道路怎樣走。

➤ **當你來到主耶穌面前，尋求祂在你一生中的旨意時，你獻上的禱告，與下列兩個祈求中的哪一個最相似？**

　　☐ 1.　主啊，祢要我作甚麼？祢要我甚麼時候去作？我當怎樣去作成這件事？我將會在何處作這件事？祢要我和誰人一同參與這事？請祢一併告訴我這件事作成後會有的結果。

　　☐ 2.　主啊，單單告訴我每一步要怎樣走，我會照著去做。

我們的祈求豈不是像第一種情況那樣嗎？我們常常要求神給我們一張詳盡的「路線圖」，我們對祂說：「主啊，假若祢告訴我要朝哪個方向走，終站又在甚麼地方，那麼我便能開始上路。」

祂說：「你無需知道路的方向和盡頭，你只需要每天一步步跟從我。」我們必須學會像第二個的禱告。

那一位真正知道你循何路徑走可以達成神對你一生旨意的，是神自己。耶穌說：「我就是道路。」

我就是道路、真理、生命。

——約翰福音14：6

● 祂不是說：「我會指引你那條當走的路。」

● 祂不是說：「我會給你一張路線圖。」

● 祂不是說：「我會告訴你朝哪個方向前進。」

● 祂說：「我就是道路。」耶穌知道那條路，祂就是你的道路。

➤ **假若你每一天都行耶穌吩咐你去行的事，你是否相信你會常常走在神要你行走的道路中？**

　　☐ 1.　不相信，耶穌並不知道神對我一生的旨意。

　　☐ 2.　不相信，耶穌可能會誤導我走一條錯路。

　　☐ 3.　唔，耶穌寧願我耐心等待祂告知我一切有關細節後才開始跟從祂。

　　☐ 4.　是，假若我每天一步步跟從耶穌，我便會行在神對我一生的計劃中。

當你進到一個地步，能夠信靠耶穌一步步帶領你，你就會經歷一種前所未有的自由。假若你不相信耶穌會這樣帶領你，那麼，面對不可知的前路，你會怎麼樣？你會在每一次必須轉換方向的時候憂慮重重，你會渾身發抖，不能作出任何決定。這決不是神願意你去活出的人生。

在我個人的生活中，我發現自己可以放手，讓主來引路。我只需留意祂每天吩咐我做的事。祂交給我許多工作，以致每一天我都過得滿有意義。如果我照祂的話去做，有一天當祂要用我從事一項特殊的任務，我自會行在祂的心意中。

亞伯蘭每天一步步跟從神

亞伯蘭

亞伯蘭（後來神將他的名字改為亞伯拉罕）是一個極佳的例子，說明一個聖經人物如何每天一步步跟從主。亞伯蘭跟從神是憑信心而不是憑眼見。

➤ **閱讀有關亞伯蘭蒙召行神旨意的經文，請留意亞伯蘭在神要求他跟從之前，他**

獲知多少有關細節。在下面的經文中，把亞伯蘭要去的地方及要作的事圈出來。

> 耶和華對亞伯蘭說：「你要離開本地、本族、父家，往我所要指示你的地去。我必叫你成爲大國。我必賜福給你，叫你的名爲大；你也要叫別人得福。爲你祝福的，我必賜福與他；那咒詛你的，我必咒詛他。地上的萬族都要因你得福。」
>
> 亞伯蘭就照著耶和華的吩咐去了；羅得也和他同去。亞伯蘭出哈蘭的時候年七十五歲。亞伯蘭將他妻子撒萊和姪兒羅得，連他們在哈蘭所積蓄的財物、所得的人口，都帶往迦南地去。他們就到了迦南地。（創12：1-5）

神說了甚麼？祂所說的話有多具體？「離開」和「去」而已！到哪裡去？「往我所要指示你的地去。」

➡ **你是否預備好像亞伯蘭那樣跟從神？**

☐ 不，我不認爲神會叫我去任何祂事前未指示我知道的地方。

☐ 我不太清楚。

☐ 是，我願意跟從祂，憑信心而不憑眼見。

☐ 其他：＿＿＿＿＿＿＿＿＿＿＿＿＿＿＿＿＿＿＿＿＿＿＿

許多時候，神呼召人就如祂呼召亞伯蘭那樣，叫人單單跟從祂。（在明天的課文，你會讀到多幾個例子）。神呼召你每天一步步跟從祂，比較祂在你順從祂之前，先把所有細節告知你的可能性更大。在我們繼續一同學習的時候，你會在許多聖經人物的生命中看見這個真理。

➡ **請讀馬太福音6：33-34，然後停下來禱告，表示同意：**

- 祂是絕對值得信靠的
- 我自己會每天一步步跟從祂
- 縱使祂不告知我一切有關細節，我仍會跟從祂
- 我會讓祂成爲我的道路

倘若你現在未能同意上述四點，你可以坦誠地向神承認你在祂面前的掙扎，懇求祂幫助你願意跟從祂的帶領，行在祂的旨意中。請抓住聖經中的應許：「你們立志行事，都是神在你們心裡運行，爲要成就祂的美意。」（腓2：13）

天天溫習功課

在每天課文的最後部分，我會要求你溫習當天的功課，並向神禱告，求祂指出課文中一些字句或經文，是你要明白、學習並應用在生活上的。每天課文結束前我會問你三個同樣的問題，這些問題是用來幫助你把所學的應用在自己身上。因此，這些問題的答案不是以對或錯來衡量。如果神使你發覺課文中有一句話或一節經文對你很有意義，那就是很好的回應了。我又會請你把那句對你有意義的句子或經文，用自己的說話表達出來，成爲一個禱告，作爲向神的回應，並求神讓你知道應做些甚麼，作爲對所認識的真理的回應。每天當你求問神要你對所學的功課作出甚

你們要先求祂的國和祂的義，這些東西都要加給你們了。所以，不要爲明天憂慮，因爲明天自有明天的憂慮；一天的難處一天當就夠了。

——馬太福音6：33-34

麼回應時，就是一段你個人安靜、禱告的時間。你或許想在課本的空白處寫點筆記；神也許在某一天的課文中，向你啓示祂要你作出的回應。不要讓這些思想輕輕溜走，把這些也記下來，以致你可以重溫、可以再思。當神說話的時候，記下祂所說的話是非常重要的。你可以用一本筆記簿，記下自己每天的靈修日記。在以後幾個單元，我會跟你多點談到靈修日記的事。

讀完今天的課文後，對下列三個問題的可能回應是：

在今天研讀的課文中，哪些字句或經文對你最有意義？

耶穌是我的道路，要活在神的心意中，我並不需要一幅完整的、一目了然的路線圖作指引。

將這些字句或經文改寫爲你回應神的祈禱。

主，縱使我不知道我人生的道路要怎樣走，我仍會跟從你。

神期望你做甚麼來回應今天所學習的？

我無需再爲明天憂慮，我相信耶穌會每天一步步帶領我。

➡ **重溫今天的功課。禱告求神幫你找出一兩句祂期望你明白、學習、或付諸實踐的課文內容或經文，並回答以下問題：**

在今天研讀的課文中，哪些字句或經文對你最有意義？

_____

_____

_____

將這些字句或經文改寫爲你回應神的祈禱。

_____

_____

_____

神期望你做甚麼來回應今天所學習的？

_____

_____

_____

寫出在這單元內你要背誦的金句。你若喜歡，可以採用不同版本的聖經來背誦，每天實踐你背誦過的金句。

_____

_____

_____

本課撮要

- 當我每天一步步跟隨耶穌，祂就會保守我行在神的旨意中。
- 耶穌是道路，我並不需要任何路線圖。

第2天

耶穌是你的典範

耶穌留意父神在何處作工，然後加入與神同工的行列。

用聖經解釋經歷

在參與這個課程期間及在你一生之中，有時候你會根據自己的經驗和智慧去處理問題。這種處理問題的方式，會使你陷入困境中。常常回到聖經中尋求真理（讓聖靈向你啟示聖經的真理），才是你處理問題的正確方針。

> 留意神在聖經中常常怎麼說，以及在聖經中祂作事的方式。
> 你要根據聖經的原則來作決定，和評估你自己的經歷。

當你研讀聖經的時候，不要根據一個單獨的事例來下結論，你要留意在整本聖經中神是如何作工。你若認識到神如何透過歷史作工，你便可靠賴祂在你身上以同樣方式所做的工作。只有在聖經中得到印證，你的經歷才是正確的。我從不否定任何人的經歷，但是，我會保留一個根據聖經來解釋這些經歷的權利。有時候有些人會感到不高興，對我說：「不管你怎麼說，這是我經歷過的。」

我會盡我所能客氣地回答：「我並不否定你的經歷，我只是對你為自己的經歷所作的解釋提出疑問，因為你的解釋與我所理解的神的話語並不一致。」我們的經歷不能成為我們的指導，每一個經歷必須透過聖經來理解、必須受聖經的檢視，因為那位在聖經中向人啟示的神是不改變的。

➤ 看看你是否已掌握這個觀念，請回答下列是非題：

_____ 1. 將我自己的經歷作出人為的解釋，是認識及跟從神的最有效途徑。

_____ 2. 我應當常常根據我在聖經中尋見的真理來評估自己的經歷。

_____ 3. 如果我不靠賴聖經中的真理來審核自己的經歷，我可能對神的認識產生曲解。

_____ 4. 我可以信任神在我生命中作工的方式，與我所見祂在整本聖經中作事的方式是一樣的。

第1題是錯的，第2、3、4題全部是對的。你的經歷必須從聖經的亮光中來理解，經歷本身並不是可靠的指引。你也必須小心，切勿把一個單獨的經歷脫離聖經上下文的脈絡來理解，你要留意神在整本聖經中如何作工。假若你以聖經作你的導師，那麼在聖靈的指引下，你永不會走錯路。

聖經是你的指南

基督徒愈來愈少以聖經作為信仰及生活行為的指導方針。由於基督徒不再以聖經為行事為人的指引，他們逐轉而尋求屬世的方法和途徑。這些屬世的方法和途徑，看起來好像可以解決屬靈的問題。我常用神的話語作為我們應當如何行事為人的指引。有人對我說：「布克比，這樣做並不實際可行。」他們希望我不使用聖經的原則，轉而倚靠屬世的方法或個人的經驗。作為一個基督的門徒，我不能背棄我在聖經中尋得的指引。聖經是我信仰及生活上行事為人的指南。

你如何讓神的話成爲你的指引？當我尋求神的指引時，我堅持跟從我在神話語中發現的指令。昨天的課文是一個例子。神呼召人跟從他的時候，豈不是沒有事前向他們講明有關詳情的麼？我們知道神正是這樣呼召亞伯蘭跟從他。此種呼召的模式在整本聖經中是否前後一致？

➤ **閱讀下列幾段有關神（耶穌）呼召人跟從祂的經文。請寫下那些被召者的名字，你無需提供任何他們蒙召後發生的事情細節。**

1. 馬太福音 4：18-20 _____

2. 馬太福音 4：21-22 _____

3. 馬太福音 9：9 _____

4. 使徒行傳 9：1-20 _____

在某些情況下，神會向被召者提供較多的細則。在第四、五兩天的案例我們會思想摩西的蒙召經歷。我們會發現神呼召摩西的時候所揭示的計劃藍圖，較諸祂在其他案例中揭示的更爲詳細遠大。但是，在每一個事例中，被召者必須緊緊靠近神，才能得著每天的引導。對摩西和以色列的子民來說，神藉著日間雲柱、夜間火柱引導他們；對彼得、安德烈、雅各、約翰、馬太和保羅（這是以上學習活動的答案）來說，神呼召他們的時候只提供很少的細節，基本上祂只是說：「來跟從我，我會指示你當行的路。」

神對我一生的旨意是甚麼？

許多人在尋求認識並遵行神旨意的時候，會問這個問題：神對我的一生有何旨意？我在神學院時的一位教授杜平斯博士常常說：「如果你問的問題不對，你自然得到一個錯誤的答案。」有時候我們以爲每一個問題必然是合理的，因此，當我們追尋答案卻發現出了問題的時候，我們便推斷不出錯誤的根由。你要在追尋答案之先，留意自己發問的問題是否正確。

神對我一生的旨意是甚麼？這個問題並**不是**一個正確的問題。正確的提問應當是：神的旨意是甚麼？我一旦知道了神的旨意，我便能調校自己的生活來順應祂。換句話說，我要了解明白神在我所處的環境中有何計劃，一旦我知道神在作甚麼，我便知道我自己當作甚麼。問題的焦點應當是**神**，而**不是我的一生**！

耶穌的榜樣

當我願意學習明白及遵行神旨意的時候，我找不到一個比耶穌更理想的人物可作榜樣。耶穌在世三十三年期間，百分之一百完成了神交給祂的每一項任務。祂從未忘記遵行父的旨意；祂也未曾犯罪。你是否願意明白耶穌如何知道及遵行神的旨意呢？

➤ **請讀約翰福音5：17，19-20（見左欄）並回答下列的問題。**

1. 誰常常在作事？ _____

2. 子憑著自己可以作甚麼？ _____

3. 子能夠作甚麼？ _____

4. 爲甚麼父將自己所作的指給子看？ _____
_____

這是聖經中一段非常清楚的經文，說明耶穌如何知道祂自己當作甚麼，現將耶穌知道及遵行神旨意的門徑列舉如下：

耶穌的榜樣

- 父神作事直到如今。
- 現今神也要我作事。
- 我不採取主動作任何事。
- 我留心觀察，看看父神正在做甚麼。
- 我按照我看見父神所做的去做。
- 瞧！父神愛我。
- 父神將自己所作的一切事指示給我看。

留意神在何處作事，然後加入與神同工的行列。

這個模式對你個人和教會都適用。它並不單是一個逐步認識及遵行神旨意的方程式，它是一種愛的關係，透過這種關係，神能成就祂的旨意。我會用一句說話來作總結：留意神在何處作事，然後加入與神同工的行列。

神常常在你周圍作工

現在神正在你所處的環境周圍以及你的生命中作工。神子民遭遇的最大悲劇之一，就是在渴慕經歷神之餘，他們天天經歷神，卻不懂得如何認出祂的作爲。到這課程結束的時候，你將會學到許多方法去清楚認出神在你生命及生活中的作爲。聖靈與神的話語會指示你、幫助你知道神在何時作工、在何處作工。一旦你知道神在何處作工，你將會調校自己的生活來順應祂，與祂同工。

你將會經歷神藉著你的一生完成祂的工作。當你與神建立了親密的愛的關係以後，你自然會知道神的旨意並樂於遵行。你也會經歷祂的實在，是你以往未曾經歷過的。只有神可以帶領你與祂建立這種愛的關係，我並不能在你生命中作成這件事。

➤ **請翻開封底內頁的示意圖，讀一讀所列出經歷神的七項實況，把第一句中的「你」字改爲「我」，然後寫在下面。**

_____

在這個禮拜，我們還會進一步思想這七項實況。

➤ **重溫今天的功課。禱告求神幫你找出一兩句祂期望你明白、學習、或付諸實踐的課文內容或經文，並回答以下問題：**
在今天研讀的課文中，哪些字句或經文對你最有意義？

_____

_____

將這些字句或經文改寫爲你回應神的祈禱。

_____

_____

_____

神期望你做甚麼來回應今天所學習的？

_____

_____

本課撮要

- 我會留意神在聖經中常常說甚麼，以及在聖經中祂作事的方式。我會根據聖經的原則來作決定，也會依據聖經的原則評估自己的經歷。
- 聖經是我信仰和生活的指南。
- 正確的問題是：神的旨意是甚麼？
- 留意神在何處作工，然後加入與祂同工的行列。
- 神時常在我身處的環境中作工。

第3天

學習作神的僕人

要成爲神的僕人，你必須甘心被主塑造，又願意讓主掌管。

聖經中有許多段經文，論到耶穌以神的僕人的身分，來到世間，完成神救贖人類的心願。保羅提及耶穌的時候這樣說：

> 你們當以基督耶穌的心爲心。祂本有神的形像，不以自己與神同等爲強奪的；反倒虛己，取了奴僕的形像，成爲人的樣式；既有人的樣子，就自己卑微，存心順服，以至於死，且死在十字架上。（腓2：5-8）

人子耶穌教導門徒如何作僕人的時候，這樣描述祂自己在服事人方面的職分：

> 你們中間誰願爲大，就必作你們的用人；誰願爲首，就必作你們的僕人。正如人子來，不是要受人的服事，乃是要服事人，並且要捨命，作多人的贖價。（太20：26-28）

耶穌也曾經這樣提到我們與祂的關係：

父怎樣差遣了我，我也照樣差遣你們。（約20：21）

➤ 根據上述三段經文（加上你可能已熟悉的其他經文），你是否認爲自己應當作神的僕人呢？　是☐　否☐
你是否曾經竭盡所能服事神，卻因工作沒有實質的果效，感到灰心喪氣？
是☐　否☐
僕人是甚麼？用你自己的說話，寫下你對僕人一詞的定義。_____

僕人是甚麼

你對僕人的定義，是否類似：「僕人是一個常常找出主人要他做甚麼，然後把

事情做好的人」？世人的觀念，認為僕人會到主人面前，問他說：「主人，你要我做甚麼？」主人告訴僕人當辦何事，僕人就獨自去辦理妥當。聖經對僕人的觀念，並不是這樣。你不能以世界的觀念當作聖經的真理，你的定義必須合乎聖經的觀念。

我對僕人觀念的理解，類似窰匠與泥土的關係（參耶18：1-6）。窰匠手中的泥土有兩個特點：第一，泥土在窰匠手中，可以被窰匠隨心之所欲去塑造，以致窰匠可以造成他選擇要造的器皿。其次，這個用泥造成的器皿，必須留在窰匠的手中，被他掌管。窰匠造好他選擇要作成的器皿後，這器皿本身並沒有本領去做任何事情，它只能留在窰匠的手中，被他掌管。就如窰匠把泥土塑造成一個杯子，這杯子只能留在窰匠的手中被他掌管，以致窰匠可以隨意使用。

聖經對僕人的觀念，與世人的觀念有很大差別。當你到神面前作祂僕人的時候，神首先要求你的，是願意讓祂塑造你成為祂選擇要造成的器皿。這樣，神便可以掌管你的生命，把你安置在祂所選定的地方，並且透過你的生命完成祂的計劃。杯子本身並不能做任何事情；照樣，你也沒有任何本領行主的命令，除非你是在祂要你留下來的地方。

➡ **回答下列有關作僕人的問題：**

1. 僕人靠自己可以作成的事有多少？ _____

2. 神透過祂僕人作工的時候，有多少是這僕人可以做的？ _____

   _____

3. 一個僕人必須符合哪兩個條件，才能被神使用？ _____

類似窰匠與泥土的關係

耶和華的話臨到耶利米說：「你起來，下到窰匠的家裡去，我在那裡要使你聽我的話。」我就下到窰匠的家裡去，正遇他轉輪作器皿。窰匠用泥作的器皿，在他手中作壞了，他又用這泥另作別的器皿；窰匠看怎樣好，就怎樣作。

耶和華的話就臨到我說：「耶和華說，以色列家啊，我待你們，豈不能照這窰匠弄泥麼？以色列家啊，泥在窰匠的手中怎樣，你們在我的手中也怎樣。」

—— 耶利米書18：1-6

僕人必須具備兩個條件：（1）甘心被主人塑造；（2）留在主人（窰匠）手中被祂掌管；這樣，獨有主人可以隨心所欲使用手中的器皿。僕人斷不能靠自己作成任何對神國有價值的事，正如耶穌所說：「子憑著自己不能作甚麼」（約5：19）和「離了我，你們就不能作甚麼」（約15：5）。神透過僕人作工，他便能作任何神所能作的事。嘩！無可限量的潛能！作僕人的必須順服、必須遵照指示，但也必須緊記：完成工作的是神自己。

倘若你過去依從這世界的僕人觀，如今了解聖經的觀念後，你服事神的方式應當有所改變。你不是從神那裡接收指示，然後獨自去完成工作。你要與神建立關係、順服祂、將生命的方向調校朝向祂，好讓祂能作任何祂想要藉著你去做的事。

以利亞

當以利亞挑戰巴力（迦南地方生產之神）的眾先知，要徹底證明哪一方的神是真神的時候，以利亞是冒著極大的危險作神的僕人。

➡ **讀列王紀上18：16-39及回答下列問題：**

1. 以利亞是神的僕人。在迦密山的對峙中，以利亞面對多少個供奉假神的先知呢？

   _____

2. 以利亞建議用何種測試，證明哪一方的神是獨一的真神？

   _____

3. 以利亞怎樣處理耶和華的壇？

_____

4. 是先知以利亞還是神自己，倡議向假先知提出挑戰？

_____

5. 以利亞意圖透過這次經歷證明甚麼？

_____

6. 民眾如何回應？ _____

_____

7. 在這次事件中，神作了甚麼？ _____

_____

8. 在這次事件中，以利亞作了甚麼？ _____

_____

以利亞　　　　以利亞以一敵八百五十。假若神沒有如以利亞所言，降下火來燒盡燔祭（和祭壇），彰顯祂自己的作為，以利亞必然徹底敗給假先知，他也可能因此付上生命的代價。但以利亞重修耶和華的壇，他與神共處，做神命令他做的一切事。以利亞所做的每一件事，都是因為服從神的吩咐，而不是自作主張。他在神吩咐他去的時刻，到神吩咐他去的地方，作神吩咐他作的事。因此，神透過以利亞成就了祂自己的旨意。以利亞期望民眾承認耶和華是真神，民眾的回應正如以利亞所期望的。

是以利亞抑或是神從天上降下火來呢？是神。在整個過程中，以利亞當時正在做甚麼？單單服從。以利亞沒有本領做神想要作的事；因此，當神作了一件只有祂才能作的事，全體民眾便知道祂就是真神。神成就這事，是藉著祂順服聽命的僕人。

反省時間

➤ **時間許可的話，讀一讀下列幾個具啟發性的問題。嘗試順序逐一思想各問題的答案。你也可以在作答地方的線上摘錄筆記。**

1. 神親自作工和你獨自作工，在工作質素及其長遠果效方面，是否會有任何差別？

_____

2. 在你個人的生活及在你自己的教會中，你正在做些甚麼，是你知道除非神介入，否則那是不可能完成的？我們現在做的事情，若沒有神的參與，可以大有成就嗎？

_____

3. 我們完成一件工作後，由於看不到恆久的屬靈果效，而感到灰心沮喪，是否因為我們嘗試去做一些只有神才可以做成的事呢？

_____

不要隨便找事情來做

我們習慣了做、做、做！我們常常想找點事情來做。偶爾有人會說：「不要在那裡閒站了，找點事情來做罷！」

　　我想神現在正向我們大聲呼喊：「不要隨便找事情來做，停下來！快來與我建立一份愛的關係。你要認識我，調校你的生命來適應我。讓我來愛你，讓我藉著使用你作成的工，向你啓示我自己。」神呼召我們爲他工作的時刻始終會臨到，但是，去爲神作工之前，我們必須與祂建立關係。

　　耶穌說：「我是葡萄樹，你們是枝子。常在我裡面的，我也常在他裡面，這人就多結果子；因爲離了我，你們就不能作甚麼。」（約15：5）耶穌實實在在告訴我們，離了祂，我們就不能作甚麼。你是否相信祂？

➤ **翻開本書封底內頁，讀一遍示意圖所列出的七項實況。把第七句（最後一句）加以個人化，將其中的「你」字改爲「我」字，寫在下面間線上。**

_____

_____

　　神希望你藉著親身的經歷，對祂有更多的認識；祂想與你建立一份愛的關係；祂期望你投身於天國大業中；祂要藉著你完成祂的工作。

主人在哪裡，你也當在那裡。

　　你是否願意作神的僕人？你若願意，你必須知道，主人在哪裡，那就是你當在的地方；你必須知道，主人在作何事，那就是你當作的事。耶穌說：「若有人服事我，就當跟從我；我在那裡，服事我的人也要在那裡；若有人服事我，我父必尊重他。」（約12：26）

➤ **重溫今天的功課。禱告求神幫你找出一兩句祂期望你明白、學習、或付諸實踐的課文內容或經文，並回答以下問題：**
在今天所讀的課文中，哪些句子或經文對你最有意義？

_____

_____

將這些字句或經文改寫爲你回應神的祈禱。

_____

_____

神期望你做甚麼來回應今天所學習的？

_____

_____

大聲讀出要背誦的金句，把它寫在另一張紙上。

本課撮要

- 要成爲神的僕人，我必須甘心被主塑造，又願意留在主的手中，被祂掌管。
- 離開神，我就不能作甚麼。
- 神既透過我作工，我便能作任何神所能作的。
- 當我發現主的所在，我便知道那裡就是我需要留下的地方。
- 當我服從神我就可憑著經歷認識神，而神就藉著我作成祂的工。

第4天

神藉著祂的眾僕人行事（上）

你不能說要跟從神，但
又不願改變自己。

我們的舉動常常表現得好像神告訴我們祂想我們做甚麼，然後就讓我們獨自去
處理，及至我們需要祂幫助，我們可以向祂呼求，祂便來幫助我們。這其實並不是
聖經所啓示的情況。神要做一件事的時候，祂會向自己的子民啓示祂將要作的事。
神希望透過祂的子民、或祂的僕人，作成一件事。

當神預備藉著你作成一件事的時候，祂必須把你扭轉過來，使你可以從祂的角
度看事物，因此神會告知你祂要作甚麼事。（以後，我會嘗試幫助你、使你明白如
何可以清楚知道神在向你說話。）當你知道了神要作甚麼事之後，你便知道自己當
作的事，那就是加入與神同工的行列。一旦你知道神正在你現今的處境中所作的
事，你就會發覺自己所過的生活與神所要求的是截然不同。你不能說要跟從神卻不
肯改變自己。

經歷神的七項實況

下面的示意圖（另見於本書封底內頁）是幫你把經歷神的「實況」列出，使你
知道如何對神在你生命中的作爲作出回應。

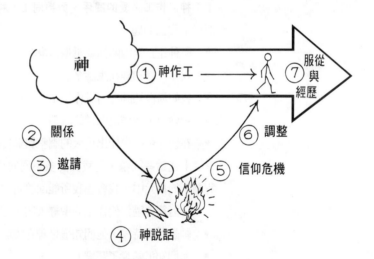

1. 神常常在你身處的環境中作工。
2. 神尋求與你建立一份持續的、個人的和眞實的愛的關係。
3. 神邀請你加入與祂同工的行列。
4. 神藉著聖靈，透過聖經、禱告、境遇和教會啓示祂自己、祂的計劃和祂做事的
   方式。
5. 神邀請你與祂同工的時候，往往會使你面臨信仰的危機，要求你以信心和行動
   去回應。
6. 你必須在自己生命中作出重大的調整，才能加入與神同工的行列。
7. 當你服從神、又讓祂透過你作成祂的工作時，你自會藉著經歷，認識神自己。

➤ A. 把那些幫助你記得這七項實況的單字或片語圈出來。

B. 把這些單字或片語寫在下面：

_____

_____

C. 慢慢地讀出每一項實況，有哪一點你不太明白的，可以把你的問題寫在下面：

_____

_____

D. 運用你在B所記下的單字和片語，看看自己能否扼要記得七項實況。核對答案後，才繼續回答下一條問題。

E. 現今在另一張紙上，憑記憶寫下每一項實況。無需逐字逐句默出來，只要掌握到重點即可。假若先寫出重要的單字和片語會有幫助，你也可以這樣做。

這個課程大部分的內容，會集中討論這些重要的實況。為了幫助你更充分明白這些實況，也許你會留意到我經常從不同的角度重複講解這些實況。這樣做的目的，是幫助你學會如何對神在你生命中的作為作出回應。

在上面的習作中，你所選用的單字和片語與我所選用的可能並不相同。我選用了：**神／作工、愛的關係、與祂同工、神說話、信仰危機、調整、服從**。或許你會問以下幾個問題：

* 與神建立愛的關係要承擔甚麼？
* 我如何得知神在說話？
* 我如何得知神在何處作工？
* 神會要求我作出怎樣的調整？
* 在個人生命中作出重大的調整與順從神二者有何不同？

上述這些問題，是我與許多不同的小組一同研習這課程時被人問及的。在這課程餘下的單元中，我會盡我所能回答這些問題。

神能夠透過他們作工的聖經人物，在生命上有三個共通點：

* 神說話的時候，他們知道是神在說話。
* 他們知道神說了甚麼。
* 他們知道當作何事來回應神。

你是否渴慕可以與神有這樣的關係，以致祂同樣能透過你作工呢？祂常常都想帶領你進入這種愛的關係中，我深信這個課程可以幫助你。

摩西的例子

摩西的蒙召和事奉，是說明神如何與聖經人物同工的極佳例子。摩西早年的生活及其蒙召的經歷記於出埃及記第2-4章。聖經中另有一些經文幫助我們了解摩西如何知道神的旨意並順服遵行。根據本書封底內頁順序列出的七項實況，讓我們來看看摩西蒙召的經歷和他對神的回應。（你或許要先讀一讀出埃及記第2-4章作為背景資料）。

1. 神在摩西身處的環境中作工。

以色列人因作苦工，就歎息哀求，他們的哀聲達於神。神聽見他們的哀聲，就記念祂與亞伯拉罕、以撒、雅各所立的約。神看顧以色列人，也知道他們的苦情。（出2：23-25）

2. 神尋求與摩西建立一份持續的、真實的及個人的愛的關係。

在荊棘火焰中，神採取主動臨近摩西，要與摩西建立愛的關係。神告訴摩西，祂會與他同下埃及。出埃及記、利未記、民數記及申命記中有許多經文，說明神如何尋求與摩西建立一份持續的愛的關係，下面是其中一個例子：

耶和華對摩西說：「你上山到我這裡來，住在這裡，我要將石版並我所寫的律法和誡命賜給你，使你可以教訓百姓。」……摩西上山，有雲彩把山遮蓋。耶和華的榮耀停於西乃山；……摩西進入雲中上山，在山上四十晝夜。（出24：12，15-16，18）

3. 神邀請摩西加入與祂同工的行列。

我下來是要救他們（以色列民）脫離埃及人的手，領他們出了那地，到美好、寬闊、流奶與蜜之地……故此，我要打發你去見法老，使你可以將我的百姓以色列人從埃及領出來。（出3：8，10）

➤ **根據前面三段敘述經文，回答下列的問題：**

1. 神已開始為以色列人做甚麼？

_____

_____

2. 你能否找出一些事實，證明神要尋求與摩西建立一份個人的、真實的關係？

_____

_____

3. 神希望摩西如何與祂同工？

_____

_____

(1) 神有一個計劃，祂要在摩西的世代實行。雖然摩西是一個生活在沙漠中的被流放者，但在神的計劃、時間和心意中，他是一個適當的人選。在神要拯救以色列民這一時刻，重要的並非神在摩西身上的旨意，而是神對以色列人的心意。

(2) 神的計劃是要拯救以色列人，摩西就是那一個人。神想要藉著他來完成祂拯救以色列人這工作。

(3) 神一次又一次邀請摩西與祂對談、與祂同行。神採取了主動，且與摩西維持一種持續的關係；這關係是以愛為基礎。每一天神透過祂的「朋友」摩西達成祂的計劃。（要知道有關這愛的關係的其他例子，可看出埃及記33：7-34：10或民數記12：6-8）

主耶和華若不將奧祕指示祂的僕人眾先知，就一無所行。

——阿摩司書3：7

任何時候神預備好要作一件事，祂常常向一個人或祂的子民啟示祂將行的事。（參摩3：7）神透過祂的子民作成祂的工，這也是神與你同工的方式。聖經是用來

幫助你明白神作工的方式。當神開始在你人生中有所作為的時候，你會認出那就是神自己。

由於本課文分成上下兩部分，今天就在這裡停止，明天將會從第四項實況開始。

➡ **重溫今天的功課。禱告求神幫你找出一兩句祂期望你明白、學習、或付諸實踐的課文內容或經文，並回答以下問題：**

在今天研讀的課文中，哪些字句或經文對你最有意義？

_____

_____

將這些字句或經文改寫為你回應神的祈禱。

_____

_____

神期望你做甚麼來回應今天所學習的？

_____

_____

由於本課文分為上下兩部分，課文撮要留待第五天課文中一併列出。

第5天　神藉著祂的眾僕人行事（下）

神向人啓示祂將做何事，這啓示便成為一個邀請，邀請人與祂同工。

4. 神向人說話，為要啓示祂自己、祂的計劃和祂作事的方式。

昨天，你學習了神與摩西同工這件事的頭三項實況，現在讓我們思想最後的四項。

> 耶和華的使者從荊棘裡火焰中向摩西顯現……（神）就從荊棘裡呼叫說：「摩西！摩西！」他說：「我在這裡。」神說：「不要近前來。當把你腳上的鞋脫下來，因為你所站之地是聖地」；又說：「我是你父親的神，是亞伯拉罕的神，以撒的神，雅各的神。」
>
> 耶和華說：「我的百姓在埃及所受的困苦，我實在看見了；他們因受督工的轄制所發的哀聲，我也聽見了。我原知道他們的痛苦，我下來是要救他們脫離埃及人的手，領他們出了那地，到美好、寬闊、流奶與蜜之地……」（出3：2-8）
>
> 「你們中間若有先知，我耶和華必在異象中向他顯現，在夢中與他說話。我的僕人摩西不是這樣；他是在我全家盡忠的。我要與他面對面說話……」（民12：6-8）

從摩西向神所講以下的說話，可以看出摩西正處於信仰的危機（掙扎）中：

5. 神邀請摩西與祂同工，使摩西面臨一個信仰的危機（掙扎）。要勝過掙扎，摩西需要具備信心，需要有所行動。

> 我是甚麼人，竟能去見法老，將以色列人從埃及領出來呢？
>
> 我到以色列人那裡，對他們說：「你們祖宗的神打發我到你們這裡來。」他們若問我說：「祂叫甚麼名字？」我要對他們說甚麼呢？
>
> 他們必不信我，也不聽我的話，必說：「耶和華並沒有向你顯現。」
>
> 主啊，我素日不是能言的人，就是從祢對僕人說話以後，也是這樣。我本是拙口笨舌的。
>
> 主啊，祢願意打發誰，就打發誰去吧！（出3：11，13；4：1，10，13）

摩西要勝過掙扎，需要信心和行動。

> 摩西因著信，長大了就不肯稱為法老女兒之子。他寧可和神的百姓同受苦害，也不願暫時享受罪中之樂。⋯⋯他因著信，就離開埃及，不怕王怒；因為他恆心忍耐，如同看見那不能看見的主。他因著信，就守逾越節，行灑血的禮，免得那滅長子的臨近以色列人。他們因著信，過紅海如行乾地；埃及人試著要過去，就被吞滅了。（來11：24-29）

6. 摩西必須在生活中作出重大的調整，以致他能參與神的工作。

> 耶和華在米甸對摩西說：「你要回埃及去，因為尋索你命的人都死了。」摩西就帶著妻子和兩個兒子，叫他們騎上驢，回埃及地去。（出4：19-20）

7. 摩西憑著服從的經歷而認識神，神也藉著摩西作成祂的工。

在出埃及記、利未記、民數記及申命記中有許多經文，說明神如何向摩西啟示祂自己。當摩西順從神，神便能藉著摩西作成摩西自己不能作的工。這裡有一個例子說明摩西和眾民認識神是他們的拯救者。

> 耶和華對摩西說：「你為甚麼向我哀求呢？你吩咐以色列人往前走。你舉手向海伸杖，把水分開。以色列人要下海中走乾地。我要使埃及人的心剛硬，他們就跟著下去。我要在法老和他的全軍⋯⋯上得榮耀。」
>
> 摩西向海伸杖，耶和華便用大東風，使海水一夜退去，水便分開，海就成了乾地。以色列人下海中走乾地，水在他們的左右作了牆垣。埃及人追趕他們⋯⋯
>
> 耶和華對摩西說：「你向海伸杖，叫水仍合在埃及人並他們的車輛、馬兵身上。」摩西就向海伸杖，到了天一亮，海水仍舊復原。
>
> 以色列人卻在海中走乾地；水在他們的左右作了牆垣。當日，耶和華這樣拯救以色列人脫離埃及人的手，以色列人看見埃及人的死屍都在海邊了。以色列人看見耶和華向埃及人所行的大事，就敬畏耶和華，又信服祂和祂的僕人摩西。
>
> （出14：15-17，21-23，26-27，29-31）

➡ **回答下列與前面四段敘述經文有關的問題：**

4. 關於神自己、神的計劃和祂作事的方式這三方面，神向摩西有何啟示？

_____

_____

_____

5a. 神向摩西說話後，摩西在甚麼事情上對神的信心出現問題？

_____

_____

5b. 根據希伯來書第11章，扼要地說明摩西的信心。

_____

6. 摩西必須作出甚麼的調整？

_____

7. 神藉摩西拯救了以色列民之後，你認為摩西會有甚麼感受？

_____

_____

(4) 神臨近摩西，與摩西談及祂的計劃。神要摩西回埃及去，使他能藉著摩西拯救以色列民。神向摩西啟示祂自己的聖潔、憐憫、權能和祂的名字；又向摩西表明祂要持守對亞伯拉罕的應許，又要將應許之地賜給以色列，並許多沒有在上述經文中記述的事。

(5a) 摩西提出許多異議。他懷疑神是否能夠藉著他拯救以色列民（出3：11）；他懷疑以色列民是否會相信耶和華神曾向他顯現（出4：1）；他也不肯定自己是否有足夠的口才去完成任務（出4：10）。在每一種情況下，摩西事實上是懷疑神多於對自己沒有信心。摩西面對的是信仰危機：神是否真能作祂說過的事？

(5b) 希伯來書的作者，形容摩西的信心，是一種甘願犧牲自我，對大能的神完全信靠的信心。神一旦向摩西啟示祂將要做甚麼，這啟示便成為一個邀請，邀請摩西與祂同工。

> 神向人啟示祂將要做甚麼。
> 這啟示便成為一個邀請，
> 邀請人與祂同工。

(6) 摩西作出了必要的調校，以致神成為他生命的定向。摩西必須進到一個地步，完全相信神能照祂所說的作成每一件事。然後摩西必須放棄他的工作，離開岳父母的家回埃及去。作出這些調整後，摩西具備了行神吩咐的條件。這並不表示摩西可以獨自為神作工，而是指摩西將要處身於神要作工的地方，以致神可以做祂起先計劃要做的事。摩西是一個甘心被主塑造的僕人，他願意留在主手，被主掌管，任主差遣使用。因此，神藉摩西完成了祂的計劃。當神藉著你的生命作一件驚天動地事情的時候，你就會在祂面前謙卑下來。

(7) 被神這樣大大的使用，摩西一定感到自己的不配和卑微。摩西順從神、照神的吩咐去做，神便能藉著摩西完成祂一切的計劃。摩西（和以色列民）愈願意順從神，他們對神的認識便愈加增多（出6：1-8）。

一個平常人會有甚麼作為？

以利亞與我們是一樣性情的人

其中一節對我有幫助的經文是：「以利亞與我們是一樣性情的人，他懇切禱告，求不要下雨，雨就三年零六個月不下在地上。他又禱告，天就降下雨來，地也生出土產」（雅5：17-18）。以利亞與我們一樣，只是一個平常人，他禱告，神便回應他的禱告。

彼得與約翰

神藉著彼得治好了生來瘸腿的乞丐後，彼得和約翰被召到公會，解釋他們所作的事。彼得被聖靈充滿、大有膽量向宗教領袖們講說。請留意領袖們的回應：「他們見彼得、約翰的膽量，又看出他們原是沒有學問的小民，就希奇，認明他們是跟過耶穌的」（徒4：13）。

沒有學問卻大有能力

你在聖經中讀到的人全都是平凡的人。但他們與神的關係以及神的作為，使他們變得非凡出眾。你有沒有注意這句話 —— 宗教領袖們認出彼得和約翰「是跟過耶穌的」？任何一個肯花時間與神建立親密關係的人，必能看見神透過他的生命，有非凡的作為。

慕迪

從賣鞋店員變為熱心的佈道家

慕迪是一位只受過很少教育、未經按立牧職的鞋店職員。他感到神呼召他去傳講福音。一天清早，慕迪和幾位朋友在草田裡聚集，一同禱告、認罪，又把自己獻給神。范禮（Henry Varley）說過：「當一個人把自己完完全全奉獻給神以後，世人可以拭目以待，看神如何與他同工、為他作事、藉他作工以及在他內心行事。」

慕迪深深被這句說話感動。後來，慕迪去聆聽偉大的傳道人司布真講道，慕迪心裡想：

「世人可以拭目以待！看神如何與人同工、為人作事、藉人作工，又在人心中行事！」范禮的意思是**任何一個人**！范禮並沒有說要受過教育或才華出眾之輩！**只是一個人**！啊，靠著在他裡面的聖靈，他（慕迪）可以成為其中一個這樣的人。剎那間，在那露天的長廊裡，他看明一件他以往從未理解的事 —— 站在那裡講道的並不是司布真先生，乃是神自己在工作。神既然可以使用司布真先生，為甚麼祂不能使用我們其餘的人呢？為甚麼我們不當完全俯伏在主的腳前，對祂說：「請差遣我！請使用我！」

慕迪是一個平凡的人，他把自己完完全全獻給基督。藉著這一個平凡的生命，神開始作許多超凡的工作。慕迪成為近代偉大的佈道家之一。他在英國、美國的復興聚會中講道，帶領千千萬萬人歸向基督。

➤ **神是否可以藉著你的生命、以不平凡的方式作工，為祂的國度成就深具意義的事呢？** 是□ 否□

當你表示沒有任何具有重大意義的事會藉你發生，這是你表達了自己對神信心的程度，甚於對自己作出評價。

你也許會說：「唔，我又不是慕迪。」你並不需要成為慕迪，神也不要你成為慕迪。神只要求你做你自己，並且讓祂透過你做任何祂選擇要做的事。當你表示沒有任何具重大意義的事會藉著你發生，這是你表達了自己對神信心的程度，甚於對自己作出評價；你真正的意思，是說神沒有能力藉著你做任何具有重大意義的事。

事實上，神能夠與一個願意完全奉獻自己給祂的平凡人同工，藉著他去做任何祂所喜悅的事。

神的標準不同於人的標準

施浸約翰

沒有一個大過他

你無需因神對於超卓的標準與人的標準不同而感到詫異。施浸約翰公開事奉的時間有多久？大約六個月。耶穌對他的一生有甚麼評價？「我告訴你們，凡婦人所生的，沒有一個大過約翰的」（路7：28）。沒有一個大過他！施浸約翰在那六個月完全順服神，神的兒子便對他的一生表示極大的讚賞。

切莫用世界的標準來評估你的一生

切莫用世界的標準來評估你的一生。許多宗派、牧者、長執和教會都以世界的準則作出評估。試想想，若以世界的標準來衡量，一個人或一間教會也許看起來相當不錯。但在神的眼中卻極其可憎；照樣，一個完全服從神的人或一間完全服從神的教會，極得神的喜悅，但在世人的眼中他們可能是無足輕重的。一位牧師是否可以在神安排他所在的小型教會中忠心事奉，得主喜悅？當然可以，只要那間小型教會正是神安放他的地方。一個人受託肩負的責任不論輕重，神總期待人向祂盡忠，祂也會賞賜忠心服事祂的人。

如果你覺得自己既軟弱、平凡又能力有限，你正是合神使用的材料。

神最喜歡使用一個平凡的人。保羅說，神特意揀選世上軟弱的、卑賤的，這樣，人人便知道只有神才可能成就一切，神也因此得著最大的榮耀（林前1：26-31）。如果你覺得自己既軟弱、平凡又能力有限，你正是最合神使用的材料。

➤ **重溫今天的功課。**禱告求神幫你找出一兩句祂期望你明白、學習、或付諸實踐的課文內容或經文，並回答以下問題：

在今天研讀的課文中，哪些字句或經文對你最有意義？

_____

_____

將這些字句或經文改寫為你回應神的祈禱。

_____

_____

神期望你做甚麼來回應今天所學習的？

_____

_____

溫習要背誦的聖經金句，預備好在本週的小組聚會中向另一位組員背誦。

課文撮要

- 神向人啟示祂將要做甚麼。
- 這啟示就成為一個邀請，邀請人與祂同工。
- 我不能說要跟從神，但又不願改變自己。
- 神能夠與一個願意完全奉獻自己給祂的平凡人同工，藉著他作成任何祂所喜悅的事。
- 神對於超卓的標準與人的標準不同。

單元二　專注於神

大學校園裡的查經班

信心浸信會的會眾感覺神要引導我們開展大學校園的福音事工。我從未做過學生工作，我們的教會也沒有這方面的經驗。浸聯會學生事工部建議我們先在學生宿舍開設一個查經班。我們用了一年時間，嘗試在宿舍開設查經班，可是卻沒有一點果效。

一個主日，我招聚校園中的基督徒學生，說：「這個星期，我要你們在校園裡，留意神在甚麼地方工作，然後去與神同工。」學生們要求我詳細解釋。神將兩處的經文放在我心裡：

- 羅馬書3：10-11 —— 就如經上所記：「沒有義人，連一個也沒有。沒有明白的；沒有尋求神的。」
- 約翰福音6：44 —— 「若不是差我來的父吸引人，就沒有能到我這裡來的。」

我繼續解釋：「根據這些經文，我們知道沒有一個人會主動尋求認識神。除非神在一個人生命中作工；否則的話，沒有一個人會求問屬靈的事。當你看見有人尋求認識神、或詢問屬靈的事，你就是看見神的工作了。」

我告訴這些學生說：「若有人開始問你屬靈的問題，那麼，不論你有甚麼計劃，你要取消原先所定的計劃，去跟這個尋求神的人一起，看看神在這個人身上的作為。」那個星期，學生們在校園裡留意神的工作，學習與祂同工。

到了禮拜三，其中一位女學生來告訴我說：「噢，牧師，今天下課後，一個與我同窗兩載的女同學來找我，她說：『我猜你可能是一個基督徒，我想跟你談談。』我記得你對我們說過的話，因此，我本來有一節課，我決定不去上課了。我們在飯堂裡談了一會兒，她說：『我們一共十一個同學在研讀聖經，但是我們當中沒有一個人是基督徒。你是否認識一些人，可以帶領我們研讀聖經呢？』」

這以後，我們在女生宿舍開設了三個查經小組，在男生宿舍也有兩個查經小組。我們用了兩年時間去為神做一點事情，卻徒勞無功。但在這個禮拜，我們用了三天時間留意神在人生命中的工作，並且與祂同工。二者之間的果效實在有天淵之別！

本週背誦金句　　*有人靠車，有人靠馬，但我們要提到耶和華我們神的名。*

—— 詩篇20：7

第1天　以神爲中心的生活

要明白及遵行神的旨意，你必須否定自己、回轉過來，過一個以神爲中心的生活。

創世記內記錄了神藉著亞伯拉罕完成祂的計劃。這並不是亞伯拉罕與神同行的記錄。這兩句說話的中心點並不相同。聖經的重點是神自己；罪的本質就是從以神爲中心轉移到以自我爲中心；救恩的本質就是否定自我、拒絕肯定自我。我們必須否定自我，回轉過來，過一個以神爲中心的生活。這樣，神就能透過我們成就祂在創世以前早已定下的計劃。下面列出的，是對兩種不同生命取向的一些描述：

以自我爲中心

* 以自我爲生命的中心點
* 爲自己及自己的成就感到驕傲
* 十分自信
* 依靠自己和自己的能力
* 肯定自我
* 尋求被這個世界接納，又與這個世界行事的方式認同
* 從人的角度看問題
* 過自私、平庸的生活

以神爲中心

* 對神有信心
* 依靠神，靠賴祂的能力和供應
* 生活的重心放在神和神的作爲之上
* 在神面前謙卑
* 否定自我
* 先尋求神的國和神的義
* 在任何景況中都尋求神的看法
* 過聖潔和敬虔的生活

➡ **用你自己的說話，寫出「以自我爲中心」及「以神爲中心」的定義：**

以自我爲中心＿＿＿＿＿＿＿＿＿＿＿＿＿＿＿＿＿＿＿＿＿＿

＿＿＿＿＿＿＿＿＿＿＿＿＿＿＿＿＿＿＿＿＿＿＿＿＿＿＿＿

＿＿＿＿＿＿＿＿＿＿＿＿＿＿＿＿＿＿＿＿＿＿＿＿＿＿＿＿

以神爲中心＿＿＿＿＿＿＿＿＿＿＿＿＿＿＿＿＿＿＿＿＿＿＿

＿＿＿＿＿＿＿＿＿＿＿＿＿＿＿＿＿＿＿＿＿＿＿＿＿＿＿＿

＿＿＿＿＿＿＿＿＿＿＿＿＿＿＿＿＿＿＿＿＿＿＿＿＿＿＿＿

下面有三組聖經的例子，請在以神爲中心的事例前的空格內填上英文字母「G」，在以自我爲中心的事例前的空格內填上「S」。

＿＿ 1a. 神將亞當和夏娃安置在一個美麗、物產豐富的園子裡。神吩咐他們不可吃那分辨善惡樹上的果子。夏娃見那棵樹的果子悅人的眼目，又能使人有智慧，就摘下果子來吃了。（創2：16-17；3：1-7）

___ b. 波提乏的妻子天天來求約瑟與她同寢。約瑟告訴她不能作這大惡得罪神。當波提乏的妻子嘗試逼約瑟就範之時，約瑟便跑出房外，他寧可被關在監牢，也不願向試探屈服。（創39章）

神曾應許把迦南地賜給以色列。摩西打發十二個人去窺探應許之地，並帶回有關報告。那地出產豐富，但住在那地的人都身量高大。（民13-14章）

___ 2a. 其中十個探子說：「我們不能上去攻擊那民，因爲他們比我們強壯。」（民13：31）

___ b. 約書亞和迦勒說：「耶和華若喜悅我們，就必將我們領進那地……，不要怕那地的居民。」（民14：8-9）

___ 3a. 亞撒王在戰場上面對古實王謝拉的大軍。他說：「耶和華啊，惟有祢能幫助軟弱的，勝過強盛的。耶和華我們的神啊，求祢幫助我們；因爲我們仰賴祢，奉祢的名來攻擊這大軍。耶和華啊，祢是我們的神，不要容人勝過祢。」（代下14：9-11）

___ b. 亞撒王和猶大國受到以色列王巴沙的攻擊，亞撒從耶和華殿和王宮的府庫裡拿出金銀來，送給亞蘭王便哈達，尋求他的幫忙，解決與以色列王的糾紛。（代下16：1-3）

　　自我中心是一個狡詐的陷阱。從人的角度來看，以自我爲中心的生活是多麼合情合理。像亞撒王一樣，你曾一度防避以自我爲中心，但在不同的情況下你又會跌進這個陷阱。以神爲中心的生活，必須每天向自己死，並完全順服神（約12：24-25）。1b、2b及3a是以神爲中心的事例，1a、2a及3b是以自我爲中心的事例。

神的計劃而非我們的籌算

　　要過以神爲中心的生活，你必須一生專注神的計劃而非自己的籌算。你必須學習從神的角度、而不是從自己的角度看事物。當神開始在這世界做一件事的時候，祂會採取主動接近某人，向他講話。因爲神選擇了讓祂的子民參與完成祂的計劃。

➤ **回答下列各問題。倘若你不知道問題的答案，可翻閱列出的經節。**

1. 當神到挪亞那裡，吩咐他建造一隻方舟的時候，神正準備做甚麼？（創6：5-14）＿＿＿＿＿＿＿＿＿＿＿＿＿＿＿＿＿＿＿＿＿＿＿＿＿

2. 當神探訪亞伯拉罕的時候，祂正準備在所多瑪和蛾摩拉做甚麼？（創18：16-21；19：13）＿＿＿＿＿＿＿＿＿＿＿＿＿＿＿＿＿＿

3. 當神到基甸那裡的時候，祂正準備做甚麼？（士6：11-16）＿＿＿＿＿＿＿＿＿＿＿＿＿＿＿＿＿＿＿＿＿＿＿＿＿＿＿＿＿＿

4. 當神在大馬色路上臨近掃羅（後改稱保羅）的時候，祂正準備做甚麼？（徒9：1-16）＿＿＿＿＿＿＿＿＿＿＿＿＿＿＿＿＿＿＿

5. 在上列每一個事例中，做成這問題的最重要因素是甚麼？選擇其中一個答案。　　□ 人要爲神做事　　□ 神正準備做事

　　神到挪亞那裡去的時候，祂正準備以洪水毀滅世界。當神準備毀滅所多瑪、蛾摩拉的時候，祂告知亞伯拉罕這件事。當神正要把以色列民從米甸人的欺壓中拯救出來的時候，祂到基甸那裡去。

　　當神已準備好將福音的信息傳給外邦人的時候，祂臨近掃羅。毫無疑問，在每

> *一粒麥子不落在地裡死了，仍舊是一粒，若是死了，就結出許多子粒來。愛惜自己生命的，就失喪生命；在這世上恨惡自己生命的，就要保守生命到永生。*
>
> *——約翰福音12：24-25*

一個處境中，最重要的因素是神正準備做事。

讓我們以挪亞為例。他有一切事奉神的計劃又怎麼樣？由於那將臨的毀滅，這一切的計劃豈不是毫無意義嗎？挪亞並沒有呼求神幫助他完成他夢想要為神去做的事。

神從不要求人夢想去為祂做甚麼。

我們不應當自己夢想要為神做甚麼，然後呼求神幫助我們去完成它。聖經中的模式，是我們首先順服神，之後：

- 我們安靜等候，直至神向我們揭示祂將會做甚麼，或
- 我們留意在自己所處的環境中，神正在做甚麼，然後與祂同工。

➡ **重溫今天的功課。禱告求神幫你找出一兩句祂期望你明白、學習、或付諸實踐的課文內容或經文，並回答以下問題：**

在今天研讀的課文中，哪些字句或經文對你最有意義？

_____

_____

將這些字句或經文改寫為你回應神的祈禱。

_____

_____

神期望你做甚麼來回應今天所學習的？

_____

_____

在下面橫線上，寫出本週要背誦的金句。

_____

_____

溫習上週背誦的金句。

本課撮要

- 要明白及遵行神的旨意，我必須否定自己、回轉過來，過一種以神為中心的生活。
- 我必須為神重新定我生命的方向。
- 我必須一生專注在神的計劃而不是自己的籌算上。
- 我必須學習從神的角度、而不是從自己的角度看事物。
- 我必須耐心等候神指示，祂要藉著我做甚麼。
- 我要留意神在我的周圍正在做甚麼，然後加入與祂同工。

（側欄文字）

神從不要求人夢想去為祂做甚麼

順服
等候
留意
與神同工

第2天

神的計劃與我們的籌算

後來，摩西長大，他出去到他弟兄那裡，看他們的重擔，見一個埃及人打希伯來人的一個弟兄。他左右觀看，見沒有人，就把埃及人打死了，藏在沙土裡。第二天他出去，見有兩個希伯來人爭鬥，就對那欺負人的說：「你為甚麼打你同族的人呢？」

那人說：「誰立你作我們的首領和審判官呢？難道你要殺我，像殺那埃及人麼？」摩西便懼怕，說：「這事必是被人知道了。」

法老聽見這事，就想殺摩西，但摩西躲避法老，逃往米甸地居住。

——出埃及記2：11-15

誰將以色列的子孫從埃及拯救出來？是摩西抑或神？是神！神選擇了先與摩西建立關係，以致祂——神自己——可以拯救以色列民。摩西有否嘗試自己一手去處理以色列民的事呢？有。

在出埃及記2：11-15（見左欄），摩西為了他同族人的利益，開始展示他自己的實力。倘若摩西嘗試以人為的方法去拯救以色列民，可能會發生甚麼事呢？數以千計的以色列人將會被殺害。摩西嘗試自己一手去處理以色列民的事；因此，他付上了四十年在外飄流、在米甸作牧羊人的代價（但也重整了他的生命、過以神為中心的生活）。

神親自拯救以色列民的時候，有多少人喪掉性命？一個也沒有。在神施行拯救的過程中，神甚至使埃及人主動將金銀和衣服送給以色列民。埃及被掠奪一空，埃及的軍隊被摧毀，以色列族卻沒有喪掉一個人的性命。

為何我們總不明白，以神的方法作事往往是最好的？我們在自己的教會中造成拆毀及損害教會的事，原因是我們有自己的一個計劃。我們貫徹執行既定的計劃，從中我們所得到的，只是我們有限的能力所做到的。神（耶穌）是教會整體的頭。當我們讓神成為教會的元首，我們自會發現其中不同之處。藉著一群順服祂的子民，神在六個月內完成的工作，肯定遠較我們用六十年時間自作主張完成的更多。

神的方法

➡ 閱讀下列的經文，並找出神對那些不跟從祂法則的人有何回應，然後回答各問題。

> 我是耶和華你的神，曾把你從埃及地領上來；你要大大張口，我就給你充滿。無奈我的民不聽我的聲音；以色列全不理我。我便任憑他們心裡剛硬，隨自己的計謀而行。（詩81：10-12）

1. 神已經為以色列民作了甚麼事？_____

_____

2. 神對祂的子民有何應許？_____

_____

3. 神的子民如何回應神？_____

_____

4. 神怎樣做？_____

_____

現在讀另外兩節經文，看看神對以色列民有甚麼應許，然後回答各問題。

> 甚願我的民聽從我，以色列肯行我的道，我便速速治服他們

的仇敵，反手攻擊他們的敵人。（詩81：13-14）

5. 以色列民若肯聽從神，行祂的道，他們可以有甚麼應許？

_____

翻閱聖經希伯來書3：7-19，然後回答下面的問題。

6. 為甚麼以色列民不能進入應許地？

_____

我們是祂的僕人；因此，我們要調整自己的生活，去配合神所要作的。

我們必須調整自己的生活，以致神能透過我們作祂要作的。神不是我們的僕役，祂無需作出任何調節配合我們的計劃。我們是祂的僕人；因此，我們必須調校我們的生活方式，來配合神的工作。假若我們不肯順服，神會讓我們隨從自己的籌算行事；然而，我們永不會經歷到神為著我們的益處，可以作成的事；也經歷不到神為著其他人的益處，要藉著我們去作成的工。

神藉著許許多多神蹟奇事領以色列人出了埃及地。以色列人可以完全信靠神，可惜，當他們臨近應許之地的時候，他們卻不相信神能把應許之地賜給他們。為此，他們用了四十年的時日，在曠野一帶飄流。在詩篇八十一篇，神提醒以色列人這件往事：假若以色列人聽從他的計劃，放棄自己的籌算，神便可速速征服他們的仇敵。

➡ **思想下列各問題並作出回應：**

1. 神是與子民同工去實現祂的計劃，至今祂有否改變這種做法？

_____

2. 你情願運用自己的籌算，圍繞「屬靈的曠野」兜圈，抑或跟從神的指示，快快進入屬靈的應許地？

_____

你需要知道神正準備做甚麼

有一年，各宗派的領袖在溫哥華聚集，商討擬訂要在首府地區推展一項事工。不少機構的高層人士亦與我們合作去完成許多偉大的計劃。然而，有一個問題不斷在我思想中盤旋：「若是神在我們完成這些事情之前要審判我們的國家，那怎麼辦？」我明白到自己是多麼需要知道神對溫哥華的心意。為自己在未來日子訂定計劃，可能是毫無意義的。

神呼召人作先知的時候，祂往往要傳遞一個重疊的信息。神的第一個信息是：「呼喚我的百姓回轉歸向我。」假若人對這呼喚未能作出回應，他們需要聆聽第二個信息：「他們要曉得，如今他們較以往任何時刻，更接近面對審判。」神對先知所說的話是：「告訴我的子民：回轉歸向我，否則審判必然臨到。呼喚他們對我作出回應。」

對古代的眾先知來說，明白神將要做甚麼是否非常重要？當神正準備在耶路撒冷施行一次可怕的審判、毀滅整個京城之際，人若知道神將要行這件可怕的事，是否極為重要？當然非常重要！

➡ **你認為自己的國家是否正面臨神的審判？請選擇其中一項：**

☐ 1. 我不認為神會對我的國家施行審判。

☐ 2. 我認爲神的審判是很久以後才會發生的事。

☐ 3. 我不明白神爲何可以寬容等候這麼久，我相信我們正面臨神嚴厲的審判。

☐ 4. 我相信我們正經歷神管教式的審判，正如以賽亞書5：1-7所描述的。

☐ 5. 我認爲我們已經歷過神的審判。

你會列舉甚麼證據支持你的答案？

_____

_____

你的想法對你生活的方式有何影響？

_____

_____

在小組聚會中，你將會有機會討論問題的答案。

> **明白神在你身處的環境中要做甚麼，**
> **比告訴神你要爲祂做甚麼更重要。**

倘若在神將要毀滅所多瑪、蛾摩拉的前夕，亞伯拉罕告訴神他計劃好去巡視這兩個城市，並要逐家逐戶爲祂作見證，會有何用處呢？你在教會中製定了許多長期計劃，若是在你推展這些計劃之前，神要在你的國家施行審判，這一切又有何用處呢？

你需要知道在這歷史時刻，神爲你的教會、社會和國家訂定的行事曆。這樣，你和你的教會可以立時作出調整，在還來得及之前，與神配合，參與祂在這個時代的工作。雖然神可能不會給你一個詳盡的程序表，但祂會一步步讓你知道，你和你的教會需要如何回應祂的工作。

➡ **現在就禱告，求神引導你應當如何在下列各方面向祂作出回應：**

- 個人生活
- 你的工作
- 你的家庭
- 你的社會
- 你的教會
- 你的國家

也許你想在旁邊的空白處或用另一張紙，記下一些要點。

馬丁路德　　神告訴馬丁路德「義人必因信得生」之時，祂正準備作甚麼？神正要使整個歐洲的居民，明白救恩是一份白白的禮物，並且每一個人可以直接進到祂面前。神準備發動一次大規模的宗教改革。當你在教會歷史中研究神所帶動的大規模運動的時候，你會發現每一次都是神先臨近一個人，這個人也將自己的生命交給神，然後神開始藉著這個人完成祂的計劃。

約翰及查理‧衛斯理　　當神向約翰及查理‧衛斯理說話的時候，祂正準備賜下一個橫掃英國的大復
喬治‧懷特菲　　興，來挽救英國逃避一場像法國所經歷的流血革命。那時候，喬治‧懷特菲和另外幾個基督徒侍立在神面前，神便能透過他們做了一件偉大的工作，把英國徹底扭轉過來。

在你生活的社區裡，有些事情將會發生在某些人的生命中，神要介入這些人的生命。也許祂要藉著你去作工，祂會臨近你向你說話。但是，你由於太過以自我爲

中心，因此你回應說：「我認爲我未有足夠訓練承擔這責任，我不以爲我可以做這件事，並且我……」

你看見問題在哪裡嗎？你的注意力只放在自己身上。當你感覺到神在你生命中有所引導，你馬上給祂一連串的理由，說明祂選了一個不合適的人，或表示現在不是恰當的時間（出3：11；4：1）。我期望你會尋求神的心意。神知道你沒有能力自己去做，但是祂願意藉著你親自作成祂的工。

➤ **重溫今天的功課。禱告求神幫你找出一兩句祂期望你明白、學習、或付諸實踐的課文內容或經文，並回答以下問題：**
在今天研讀的課文中，哪些字句或經文對你最有意義？

_____

_____

將這些字句或經文改寫爲你回應神的祈禱。

_____

_____

神期望你做甚麼來回應今天所學習的？

_____

_____

本課撮要

- 用神的方法做事。
- 藉著一群順服祂的子民，神在六個月內完成的工作，遠較我們用六十年時間自作主張所完成的更多。
- 我是神的僕人，我要調整自己的生活，來配合神所要作的。
- 明白神在我身處的環境中要做甚麼，比較告訴神我想爲祂做甚麼更重要。

第 3 天　神採取主動

神以行動發出的啓示，是邀請你與祂同工。

因爲你們立志行事，都是神在你們心裡運行，爲要成就祂的美意。

——腓立比書2：13

主動在神不在你

整本聖經清楚顯明，神是採取主動的神。當神去到一個人那裡的時候，祂往往是向人啓示祂自己和祂的計劃。這個啓示就是一個邀請，邀請人將生命的方向調整朝向神。從來沒有一個與神相遇過的人會仍舊過著以前的生活而毫無改變。他們必須在生命的方向上作出重大的調整，以致可以順服神、與祂同行。

神是那位有絕對主權的主。我要過一種以神爲中心的生活；因爲祂是在我前頭引路的神。神常常採取主動去完成祂自己的工作。你若以神爲生命的中心，那麼，包括你渴望做些討神喜悅之事的心願，都是神在你生命中採取了主動的結果。

當我們看見神動工的時候，通常我們會怎樣回應呢？我們會立即變得以自我爲

中心而非以神爲中心。但無論如何，我們必須重新校正我們生命的方向，去過以神爲中心的生活。我們必須學習從神的角度去看事物，我們必須讓祂在我們裡面塑造祂自己的性情，我們必須讓主向我們啟示祂的想法。惟有這樣，我們才能對生命有正確的認識。

你若持守以神爲中心的生活，你已立即將自己的一生與神的計劃和行動步伐一致。當你看見神在你周圍的環境中動工時，你必怦然心動，說：「天父，感謝祢，感謝祢讓我在祢的工作上有分參與。」當神開我的眼睛，使我得見祂在我身處的環境中作工的時候，我常常深信神正期望我能與祂同工。

▶ **選擇題：**

1. 你能夠明白及遵行神的旨意，是誰先採取了主動的結果？
   - ☐ a. 我自己，神會讓我決定要爲祂做甚麼。
   - ☐ b. 神自己，祂邀請我在祂的工作上與祂同工。

2. 下列哪幾項，是神可能向你啟示祂的計劃和心意的途徑？
   - ☐ a. 祂讓我知道祂正在何處作工。
   - ☐ b. 祂藉著聖經向我說話，使我曉得如何在個人的生活中實踐真理。
   - ☐ c. 祂賜給我一個熱切的渴望，這個渴望愈禱告愈見強烈。
   - ☐ d. 祂在我的周圍製造一些處境，對我是敞開機會之門。

神常常採取主動（1b）。祂不會讓我們來決定爲祂作甚麼。神採取了主動向我們啟示祂的心意，等待我們向祂作出回應——調整我們的生活來配合祂的計劃，並完全聽憑祂差遣。在問題2，四個答案都可以是神向你啟示祂的計劃和心意的途徑。除了這四個途徑外，當然還有其他的方法。但是，我們必須小心留意 c 及 d 的方法，一個以自我爲中心的生命，會有一種傾向，就是把個人自私的慾望與神的旨意混淆。我們也不能常常以環境（形勢）作爲神引導的指標。「敞開的門」或「關閉的門」也不能常常用來衡量神是否引導我們繼續前進。在尋求神的指引時，要留意神的帶領，是否與禱告中的領受、神的話語和環境一致。

現在，也許你仍然這樣說：「這一切聽起來很合理，但是，我需要一些實質的幫助，學習如何去應用這些概念。」在任何情況下，切記神只要求你完全依靠祂，而不是倚靠一種方法。完全倚靠神的關鍵不是一個方法，乃是與神之間的關係。我會告訴你有關一個人學習藉著禱告和信心與神同行的事蹟，看看是否可以幫助你明白其中的道理。

喬治穆勒的信心道路

喬治穆勒

喬治穆勒（George Mueller）是十九世紀一位英國牧師，他留意到神的子民已變得異常沮喪、氣餒。他們不再期望神會作任何不尋常的事情；他們不再相信神會應允禱告；他們的信心非常微小。

神開始引導穆勒去禱告。穆勒的禱告，是求神帶領他去從事一項工作，這項工作的成果，只能被解釋做神的作爲。穆勒想要神的子民認識神是一位信實的神，又是應允人禱告的神。他讀到詩篇81：10這節經文，就是在昨天的課文中讀到的——「你要大大張口，我就給你充滿。」神開始帶領穆勒過信心的生活。

當穆勒感覺神引導他去做一些工作的時候，他向神祈求需用的來源。他不會把

需要告訴任何人。穆勒期望所有人都知道，神供應人一切的所需，只爲回應人的祈禱和信心。他在英國布里斯托事奉的時候，開設了聖經知識學院，從事分享聖經和宗教教育的工作，也開設了一間孤兒院。到穆勒離世的時候，神使用穆勒建立了四間孤兒院，同一時間一共照顧二千名兒童，超過一萬名兒童曾經在孤兒院中得到照顧。神應允他的禱告，藉著他的手分給人需用的金錢，超過八百萬元。穆勒九十三歲離開世界，他在世上的財物，估計只有八百元而已。[1]

穆勒如何知道並遵行神的旨意？

➡ 閱讀下面這段文字，列出穆勒做了哪幾件事情，幫助他知道並遵行神的心意，然後列出有哪些事情，使穆勒在明白神旨意的事上犯錯。

「我不會忘記在任何時候，只要我眞誠地、有耐性地靠著聖靈的教導，藉著神的話語，去尋明神的旨意，我總得著正確的指引。然而，當我在神面前缺少誠實的心和正直的靈，沒有耐性等候神的指示，又或者我喜歡尋求朋友的意見，甚於得著永活神的話語，我就會犯上極大的錯誤。」

是甚麼幫助穆勒知道神的旨意？

_____

_____

_____

是甚麼導致穆勒在明白神旨意的事上會犯錯誤？

_____

_____

_____

穆勒提及對他有幫助的是：

* 眞誠地尋求神的指引
* 耐性等候神，直至從神那裡得著話語
* 留意聖靈藉著神的話語教導他

穆勒知道下列幾件事會使他犯錯誤：

* 欠缺誠實的心
* 缺少正直的靈
* 沒有耐性等候神
* 喜歡人的意見甚於聖經中的話語

穆勒將他與神有「心心相印」的關係和辨別神聲音的門徑，歸納爲下列幾點：

1. 首先，我會讓自己的心平靜下來，不會對要求問的事有自己的私意。通常十之八九問題的根源是在自己的心。當我們的心預備好去遵行所明白的神的旨意時，大部分的困難已迎刃而解。

2. 其後，我不會靠感覺作出決定，假若我如此行，我便會使自己犯上極大的錯誤。

3. 我藉著神的話，尋明聖靈的意思。神的靈與神的話必須彼此結合。倘若我只留意聖靈而忽略神的話語，我同樣會置自己於極大的錯誤中。如果聖靈要引導我們，祂會依據聖經來指引我們，祂的指引絕不會與聖經相違背。

4. 然後，我會考慮神所預備的處境。神的話、神的靈和神所預備的環境，常常會清楚顯明了神的旨意。

5. 我會在禱告中求神向我正確地啓示祂的心意。

6. 因此，藉著（1）向神祈求，（2）研讀神的話語，和（3）思想反省，我會根據所知道的作出一個愼重的判斷。如果我心裡有平安，並且在經過多次禱告後，平安仍留在心裡，我便會按照作出的判斷去做。

➤ **選擇題：**

1. 穆勒如何開始尋求神的旨意？
   - ☐ a. 他嘗試決定自己要爲神作甚麼
   - ☐ b. 他盡己所能使自己沒有私意
   - ☐ c. 他盡己所能只求神的旨意成就
   - ☐ d. （b）及（c）

2. 穆勒認爲在怎樣的情況下會犯錯誤？
   - ☐ a. 單憑感覺作決定
   - ☐ b. 單單倚靠聖靈的指引
   - ☐ c. （a）及（b）

3. 穆勒常尋求下列哪一句所描述的兩者一致？
   - ☐ a. 他個人的想法和環境
   - ☐ b. 神的靈和神的話語
   - ☐ c. 其他人的意見和他自己的想法
   - ☐ d. 環境和內心的平安

4. 穆勒判斷是否神旨意的最後測試是甚麼？
   - ☐ a. 他鑒辨「門」是敞開或是關閉
   - ☐ b. 他詢問一位作牧師的朋友的意見
   - ☐ c. 他憑直覺繼續進行，並留意是否行得通
   - ☐ d. 他靠著禱告、研讀聖經和思想反省，尋求一個具體的指引，並得著長久的內心平安。

正確答案是1-（d），2-（c），3-（b），4-（d）。我希望穆勒的經歷對你有幫助。倘若你仍感模糊不清，也無需感到氣餒，我們仍有許多時間一同學習。明天我會告訴你一個活生生的例子，說明神是如何作工的。

➤ **重溫今天的功課。禱告求神幫你找出一兩句祂期望你明白、學習、或付諸實踐的課文內容或經文，並回答以下問題：**

在今天研讀的課文中，哪些字句或經文對你最有意義？

_____

_____

_____

將這些字句或經文改寫爲你回應神的祈禱。

_____

_____

_____

神期望你做甚麼來回應今天所學習的？

_____

_____

背誦本單元的金句，或在另外一張紙上寫出來。

本課撮要

- 神以行動發出的啓示，是祂邀請我調整自己的生命去與祂同工。
- 「首先，我會讓自己的心平靜下來，不要對求問的事存有自己的私意。」
- 我不會憑感覺或印象作出決定。
- 我藉著神的話，尋明聖靈的意思。

第 4 天　神向祂的子民說話

祂現今仍然向祂的子民說話。

多年前我有機會對一群年輕的牧師講道。當我講完之後，一位牧師把我拉到一旁，說：「我向神發誓，我永遠不會再聽像你這樣的人講道。你的語氣就像說神是你個人的神，是那麼眞實，並且會向你說話。我鄙視你的說法！」

我問他說：「對於神會向你說話這一點，你是否遇到困難？」我們花時間談論這件事。沒多久，我們一同跪下禱告，他一邊流淚一邊爲神會向他說話獻上感謝。弟兄姊妹，千萬不要在神會向你說話這件事上受任何人的威嚇。

➤ **先讀一遍下列幾段經文，然後回答問題。**

> **希伯來書1：1** —— 神既在古時藉著眾先知多次多方的曉諭列祖，就在這末世藉著祂兒子曉諭我們。
>
> **約翰福音14：26** —— 但保惠師，就是父因我的名所要差來的聖靈，祂要將一切的事指教你們，並且要叫你們想起我對你們所說的一切話。
>
> **約翰福音16：13-14** —— 只等真理的聖靈來了，祂要引導你們明白一切的真理；因爲祂不是憑自己說的，乃是把祂聽見的都說出來，並要把將來的事告訴你們。祂要榮耀我，因爲祂要將受於我的告訴你們。
>
> **約翰福音8：47** —— 出於神的，必聽神的話；你們不聽，因爲你們不是出於神。

1. 在舊約時代（古時），神如何說話？祂藉著誰說話？

_____

2. 在新約時代（末世），神如何說話？

_____

3. 在約翰福音14：26，耶穌應許我們，父神要因祂的名差遣哪一位到來？

_____

4. 約翰福音14：26及16：13-14兩處經文，對聖靈的工作有何描述？

_____

5. 是哪一位聽見神所說的話？

_____

6. 約翰福音8：47怎樣描述那些不聽神說話的人？

_____

根據上述經文的內容，寫下有關「神說話」的撮要。

_____

_____

_____

在舊約時代，神多次用各種不同的方式說話。耶穌在世的時候，透過耶穌的一生，神自己向祂的子民說話。如今，神透過聖靈說話。聖靈會將一切的事指教你，會叫你想起耶穌說過的話來，會引導你進入一切的真理，會把祂從父神所聽見的說出來，會把將來的事告訴你，並且藉著基督啟示你，叫基督得著榮耀。

在我們這個時代，神是否仍會向祂的子民說話？神要使用你的時候，祂是否會向你啟示祂的計劃？當然會！神並沒有改變，祂仍舊向祂的子民說話。假若你在聆聽神向你說話這方面有困難，你對信仰的體驗顯然出現了基本的問題。

我如何得知神在說話？

我們都深受罪的影響（羅3：10-11）。除非聖靈啟示我們，否則你和我都不能明白神的真理。聖靈是我們的導師，祂將神的道教導你的時候，你要靜候在祂面前，並向祂作出回應。你禱告的時候，要留意聖靈如何用神的道，印證在你心裡神的說話；要留意神在你身處的環境中正在做甚麼。在你禱告及讀神話語的時候向你說話的神，就是那一位在你身處的環境中作工的神。

➤ **請翻至封底內頁，讀一讀第四項實況，然後回答下列各問題。**

1. 耶穌升天後，三一神其中的哪一位被差遣來向神的子民說話呢？選擇其中一個答案。

   ☐ a. 父神

   ☐ b. 耶穌

   ☐ c. 聖靈

2. 神透過哪四種途徑向人說話？

_____

3. 神說話的時候，祂向人啟示甚麼？

神藉著聖靈，透過聖經、禱告、環境和教會啟示祂自己、祂的計劃和祂作事的方式。以後我們會在多個單元中討論有關神說話的時候會採用的幾個途徑。我不會向你提供一條方程式，使你知道神在向你說話；但我會與你分享聖經的話語。神向你說話的時候，你從聖經中獲得的明證可以幫助你。當神選擇透過聖經向一個人說

話的時候，這個人會知道向他說話的是神，並且知道神對他說了甚麼。

在約翰福音10：2-4及14耶穌說：

- 「從門進去的，才是羊的牧人。
- 羊聽祂的聲音。
- 羊跟著祂，因為認得祂的聲音。
- 我是好牧人；我認識我的羊，我的羊也認識我。」

認得神的聲音的秘訣不是靠運用一條方程式，也不是採用一套可依循的方法。認得神的聲音是基於與神建立了一份親密的愛的關係。所以那些與神沒有關係的人（不是出於神的人）聽不見神說話（約8：47）。你要學習留意神如何以獨特的方式與你溝通。你不再需要其他的扶助，只需單單依靠神。你和神之間的關係是至為重要的。

➡ **神說話的時候，你如何得以認出神的聲音？試從下列四個答案中選出最適合的一個。**

- ☐ a. 神會給我一件神蹟奇事，我便知道神在向我說話。
- ☐ b. 基於與神之間親密的關係，我可以認出祂的聲音。
- ☐ c. 當我學會運用正確的程式（或套用別人的經歷），神說話的時候，我便可以聽見。
- ☐ d. 我可以打開聖經，隨便選出一節我想用的經文，然後宣稱神給了我話語來面對我要處理的問題。

認出神的聲音的秘訣是甚麼？＿＿＿＿＿＿＿＿＿＿＿＿＿＿＿＿＿＿＿＿＿＿＿＿

神說話的時候，認出神的聲音，秘訣在於與神之間的**親密關係**。上述問題的正確答案是（b）。（a）、（c）和（d）是否正確的答案呢？在聖經中，有時候神也會給人一件神蹟奇事，使人肯定是祂在說話，基甸就是一個例子（士6章）。向神求一件神蹟奇事往往是不信神的標記。文士和法利賽人求耶穌顯一個神蹟的時候，耶穌責備他們，稱他們為「邪惡淫亂的世代」（太12：38-39）。他們是那麼自我中心和罪惡，以致認不出神就在他們中間（參路19：41-44）。

「正確的程式」（別人的經歷）也不是辨認神聲音的秘訣。神從燒著的荊棘裡向摩西說話。但除了摩西經歷過燒著的荊棘之外，還有誰有過這樣的經歷呢？一個也沒有！神並不希望你成為一個懂得運用方程式的專家，祂只希望與你建立親密的愛的關係。祂希望你單單依靠祂。認出神的聲音並不是藉著一種方法或某一方程式（或某種經歷），而是基於與神之間親密的關係。

有人或許對於 d 並不是正確的答案感到奇怪，他們會說：「難道我不能從聖經中得到神的說話嗎？」你當然可以從聖經中得到神的說話；但是，只有聖靈可以啟示你知道，神在你身處的獨特境況中要對你說甚麼。你有否留意到答案 d 是多麼的自我中心？「我翻開……我選出……我宣稱……」縱使經文中的處境與你的處境相同，也只有神能對你啟示祂的話語。

至於宣稱自己從神那裡得著話語這件事，你同樣需要很小心謹慎，因為宣稱從神那裡得著話語是一件嚴肅的事。倘若你真的從神那裡領受了話語，你必須持守所領受的；直到這話語成就為止（縱使要像亞伯蘭那樣等待二十五年之久）。假若你並沒有從神那裡得著話語，卻宣稱自己得著了，你就會受到像假先知那樣的審判：

你心裡若說：「耶和華所未曾吩咐的話，我們怎能知道
呢？」先知託耶和華的名說話，所說的若不成就，也無效
驗，這就是耶和華所未曾吩咐的，是那先知擅自說的，你不
要怕他。」（申18：21-22）

根據舊約的律例，一個假先知應得的刑罰是將他處死（申18：20），這是一個
非常可怕的結局。因此，不要輕率地宣稱從神那裡領受了祂的話。

神愛你，祂渴望與你建立一種親密的關係。祂期望你在尋求祂的話語時，單單
倚靠祂。祂希望你學會聆聽祂的聲音，並知道祂的旨意。在神向你說話之時，要聆
聽得到祂的聲音，秘訣在於你和祂之間親密的關係。

➡ 考慮向神這樣禱告：「神啊，求祢幫助我與祢有親密的關係，以致祢向我說話
的時候，我可以清楚知道祢在向我說話，並且我會對祢作出合宜的回應。」

➡ 重溫今天的功課。禱告求神幫你找出一兩句祂期望你明白、學習、或付諸實踐
的課文內容或經文，並回答以下問題：
在今天研讀的課文中，哪些字句或經文對你最有意義？

_____

_____

將這些字句或經文改寫為你回應神的祈禱。

_____

_____

神期望你做甚麼來回應今天所學習的？

_____

本課撮要
- 神從沒有改變，祂現今仍然向祂的子民說話。
- 倘若我在聆聽神向我說話這方面有困難，我對信仰的體驗顯然出了基本的
  問題。
- 神藉著聖靈，透過聖經、禱告、環境和教會，啟示祂自己、祂的計劃和祂
  作事的方式。
- 認出神的聲音，是由於與神有親密相愛的關係。

第5天 | 神對人說話帶有目的

神塑造人的品格，使他
能承擔神交託的工作。

我們常常希望神向我們說話，或在每天靈修的時候給我們一點亮光，使我們每
天的生活有一種愉悅的感覺。倘若你希望這位掌管宇宙萬物的神對你說話，你必須

作好充分的準備，因為祂會向你啟示祂在你身處的環境中要作的工。在聖經裡，神絕少為了與人閒話家常而臨近人對人說話。當神透過聖經，禱告、環境、教會或其他方式向你說話的時候，祂必定在你一生中有一個美好的計劃。

亞伯蘭

當神臨近亞伯蘭，向他說話的時候（創12章），祂正準備作甚麼？神正準備透過亞伯蘭建立一個民族。神向亞伯蘭說話，是因為神正準備透過亞伯蘭建立一個民族。亞伯蘭知道了神的心意後，他必須調整自己的生活，立即依從神的吩咐，來配合神的計劃。

神對你說話的那個時刻，正是神期望你對祂作出回應的重要時刻。

神向你說話的那個時刻，正是神期望你對祂作出回應的重要時刻。我們常常以為可以用三、四個月時間來仔細思想，慢慢決定在甚麼時候對神作出回應。請你緊記：神向你說話的那個時刻，正是神期望你對祂作出回應的重要時刻。神向祂的僕人說話，表明祂已準備有所行動，否則祂不會輕易向人啟示祂的心意。當神要掌管你人生的方向的時候，你能及時作出回應是非常關鍵性的。祂向你說話的時候，你必須信靠祂。

神在甚麼時候向你說話是神自己的決定

神對亞伯蘭（後來改名為亞伯拉罕）說話以後，過了多少年日，神應許給他的兒子以撒才生下來呢？過了整整二十五年之久！（參創12：4及21：5）神為何不立刻賜給亞伯蘭一個兒子？因為神要花二十五年的時間來塑造亞伯蘭的生命，使他能成為以撒的父親。神所關注的，主要並不是亞伯蘭；祂的心意，是藉著亞伯蘭建立一個國族。一國之父的品格和生命的素質，會直接影響多代後裔的生命；因此，神用時間來塑造亞伯蘭，使他成為一個合用的器皿。神向亞伯蘭說話的時候，亞伯蘭必須立時調整他生命的方向，順從神的心意。亞伯蘭不可以等到以撒生下來以後，才順從神的心意，學習作以撒的父親。

➡ **是非題：**

____ 1. 神對我說話，純粹為了讓我覺得在靈修的時間有點亮光，以致整天都心境暢快。

____ 2. 當神對我的一生有一個美好計劃的時候，祂會向我說話。

____ 3. 神對我說話的時候，我可以慢條斯理決定在甚麼時候才對神作出回應。

____ 4. 神向我說話的時候，我必須立即作出回應，調整自己生命的方向，以配合神的計劃和方法。

____ 5. 神在甚麼時候向你說話是神自己的決定。

當神向你說話的時候，祂必定在你一生中有一個美好的計劃。因此，祂向你說話的時刻，就是你應當開始回應神的關鍵時刻；答案1，3題（非）2，4，5題（是）。但我們也應當讓神有時間及機會塑造我們的品格。

神塑造人的品格，使人能承擔神所交託的工作

神呼召亞伯蘭的時候，祂對亞伯蘭說：「我必叫你的名為大。」（創12：2）。神這句話的意思，是說祂要塑造亞伯蘭的品格，使他能承擔神交託他的任務。天下間最悲哀的事，莫過於由一個生命未成熟的人去承擔一個重要的職分。大部分人都渴望神把重要的職分交託給我們，卻沒有留意去培育個人的品格。

假設有一位牧師正在期盼有大教會肯聘請他，這時候，另外一間小教會邀請

他，希望他能抽時間兼顧那裡的牧養工作。

這位牧師心裡想：「唔！我受過這麼多的訓練，我絕不可以在一個平平凡凡的崗位上事奉神，我應當肩負起一個更重要的職分才合理。」

➤ **選擇題：你認爲這位牧師的回應是屬於下列兩類中的哪一類？**

☐　一個以神爲中心的回應。

☐　一個以自我爲中心的回應。

你是否留意到這位牧師的想法多麼以自我爲中心？人們許多的想法都是自以爲是，這些想法往往阻擋了神的計劃。假若你在小事上不忠心，神不會把更大的工作交託給你。神會藉著交託給你一些小差事來塑造你的品格，調校你人生的方向，以致你可以在日後承當重大的職分。神常常藉著交給你一個小差事來塑造你。你若肯服從神，你便可以透過各種的經歷認識祂更深。認識神是你一生的目標，你是否願意經歷神在你生命中大能的作爲？你是否願意經歷神藉著你彰顯祂大能的作爲？你若願意，那麼，縱然神帶領你擔當一個微不足道，無人注意的職分，你也會調校自己的生活，順從神的帶領。聽見主對你說：「好，你這又良善又忠心的僕人」（太25：21），豈不是最快樂的事麼？

你或許會問：「我是否可以假設，凡是人看來微不足道，毫不受人注意的職分，就必然是神交託給我的職分？」這個假設並不正確。不論在你眼中這個職分是重要或是卑微，你仍然要清楚尋明這是否就神交託給你的職分。切勿基於自己主觀的分析，拒絕承當一個你眼中看爲重要或卑微的職分。要知道這職分是否神交託給你的，秘訣在於你和神之間親密的關係。

➤ **假設你計劃好去釣魚，或準備在晚上觀賞一場足球比賽，又或許要往商場購買一些用品，神卻在這時候邀請你與祂同工，你會怎樣做？**

☐　1.　我會先完成自己計劃要做的事，然後一有空，就去作神吩咐我作的事。

☐　2.　我會認爲神不會在這種情況下邀請我與祂同工，因爲祂一早已知道我有自己的計劃。

☐　3.　我會想盡辦法完成自己的計劃，又完成神吩咐我去做的工作。

☐　4.　我會重新調整自己早已訂下的計劃，以便可以與神同工。

主權在神

有些人絕不會讓任何事情更改他們去釣魚或觀賞一場足球賽的計劃，他們口裡聲稱要事奉神，可是卻不容許任何事情干擾自己訂好的計劃，這種人完全以自我爲中心；因此，他們察覺不到神自己的作爲。一個以神爲中心的人，會調整自己的生活去配合神的工作。

> 神有絕對的主權干擾你的生活，因爲祂是你的主。你既接受了祂作你生命的主，祂就有權可以隨時支配、使用你的生命。

假設有一個主人吩咐他的僕人去做一件事，十次有五次僕人對主人說：「對不

主人說：「好，你這又良善又忠心的僕人，你在不多的事上有忠心，我要把許多事派你管理；可以進來享受你主人的快樂。」

—— 馬太福音25：21

透過你與神之間親密的關係，你會知道神的心意。

起，我沒有預留時間做這件事。」你認為主人會怎樣做？主人必定會管教責備這個僕人。如果這個僕人對主人的管教責備毫無反應，主人自然就不再將工作交給他。

你是否羨慕那些大大被神使用的基督徒？這些人能夠被神使用，是因為他們在各樣事上都服從神，當神吩咐他們去作一件事的時候，他們立刻調整自己的生活，配合神的計劃，他們既在小事上忠心，神便將更重要的工作託付他們。

如果你在小事上不忠心，神不會把重大的工作託付你。

你若在小事上不忠心，神不會把重大的任務託付你。神常常藉著交託你一些較小的事工，來塑造你的品格，使你有一天能承當重要的任務。

➡ **下面幾個問題，都是與神的主權和神塑造人的品格，以致人能承當重要的職分有關。**

1. 你曾經期望神託付你去承當哪一項任務？在這方面你曾否感到困惑和失望？

　　_____

　　_____

2. 你曾否在神要用你去作工的時候，卻選擇了不順從祂的帶領？若有過這樣的經歷，請扼要記下你當時的處境。

　　_____

　　_____

3. 現在聖靈有否對你說話，向你提到你個人品格的問題？若有的話，祂正在說甚麼？

　　_____

　　_____

4. 你的生活行為是否表明基督是你生命的主？你若沒有讓耶穌掌管你的生命和生活，現在你是否願意作出回應？

　　_____

　　_____

神需要時間來裝備你去承擔祂交託給你的工作。

當神告訴你人生下一步的方向時，你應當順從神的指引，然後讓神有時間來裝備你，使你成為可以承當重任的人。切勿以為在神呼召你的時候，你已預備好去承擔祂要託付你的工作。

大衛

從神藉撒母耳膏立大衛，到大衛登上王位，其間相隔了多少年日？大約有十年或十二年之久。在這段時間，神做了甚麼？祂用了這麼長的時間，建立祂與大衛之間親密的關係和塑造大衛的品格。一國之君的品格，直接影響整個國家人民的福祉。

保羅

從耶穌基督呼召保羅作使徒，到保羅踏上他第一次的宣教旅程，其間相隔了多少年日？大約有十年或十一年之久。神要拯救一個失喪的世界，祂期望藉著保羅開始這拯救外邦人的工作，神需要用一段相當長的時間，預備保羅來承擔向外邦人傳福音的職分。

神花時間來裝備你，塑造你的品格，是否純粹為了你個人的益處？不，神並不單單為了你才花這麼多的時間。神預備你成為合用的器皿，使你與神建立親密的關係，也是為了要祝福那些祂要藉著你去得著的人。因此，為了那些失喪的靈魂和那些有需要的人，你要認真地建立與神之間的關係；這樣，當神把你安放在一個崗位

上的時候，祂便能藉著你，在你接觸得到的人身上，作成祂要作的工。

➡ **重溫今天的功課。禱告求神幫你找出一兩句祂期望你明白、學習、或付諸實踐的課文內容或經文，並回答以下問題：**

在今天研讀的課文中，哪些字句或經文對你最有意義？

_____

_____

將這些字句或經文改寫為你回應神的祈禱。

_____

_____

神期望你做甚麼來回應今天所學習的？

_____

_____

請在橫線上寫下你要背誦的聖經金句：

_____

_____

溫習你要背誦的聖經金句，預備好在這個禮拜的小組聚會中背誦出來。

本課撮要

● 神對我說話的那個時刻，正是神期望我對祂作出回應的重要時刻。

● 神在甚麼時候向我說話是神自己的決定。

● 神塑造我的品格，使我能承擔祂託付我的工作。

● 神有絕對的主權干擾我的生活，因為祂是我的主。我既接受了祂作我生命的主，祂就有權可以隨時支配、使用我的生命。

註釋：

1. 想更深入認識喬治穆勒，請參閱A.E.C. Brooks輯，*Answers to Prayer from George Mueller's Narratives*, Moody Press; Faith Coxe Bailey著，*George Mueller*, Moody Press.

單元三 神追求與人建立愛的關係

嘉莉患了癌症*

當我的兒女不能得到他想要的，他慣常會說：「你並不愛我。」他這樣說是否正確呢？當然不是。我對兒女的愛並沒有改變，只是在那個時刻，我以不同的方式向他表達我對他的愛，這種表達的方式卻不是他所想要的。

當我們惟一的女兒嘉莉十六歲的時候，醫生告訴我們，她患上了癌症。我們要帶她去接受化療和電療。看著嘉莉因患病而要接受各種治療，我們也與她一起經歷這些痛苦。有些人面對這樣的事情時，會責怪神、質問神為甚麼不再愛他們。嘉莉因癌症而要接受各種治療，這個經歷對我們的信仰可以造成極大的震撼。神是否仍然愛我們？是的，神仍然深愛我們；祂對我們的愛是否改變了？沒有，祂的愛永不改變。

當你面臨這樣的困境時，你可以祈求神指示你當怎樣行。我們也求問神我們當怎樣行，我們問了神許許多多問題，但我從未對祂說過：「主，我猜想你已不再愛我了。」

有幾次我來到天父面前，我看見在嘉莉後面的，是耶穌基督的十字架。我說：「天父，不要讓我注視著身處的景況，並質疑祢對我的愛。祢對我的愛早已在十字架上清清楚楚表明了，這愛從來沒有改變也永不會改變。」我們與父神這種親密的相愛關係，扶持了我們渡過一段相當困難的歲月。

不管在人看來，環境是如何惡劣，神的慈愛卻永不改變。在嘉莉患病之前，我曾經作過一個決定：不論我人生的境遇如何，我定意要從十字架的角度看自己一切的經歷。藉著耶穌基督的死亡和復活，神對我的愛已清楚顯明。十字架、耶穌基督的死亡和復活，表達了神對我們那完完全全、永不改變的愛。請你切記不要懷疑神對你的愛，你渴慕認識神、經歷神，是因為神以**永遠的愛**愛你，神創造你是為了與你建立愛的關係。祂一直追求與你在那種愛的關係中。祂給予你的每一個際遇，都是祂愛你的一種顯示。如果祂不曾以完全的愛來顯明祂自己，祂就不可能是神了。

*嘉莉現在的情況很好，她已經大學畢業，神實在恩待我們。（1992年4月）

本週背誦金句

*耶穌對他說：「你要盡心、盡性、盡意愛主你的神，
這是誡命中的第一，且是最大的。」*
——馬太福音22：37-38

第1天

神創造你是爲了愛的關係

建立與神相愛的關係，是你生命中最重要的事。

在起首的兩個單元裡，我已向你介紹了有關明白及遵行神旨意的一些基本原則，你也知道了神能藉著你完成祂計劃的七項實況。但是，正如我曾經說過的，這個課程不是向你提供一些方法或程式使你明白及遵行神的旨意。我編寫這套課程，是要幫助你與神建立愛的**關係**，這樣，神便能藉著與你之間的關係，使用你來完成祂所喜悅的事。

➤ **現在先溫習有關經歷神的七項實況，請在橫線上填上適當的字句。**

1. ＿＿＿＿＿＿ 常常在你身處的環境中作工。

2. 神尋求與你建立持續相愛的 ＿＿＿＿＿＿，這關係是實在的，又是 ＿＿＿＿＿＿ 的。

3. 神邀請你與祂 ＿＿＿＿＿＿。

4. 神藉著 ＿＿＿＿＿＿，透過聖經，＿＿＿＿＿＿、處境，和 ＿＿＿＿＿＿，向人啓示祂自己、祂的 ＿＿＿＿＿＿ 和祂的方法。

5. 神邀請你與祂同工，這個邀請會導致你面臨一個 ＿＿＿＿＿＿ 的危機和轉機，你必須以 ＿＿＿＿＿＿ 和行動作出回應。

6. 你必須在生活上作出重大的 ＿＿＿＿＿＿，才能與神同工。

7. 當你 ＿＿＿＿＿＿ 神，又讓祂透過你作成祂的工作時，你自會藉著 ＿＿＿＿＿＿ 認識神自己。

本單元的中心是第2項實況，請將其中的「你」字改爲「我」字，寫在下面：

＿＿＿＿＿＿＿＿＿＿＿＿＿＿＿＿＿＿＿＿＿＿＿＿＿＿＿＿＿＿＿＿＿＿＿＿

＿＿＿＿＿＿＿＿＿＿＿＿＿＿＿＿＿＿＿＿＿＿＿＿＿＿＿＿＿＿＿＿＿＿＿＿

請翻到本書封底內頁，核對答案。

愛的關係

在這個單元，我會幫助你明白是神自己尋求與你建立愛的關係。神是主動要與你建立這種關係，祂創造了你也是爲了這種相愛的關係。對你來說，這個相愛的關係應當是實實在在的，又是很個人的。

➤ **假若你現在站在神的面前，你能否對神這樣說：「我常常都是盡心、盡性、盡意、盡力愛祢」呢？　能□　不能□　爲甚麼？**

＿＿＿＿＿＿＿＿＿＿＿＿＿＿＿＿＿＿＿＿＿＿＿＿＿＿＿＿＿＿＿＿＿＿＿＿

＿＿＿＿＿＿＿＿＿＿＿＿＿＿＿＿＿＿＿＿＿＿＿＿＿＿＿＿＿＿＿＿＿＿＿＿

你和神的關係，是否親密到一個地步，以致你可以眞誠地對祂說：「我全心全意愛祢？」

我們教會裡有一位會友常常在個人生活、家庭、工作和教會中遇到許多問題。有一天我問他說：「你和神的關係，是否親密到一個地步，可以眞誠地對祂說：『我全心全意愛祢』呢？」

他臉上流露出非常古怪的神情，說：「從來沒有人這樣問過我！我不能對神講出這句話，我只能說我會順從祂、事奉祂、敬拜祂，和敬畏祂；但我不能說我愛祂。」

這位弟兄在他的生命中出現了這麼多問題，是因爲他整個生命在神創造他的基

本目的上出了問題。神創造我們，是為了與我們建立愛的關係，倘若你不能全心全意愛神，你必須祈求聖靈幫助你與神進入這種關係。

➡️ **假如你渴望與神有這種親密相愛的關係，請你現在就停下來向聖靈禱告，祈求祂引導你、幫助你全心全意愛神。**

請你用時間安靜在神面前，向祂表達你對祂的愛，感謝祂用盡了各樣方法向你表示祂愛你。你可以詳細列出神如何向你表達祂對你的愛，然後存感謝的心，為了祂對你的慈愛讚美祂。

假若要我用一兩節經文總括全本舊約聖經的精義，我會採用這兩節：「以色列啊，你要聽！耶和華我們神是獨一的主。你要盡心、盡性、盡力愛耶和華你的神。」（申6：4-5）

最大的誡命

你信仰生活的每一個層面，包括能否認識神、經歷神及明白祂的旨意，均取決於你和神之間相愛的程度。

神對以色列民這個呼喊，在整本舊約聖經由頭至尾表達無遺。新約的精義也和舊約一樣，耶穌曾經引用申命記，指出最大的誡命就是「你要盡心、盡性、盡意、盡力愛主你的神」（可12：30）。你信仰生活的每一個層面，包括能以認識神、經歷神及明白祂的旨意，均取決於你和神之間相愛的程度。若是你和神之間的關係出了問題，你的生命必然會充滿各樣問題。

➡️ **下列六段經文，均提及與神之間愛的關係。當你閱讀這幾段經文的時候，請留意「愛」這個字，並且它每一次出現都把它圈出來。**

> **申命記30：19-20** —— 我今日呼天喚地向你作見證，我將生死禍福，陳明在你面前，所以你要揀選生命，使你和你的後裔都得存活，且愛耶和華你的神，聽從他的話，專靠他，因為他是你的生命。
>
> **約翰福音3：16** —— 神愛世人，甚至將祂的獨生子賜給他們，叫一切信祂的，不致滅亡，反得永生。
>
> **約翰福音14：21** —— 有了我的命令又遵守的，這人就是愛我的；愛我的必蒙我父愛他，我也要愛他，並且要向他顯現。
>
> **羅馬書8：35，37，39** —— 誰能使我們與基督的愛隔絕呢？難道是患難麼？是困苦麼？是逼迫麼？是飢餓麼？是赤身露體麼？是危險麼？是刀劍麼？……然而，靠著愛我們的主，在這一切的事上已經得勝有餘了……（凡事）都不能叫我們與神的愛隔絕；這愛是在我們主基督耶穌裡的。
>
> **約翰一書3：16** —— 主為我們捨命，我們從此就知道何為愛；我們也當為弟兄捨命。
>
> **約翰一書4：9-10，19** —— 神差祂獨生子到世間來，使我們藉著祂得生，神愛我們的心，就在此顯明了。不是我們愛神，乃是神愛我們，差他的兒子，為我們的罪作了挽回祭，這就是愛了……我們愛，因為神先愛我們。

➡️ **參閱上列六段經文，回答下面的問題：**

1. 誰是你的「生命」？_____

2. 神用甚麼方法向我們顯明祂愛我們？_____

3. 我們可以怎樣向神表明我們愛祂？_____
_____

4. 神應許怎樣回應我們對祂的愛？_____
_____
_____
_____

5. 誰先付出愛？是我們抑或是神？_____

答案：(1) 神是你的生命。

(2) 神親自吸引我們，祂賜下祂獨生的愛子，為我們捨命，使我們得著永生。

(3) 揀選生命；聽從祂的話；專靠祂；相信祂的獨生愛子；遵守祂的命令和教訓；願意為弟兄捨命。

(4) 我們和我們的後裔都必蒙福；因信神的兒子，我們會有永生；父神會愛我們，又向我們顯現；神會使我們勝過一切的難處，我們永不會與祂的愛隔絕。

(5) 神先愛我們；「神就是愛」（約翰一書4：16）。

與神之間相愛的關係，是你生命中最重要的事。

神只要求你全心全意愛祂。能否經歷神，取決於你是否與神之間有這種相愛的關係。與神之間相愛的關係，是你生命中最重要的事。

➤ **重溫今天的功課。禱告求神幫你找出一兩句祂期望你明白、學習、或付諸實踐的課文內容或經文，並回答以下問題：**

在今天研讀的課文中，哪些字句或經文對你最有意義？
_____
_____

將這些字句或經文改寫為你回應神的祈禱。
_____
_____

神期望你做甚麼來回應今天所學習的？
_____
_____

在下面橫線上寫出本單元要背誦的金句。另外，溫習一下單元一及二要背誦的金句。
_____
_____
_____
_____

本單元內第3天的習作需要作出一些事前準備，請你先看看本單元第3天要做的功課，以致你可以做好準備。

> **本課撮要**
> * 我的信仰生活，完全取決於我與神之間相愛的程度。
> * 神創造我，是爲了與我建立愛的關係。
> * 神所說的每一句話、所做的每一件事，都是表達祂對我的愛。
> * 與神之間的相愛關係，在我的生命中比任何其他因素更重要。

第 2 天

與神之間愛的關係

被神所愛是我們人生中最值得重視的關係，最大的成就和處於最崇高的地位。

　　嘗試想像有一把很長的梯子，這梯子是靠著一堵牆。你的一生就像爬梯子的一個過程。倘若當你爬到梯的頂端時，才發現這把梯子是靠著一堵錯靠了的牆，它並沒有帶你到你想去的地方。這時候，時日已逝，你不能重新再來一次。人生的悲劇莫過於此！

　　較早時我們提過你要過以神爲中心的生活。意思就是說，你的生命必須與神有正確的關係。神爲了與你有相愛的關係而創造了你，你和神（聖父、聖子、聖靈）的關係是你生命中最重要的事。

　　倘若你所擁有的，只是與神之間相愛的關係，你是否感到完全滿足呢？許多人會說：「唔！我挺喜歡有這種關係；但是，我覺得有了這種關係仍未足夠。倘若神能交託我一些工作，我自會心滿意足了！」爲甚麼我們單單有了與神之間相愛的關係還不滿足呢？因爲我們都喜歡以有多少工作來衡量我們自己的價值。如果我們並不是忙碌地作工，我們會覺得自己一錢不值。神卻藉著聖經不斷要我們明白一件事：神要求我們愛祂超過所有人、事、物；當我們與神建立了相愛的關係，我們自會得著一切，並且心滿意足。與神相愛是你一生中最值得重視的關係；專心愛神是你人生中最大的成就。

　　然而，這並不是說你不用做任何事情去表達你對神的愛。神會呼召你順從祂，作祂吩咐你去作的工。但是，你不再需要靠作工使自己感到滿足和有成就感。當你的生命已被神自己充滿，你還有甚麼欠缺呢？

▶ **下面這首詩歌，是米勒（Rhea Miller）作的。請把哪些會吸引人，使人轉離耶穌的事物圈出來：**

1.　我寧願有耶穌，勝得金錢，我寧屬耶穌，勝得財富無邊；
　　我寧願有耶穌，勝得華宇，願主釘痕手，引導我前途。

2.　我寧願有耶穌，勝得稱頌，我寧忠於主，成全祂的事工；
　　我寧願有耶穌，勝得名聲，願向主聖名，永赤膽忠誠。

3.　恩主比百合花更加美艷，遠比蜂房蜜更加可口甘甜；
　　惟主能滿足我飢渴心靈，我寧願有主，跟隨祂引領。

副歌：勝過做君王，雖統治萬方，卻仍受罪惡捆綁；
　　我寧願有耶穌，勝得世界榮華，富貴，聲望。[1]

請你細心思想詩歌的字句，然後誠實地回答下面的選擇題：

1.　我寧願有　　□耶穌

　　　　　　　　□金、銀、財富、房屋、地產

2.　我寧願有　　□耶穌

　　　　　　　　□人的稱讚、虛榮美名

3.　我寧願有　　□耶穌

　　　　　　　　□統治萬方的君王身分

你是否眞正願意全心全意愛主你的神？祂不容許任何人或事物奪去祂在你心中的位置，祂說：

> 你不能又事奉神又事奉金錢

> 一個人不能事奉兩個主，不是惡這個愛那個，就是重這個輕那個。你們不能又事奉神，又事奉瑪門（財利）。（太6：24）

> 你吃了而且飽足。那時你要謹慎，免得你忘記耶和華你的神……在你們中間的耶和華你神是忌邪的神。

> 耶和華你的神領你進祂向你列祖亞伯拉罕、以撒、雅各起誓應許給你的地。那裡有城邑，又大又美，非你所建造的；有房屋，裝滿各樣美物，非你所裝滿的；有鑿成的水井，非你所鑿成的；還有葡萄園、橄欖園，非你所栽種的；你吃了而且飽足。那時你要謹慎，免得你忘記將你從埃及地、爲奴之家領出來的耶和華。你要敬畏耶和華你的神，事奉祂，指著祂的名起誓。不可隨從別神，就是你們四圍國民的神；因爲在你們中間的耶和華你神是忌邪的神。（申6：10-15）

> 不要憂慮說，吃甚麼？喝甚麼？穿甚麼？這都是外邦人所求的，你們需用的這一切東西，你們的天父是知道的。你們要先求祂的國和祂的義，這些東西都要加給你們了。
> ── 馬太福音6：31-33

神愛你，祂必定會供應你一切的需用，你只要全心全意愛祂，跟從祂。（太6：31-33）

神是爲了讓你享受永恆的生命而創造你

神創造你並不是爲了讓你過短暫的一生，祂創造你，是爲了讓你可以進入永恆。今生在世的時間，是讓你有機會認識神，學習與祂交往，神也用你一生在世的年日塑造你，使你與祂的性情相似，好讓你步入永恆以後，可以充分享受神所賜的永生。

因此，你若只爲今生而活，你會忽略了神創造你的最終目的，你只會讓你過去的歲月在你生命中留下點點痕跡。作爲神的兒女，你應當知道，神現在不斷塑造你的生命，爲要使你今生在世以及將來在永恆國度中，都做有用的人。

➤ 在你以往人生的歲月中，有哪些事情對你產生了負面的影響？這些事情可能是身心的殘障、家庭問題、一些挫敗的經歷、對家庭中的一些不能公開的秘密感到羞恥，或是名成利就的經歷。

_____

_____

你認爲自己的生命，是被過去人生的經歷深深影響，抑或你認爲自己在神的手中被祂不斷塑造，是爲了讓你有一個美好的將來？爲甚麼？

_____

保羅　保羅在這個問題上曾經有過掙扎，下面這段經文，是說明保羅如何看他自己的過去和他在世的生活：

腓立比書3：4-14

其實，我也可以靠肉體；若是別人想他可以靠肉體，我更可以靠著了。我第八天受割禮；我是以色列族、便雅憫支派的人，是希伯來人所生的希伯來人。就律法說，我是法利賽人；就熱心說，我是逼迫教會的；就律法上的義說，我是無可指摘的。

只是我先前以為與我有益的，我現在因基督都當作有損的。不但如此，我也將萬事當作有損的，因我以認識我主基督耶穌為至寶。

我為祂已經丟棄萬事，看作糞土，為要得著基督；並且得以在祂裡面，不是有自己因律法而得的義，乃是有信基督的義，就是因信神而來的義，使我認識基督，曉得祂復活的大能，並且曉得和祂一同受苦，效法祂的死，或者我也得以從死裡復活。

這不是說我已經得著了，已經完全了；我乃是竭力追求，或者可以得著基督耶穌所以得著我的。弟兄們，我不是以為自己已經得著了；我只有一件事，就是忘記背後，努力面前的，向著標竿直跑，要得神在基督耶穌裡從上面召我來得的獎賞。

➤ **根據保羅在腓立比書3：4-14的表白，回答下列各問題：**

1. 在保羅以往的人生歲月中，有哪些事情會影響到他日後在世的生活？
   _____
   _____
   _____

2. 保羅怎樣評估這些東西？（第8節）
   _____

3. 保羅為何輕看他自己的過去？（第8-11節）
   _____
   _____

4. 保羅如何預備自己去得將來的獎賞？（第13-14節）
   忘記_____
   努力_____
   向著_____

答案　(1) 保羅是便雅憫支派中一個真猶太人，他在遵行法利賽人的律例上，無可指摘，他對神大發熱心。

　　　(2) 他把這些都視為糞土。

　　　(3) 因為保羅現在以認識基督為至寶，他渴慕住在基督裡，並且效法

祂，可以得著將來的獎賞（從死裡復活）。

(4) 保羅忘記背後，努力面前，向著標竿直跑，要得將來屬天的獎賞。

保羅真正的渴慕是認識基督、效法基督。你也可以如保羅一樣，重整你的人生，以致你可以認識神，單單愛慕祂，並且效法基督，把你自己交在神的手中，讓祂塑造你，使你在基督裡成為神所喜悅的人。請你記得，神創造你，不是為了讓你過這短暫的一生，乃是讓你可以享受永遠的生命。

投資於永恆

你必須重整自己的人生，配合神在你生命中的計劃。神的計劃不單為著你的今生，更是為了將來永恆的國度。因此，你必須小心運用你今世的時間、資源和生命，把這一切都投資在有永恆價值的事物上。倘若你還不明白神創造你，是為了讓你享有永恆，你自然會把一切都投資在沒有永恆價值的事物上，你必須積財在天。（參太6：19-21，33）

與神相愛的關係實在非常重要。因為神愛你，祂知道對你來說，怎樣過你今世的生活是最好的，並且只有神能教導你怎樣將你的生命投資在有價值的事物上。當你與神同行、並聽從祂的時候，神便會引導你怎樣作出聰明的投資。

➡️ 現在，你把自己的生命、時間和資源，投資在有永恆價值的事物上，抑或在轉瞬即逝的事物上？請在下面直線的右邊，列出那些具永恆價值的投資，在直線的左邊，列出那些經不起時間考驗，沒有永恆價值的投資：

請你在神面前反省、禱告，求神光照你，看看是否需要對如何投資運用自己的生命、時間和資源作出調整，並且求神讓你明白祂對你一生的期望。在下面的橫線上，寫下你感覺神希望你願意作出的一些決定。

_____

_____

➡️ 重溫今天的功課。禱告求神幫你找出一兩句祂期望你明白、學習、或付諸實踐的課文內容或經文，並回答以下問題：
在今天研讀的課文中，哪些字句或經文對你最有意義？

_____

_____

將這些字句或經文改寫為你回應神的祈禱。

_____

_____

不要為自己積儹財寶在地上；地上有蟲子咬，能鏽壞，也有賊挖窟窿來偷。只要積儹財寶在天上；天上沒有蟲子咬，不能鏽壞，也沒有賊挖窟窿來偷。因為你的財寶在那裡，你的心也在那裡。……你們要先求祂的國和祂的義，這些東西都要加給你們了。

—— 馬太福音6：19-21，33

神期望你做甚麼來回應今天所學習的？

_____

_____

_____

本課撮要

- 被神所愛是我們人生中最值得重視的關係，最大的成就，和處於最高的地位。
- 神創造我，並不是爲了這短暫的一生；祂創造我，是爲了讓我享受永恆的生命。
- 我要讓我的今生被塑造和發展成在基督裡該有的樣式。
- 要先求祂的國和祂的義。
- 我要確知自己正投資於有永恆價值的事物上。
- 惟有神能引導我把自己的一生作有價值的投資。

第3天 | 與神同行

當你與父神的關係處於
正常狀況時，你會常常
與祂有團契相交。

亞當和夏娃

神創造了第一個男人亞當和第一個女人夏娃，是爲了與他們建立愛的關係。亞當和夏娃犯罪後，天起涼風，他們聽見神在園中行走的聲音。他們因爲害怕和感到羞恥，便躲避神的面。請你嘗試感受一下，一位慈愛父親，發出「你在哪裡？」（創3：9）這奇妙的愛心呼喚時的心境。神知道祂和亞當、夏娃之間那種愛的關係出了問題。

當你與父神的關係處於正常狀況時，你會常常與祂有團契相交，你也會在祂面前，期待享受與祂相交的時刻。當亞當和夏娃躲避神，不在祂面前的時候，他們與神的關係，顯然已經出了問題。

與神同處的安靜時間

每天清早，我與神有一個約會。我常常想像，這位愛我的神來與我會面的時候，會有甚麼發生呢？當祂問：「布克比，你在哪裡？」而我卻躲避祂，不去到祂的面前，這時祂會有何感受呢？在我與神同行的經歷中，我發現了一個事實：我保留一段與神獨處的時間，並非爲了建立一種關係，而是因爲我已擁有一種關係。由於我與主之間有了愛的關係，我渴望在我的安靜時刻中與祂相見。我願意用時間安靜，因爲與主在一起的時間，會加深我和祂之間的關係，並使這種關係更顯姿采。

我聽過許多人這樣說：「我真的努力掙扎過，嘗試有一段單獨與神相處的時間。」假若這同樣是你面對的一個問題，讓我向你提出一點建議，就是以全心全意愛神作爲你在生命中定優先次序時的首要事件。那麼，你沒有安靜時間與神共處這

個問題，大都可以迎刃而解。你撥出一段時間安靜，是因為你認識你的神，所以你愛祂，並非單單為了想知道更多有關祂的事。使徒保羅說這是「基督的愛」激勵他、催逼他。（林後5：14）

➤ **假設你曾經與一個相愛的人約會，並計劃結為夫婦。你與這個人約會（費時間與他／她在一起）的首要原因是甚麼？選擇題：**

☐　1.　因為我想知道他的喜好。

☐　2.　因為我想知道她的家庭背景。

☐　3.　因為我想知道他的教育程度。

☐　4.　因為我愛她，並以與她同在為樂。

當兩個人彼此相愛並計劃結婚的時候，他們會有興趣知道對方的一切；然而，這並不是他們約會的首要原因。他們花時間走在一起，因為他們彼此相愛，也以同在一起為快樂。

同樣，如果你用時間與神相處，你也會知道許多有關神自己、祂的話語、祂的計劃和祂做事的方法。當你經歷到神在你生命中工作，並透過你作工的時候，你自會進一步認識祂。然而，認識神並不是你願意與祂共處的原因。你認識神並經歷祂的愛更多，你自會更愛祂；這樣，你又會渴望那段單獨與祂相處的時間，因為你愛祂並享受與祂之間的團契。

第3天的作業　　今天的課文較一般課文為短，是為了讓你有較多時間完成以下的作業。你可以今天做這作業，但你也可以選擇過幾天抽一段時間去做，不過請在下次小組聚會前完成你的作業。這份作業也許需要你訂出一些計劃或作出一些安排。你也可以因應個人的需要和處境，隨意將這作業修改。

➤ **我期望你抽出至少三十分鐘時間「與神同行」，倘若你身處的地點、個人健康狀況和天氣都許可的話，請嘗試在室外漫步。暫時放下日常的工作，充分利用這段時間。你也許喜歡抽出半天時間、單獨與神一起。**

單獨與神共處的地點，可以是：

——家居附近　　　　　　——郊區園林

——市內公園　　　　　　——沙灘

——花園　　　　　　　　——沿山小徑

——湖畔　　　　　　　　——任何地方

用這段時間與神同行、與主共語。倘若環境許可，你也許想大聲向神說話，將你的心思意念集中思想天父的慈愛。為著神的慈愛和憐憫讚美祂，感謝祂向你所表達的慈愛。說話要明確、具體，向神表達你對祂的愛，用時間去敬拜祂，愛慕祂。

單獨與神同行之後，在旁邊的空白處，寫下你的感受。嘗試回答下列幾個問題：

● 　一邊散步一邊與神共語，感覺如何？

● 　你曾否察覺到自己與神之間相愛的深度？

● 　假若你在這段與神共處的時間裡感到不好受或在情緒方面感覺不安，你認為是甚麼原因？

- 這段時間內，發生了甚麼事是特別令你感到有意義或感到喜樂的？

_____

_____

_____

_____

大聲讀出要背誦的聖經金句，或將金句寫在下面。

_____

_____

本課撮要

- 當我與父神的關係處於正常狀況時，我會常常與祂有團契相交。
- 我會以全心全意愛神，作為我在生命中定出優先次序時的首要項目。
- 我會用時間安靜，因為我認識祂又愛祂；我用時間安靜，並不是為要知道更多有關祂的事。

第4天　神尋求與人建立愛的關係

神是採取主動的神，祂揀選我們，鍾愛我們，又向我們啟示祂在我們生命中永恆的計劃。

神採取主動與人建立愛的關係。人若要經歷神，神必須先採取主動來接近人。整本聖經可以見證這說法是正確的。在伊甸園中神去到亞當、夏娃那裡，祂與他們在愛中彼此團契相交。神也臨近挪亞、亞伯拉罕、摩西和眾先知。在舊約時代，為了讓人可以經歷祂、與祂有個別的愛中相交，神採取了主動去接近人。新約的記載也說明了同樣的情況。耶穌去到門徒那裡，揀選他們與祂同在，並經歷祂的愛。祂在大馬色的路上也主動地臨近保羅。按著我們人的天然本性，我們是不會主動去尋求神的。

沒有一個人會主動去尋求神

➤ **請讀羅馬書3：10-12（見左欄），然後回答下列問題：**

1. 有多少人靠自己得稱為義？ _____
2. 有多少人憑自己會明白屬靈的事？ _____
3. 有多少人會主動尋求神？ _____
4. 有多少人會自覺地行善？ _____

沒有義人，連一個也沒有。沒有明白的；沒有尋求神的；都是偏離正路，一同變為無用。沒有行善的，連一個也沒有。

——羅馬書3：10-12

沒有一個，連一個也沒有！罪深深影響我們，以致沒有一個人會主動尋求神。因此，假如我們要與神或神的兒子建立任何關係，神必須採取主動，而祂也確實這樣做了！

神吸引我們親就祂

➤ **請讀約翰福音6：44-45，65（見左欄），然後回答下列各問題：**

若不是差我來的父吸引人，就沒有能到我這裡來的……凡聽見父之教訓又學習的，就到我這裡來……所以我對你們說過，若不是蒙我父的恩賜，沒有人能到我這裡來。

——約翰福音6：44-45，65

1. 有誰能到耶穌那裡，不是被天父吸引來的？＿＿＿＿＿＿＿＿＿＿

2. 凡聽見天父的教訓又學習的人，會作甚麼事？

＿＿＿＿＿＿＿＿＿＿＿＿＿＿＿＿＿＿＿＿＿＿＿＿＿＿＿

3. 一個人能到耶穌那裡的惟一途徑是甚麼？＿＿＿＿＿＿＿＿＿

＿＿＿＿＿＿＿＿＿＿＿＿＿＿＿＿＿＿＿＿＿＿＿＿＿＿＿

耶利米書31：3 —— 古時，耶和華向以色列顯現說：「我以永遠的愛愛你，因此我以慈愛吸引你。」

何西阿書11：4 —— 我用慈繩愛索牽引他們；我待他們如人放鬆牛的兩腮夾板，把糧食放在他們面前。

神在你生命中顯明的愛是永遠的愛。因著這永遠的愛，祂吸引你親就祂。當你仍舊與祂為敵，不以祂為友的時候，祂已用慈繩愛索牽引你；祂將自己獨生的愛子賜給你，為你死在十字架上。要確確實實經歷神並知道祂的旨意，你必須絕對肯定神對你的愛是永遠的愛。

➤ **你如何得知神愛你？你有甚麼理由可以肯定地說服自己神是愛你的？**

＿＿＿＿＿＿＿＿＿＿＿＿＿＿＿＿＿＿＿＿＿＿＿＿＿＿＿＿＿＿＿

＿＿＿＿＿＿＿＿＿＿＿＿＿＿＿＿＿＿＿＿＿＿＿＿＿＿＿＿＿＿＿

＿＿＿＿＿＿＿＿＿＿＿＿＿＿＿＿＿＿＿＿＿＿＿＿＿＿＿＿＿＿＿

保羅

神尋找掃羅，就是後來的保羅（徒9：1-19）。事實上，掃羅敵擋神和神的工作，又攻擊神的兒子耶穌，耶穌卻臨近掃羅，向他顯明神的愛和神在他身上的計劃。我們的生命也是這樣，並不是我們揀選了神，乃是祂揀選了我們，先愛我們，並向我們啟示了祂為我們生命所定的永恆計劃。

眾門徒

耶穌對那些跟從祂的門徒說：「不是你們揀選了我，是我揀選了你們，並且分派你們去結果子，叫你們的果子常存；使你們奉我的名，無論向父求甚麼，祂就賜給你們。你們若屬世界，世界必愛屬自己的；只因你們不屬世界，乃是我從世界中揀選了你們，所以世界就恨你們」（約15：16，19）。是彼得選擇跟從耶穌嗎？不是，是耶穌揀選了彼得。彼得只是回應了神的邀請。採取主動的是神而不是人。

耶穌和彼得

耶穌到了凱撒利亞·腓立比的境內，就問門徒說：「人說我人子是誰？」

他們說：「有人說是施浸的約翰；有人說是以利亞；又有人說是耶利米，或是先知裡的一位。」

耶穌說：「你們說我是誰？」

西門彼得回答說：「祢是基督，是永生神的兒子。」

在馬太福音16：13-17，耶穌指出彼得回應了神在他生命中主動的作為。耶穌問門徒，人說祂是誰，隨後祂再問他們認為祂是誰；彼得回答得很正確：「祢是基督」。之後，耶穌對彼得說了一句很重要的說話：「這不是屬血肉的指示你的，乃是我在天上的父指示的。」

➤ **誰向彼得啟示耶穌就是基督，是那應許要來的彌賽亞？**

＿＿＿＿＿＿＿＿＿＿＿＿＿＿＿＿＿＿＿＿＿＿＿＿＿＿＿＿＿＿＿

事實上，耶穌是說：「彼得，除非我在天上的父在你裡面作工，否則你永不會知道，也永不會承認我就是基督。祂使你知道我是誰，你回應了父神在你生命中的工作，很好！」

你是否明白神已定要愛你？若不是神已定意愛你，你永不可能成為一個基督徒。當神呼召你的時候，祂有自己的心意。祂開始在你生命中動工；你開始經歷與

耶穌對他說:「西門巴約拿,
你是有福的!因為這不是屬血
肉的指示你的,乃是我在天上
的父指示的。」

—— 馬太福音16:13-17

神之間相愛的關係,這關係是由祂先採取主動建立的,神開始開啟你的心思意念,
祂吸引你親就祂。

➤ 你怎樣回應神?選擇題:

☐ 1. 對於神邀請我與祂建立愛的關係,我作出了積極的回應。

☐ 2. 我拒絕了祂要與我建立相愛關係的邀請。

你若積極回應神的邀請,祂會引領你與祂建立愛的關係。神若沒有採取主動,
你永不會認識這種愛的關係,你永不會活在這種相愛的關係中,也永遠不會明白這
種愛。

除非神採取主動啟示你,否則你不可能知道祂的作為。

➤ 根據與神相愛關係發展過程所發生的,將下列四項描述之先後次序用1-4排列出
來。

_____ a. 神進到我生命裡面,與我有團契相交。

_____ b. 我積極回應神在我生命中的作為,並邀請祂在我生命中作祂喜悅要
作的事。

_____ c. 神向我顯明祂的愛,又將祂自己啟示給我。

_____ d. 神揀選我,因為祂愛我。

有時候,上述四項好像是在同一時刻發生;然而,我們仍然可以肯定是神先採
取主動,然後我們作出回應。因此,正確的次序應當是 d,c,b,a。神常常採取主
動向我們表明祂的愛。

➤ 下列幾段經文,都是關於神主動與人建立愛的關係。細讀每一段經文,然後簡
單寫出神主動採取了甚麼行動來表達祂對人的愛。

申命記30:6 —— 耶和華你神必將你心裡和你後裔心裡的污
穢除掉,好叫你盡心盡性愛耶和華你的神,使你可以存活。

路加福音10:22 —— 一切所有的,都是我父交付我的;除了
父沒有人知道子是誰;除了子和子所願意指示的,沒有人知
道父是誰。

約翰福音15:16 —— 不是你們揀選了我,是我揀選了你們,
並且分派你們去結果子,叫你們的果子常存。

腓立比書2:13 —— 因為你們立志行事,都是神在你們心裡
運行,為要成就祂的美意。

約翰一書3:16 —— 主為我們捨命,我們從此就知道何為愛。

啟示錄3:20 —— 看哪,我站在門外叩門,若有聽見我聲音

就開門的，我要進到他那裡，我與他，他與我一同坐席。

_____

從上述經文，我們知道神常常採取主動，要與我們建立愛的關係。

➡ 重溫今天的功課。禱告求神幫你找出一兩句祂期望你明白、學習、或付諸實踐
的課文內容或經文，並回答以下問題：

在今天研讀的課文中，哪些字句或經文對你最有意義？

_____

_____

將這些字句或經文改寫為你回應神的祈禱。

_____

_____

神期望你做甚麼來回應今天所學習的？

_____

_____

_____

本課撮要

- 神常常採取主動，要與我們建立愛的關係。
- 並不是我揀選神，乃是神揀選了我，主動愛我，並且啟示我祂對我一生的
  永恆計劃。
- 除非神主動告訴我，否則我無從知道神的作為。

第5天 ｜ 真實的、個人的和實在的關係

神擴展祂國度的計劃，
與祂和祂子民的關係息
息相關。

　　神很想與你有一種真實、又個人化的關係。有人會問：「一個人真的可以與神
有一真實的、個人的、和實在的關係嗎？」他們問這個問題，似乎認為神是離他們
很遠，也不關心他們每一天的生活。但我們在聖經中見到的神並不是這樣。

➡ 讀下列各段經文，然後列舉至少一個事實，以說明經文中提及的人物，與神是
有一真實、個人、和實在的關係。

亞當和夏娃犯罪之後——創世記3：20-21

他們赤身露體，神用皮子造衣服給他們穿。

夏甲逃離撒萊——創世記16：1-13 _____

_____

所羅門求智慧作判斷——列王紀上3：5-13；4：29-30 _____

耶穌差遣十二門徒出去傳道——馬可福音6：7-13 ＿＿＿＿＿＿＿＿＿＿

＿＿＿＿＿＿＿＿＿＿＿＿＿＿＿＿＿＿＿＿＿＿＿＿＿＿＿＿＿＿＿

彼得在監牢裡等待被提審——使徒行傳12：1-17 ＿＿＿＿＿＿＿＿＿

＿＿＿＿＿＿＿＿＿＿＿＿＿＿＿＿＿＿＿＿＿＿＿＿＿＿＿＿＿＿＿

約翰在拔摩海島上——啓示錄1：9-20 ＿＿＿＿＿＿＿＿＿＿＿＿＿＿

＿＿＿＿＿＿＿＿＿＿＿＿＿＿＿＿＿＿＿＿＿＿＿＿＿＿＿＿＿＿＿

亞當和夏娃　　從創世記到啓示錄，我們看見神是以眞實的、十分個人的、親密的和實在的方式與人交往。神和亞當、夏娃有親密的團契，祂和亞當、夏娃在清涼的園子中同行。亞當、夏娃犯罪後，神尋求與他們重建彼此間相愛的關係。祂用皮子作衣裳，供應他們實際的需用，免得二人赤身露體。

夏甲　　夏甲經常受到撒萊苦待，她只好逃命。當她耗盡一切所有的，又投靠無門、陷入絕境之時，神就到她那裡。在她與神的關係中，夏甲明白到神看顧她、知道她的需要，並且滿有慈憐地供應她的所需。神是一位非常個人化的神。

所羅門　　所羅門的父親大衛是一位全心全意尋求主的人。所羅門承接了他父親的信仰，學習順服跟從神，他得著機會，可以向神求取任何他想得到的東西。所羅門向神求智慧，好能辨別是非，判斷百姓。這祈求顯明了所羅門對神子民的愛顧。神應允他所求的，並賜他財富和名聲。所羅門發覺他與神之間的關係是非常實在的。

十二門徒　　門徒與耶穌——神的兒子——的關係，同樣是眞實的，個人的和實在的。耶穌揀選了他們與祂同在。能夠與耶穌有這樣一種親密的關係，是何等喜樂啊！當他們被指派去做一件艱巨的工作時，耶穌並沒有差遣他們出去卻不給予他們任何幫助，祂賜給他們權柄，可以制服污鬼。

彼得　　在這世界某些地區，順從神的結果是被囚禁在監牢裡。彼得有過這樣的經歷，但是神應允人的禱告，行奇蹟把他拯救出獄。整個過程相當戲劇性和眞實，以致彼得起初以爲自己在作夢，那些爲彼得禱告的基督徒，看見了他，還以爲他是天使。後來，他們才發現神的拯救是眞實的。神這次救彼得出獄，可能是救了彼得的性命。

約翰　　約翰被放逐到拔摩海島，在主日他與神相交。當他在靈裡與主相交的時候，耶穌基督的啓示就臨到約翰，叫他「將必要快成的事指示祂的眾僕人」（啓1：1）。這個信息，對從約翰那時代直到如今的教會，都是一個眞實的挑戰和鼓勵。

當你閱讀聖經的時候，你是否感覺到神與人的關係是眞實的，又是很個人化的呢？你是否感受到這些人與神之間的關係是很實在的？神與挪亞、亞伯拉罕、摩西和以賽亞的關係是否同樣眞實和個人化呢？是！肯定是這樣！神有沒有改變呢？沒有！在舊約時代，神與人的關係是眞實的、個人化的、實在的；在耶穌的一生中，神人的關係也是這樣。五旬節聖靈降臨以後，神人間關係的眞實性、個別性和實用性仍然沒有改變。當你回應神在你生命中的作爲時，你的一生同樣可以反映出與神之間這種眞實的、個別的和實在的關係。

➤ 簡單敘述你生命中的一個經歷，這個經歷使你體會到神與你之間的關係是眞實的、個人的和／或實在的。

＿＿＿＿＿＿＿＿＿＿＿＿＿＿＿＿＿＿＿＿＿＿＿＿＿＿＿＿＿＿＿

＿＿＿＿＿＿＿＿＿＿＿＿＿＿＿＿＿＿＿＿＿＿＿＿＿＿＿＿＿＿＿

愛必須是眞實而又個人化的。一個人不能想去愛而沒有愛的對象。與神之間相愛的關係是兩個實存體之間的關係，這種關係是眞實的，又是個人化的。與人建立這種關係一直是袖的願望。神盡一切努力和方法使袖的願望成眞。神就是把袖的生命傾注入我們裡面的那一位。

倘若由於某些原因，你無法想起那次是甚麼時間你與神的關係是眞實的、個人化的和實在的；這樣，你就需要用一些時間來評估自己與神的關係。我建議你去到神面前禱告，祈求袖啓示你，讓你知道你和袖之間的關係該當如何，並呼求主使你與袖之間建立這種關係。倘若你認識到你從沒與神建立起救主和蒙拯救者的關係，請你翻到單元一第1天，先解決這個最重要的問題。

神在你生命中的作爲非常切合實際

神是實際的。

有些人對我說：「布克比，你所講關於遵行神的旨意這件事，在我們這時代是不切實際的。」我常常不同意他們的看法。神是一位切合實際的神；袖在聖經時代是一位切合人實際需要的神，今天袖也是一位這樣的神。當袖供應以色列民嗎哪、鵪鶉和水的時候，袖切合人實際的需要。當耶穌餵飽五千人的時候，袖切合人實際的需要。我發現聖經所啓示的神，是一位眞實的神，一位與人有個別關係的神，也是一位供應人實際需用的神。我也深信神與我之間的關係是眞實的，並且袖能供應我現實生活的所需。

對你生活和事奉最具實質幫助的，就是神永不止息的同在。

對你生活和事奉最具實質幫助的，就是神永不止息的同在。不幸地，我們卻常常局限了神在我們生活中的作爲。在我們需要幫助的時刻，我們才向袖呼求。這種現象，與我們在聖經中所了解的截然不同。神是一位在我們生活的世界中作工的神，袖邀請你與袖建立關係，以致袖能藉著你完成袖的工作。神擴展袖國度的整個計劃，是藉著袖與袖子民個別的關係以眞實而又切合實際的方式來成就。

在聖經中我們知道藉著與神之間一種眞實、和個別的關係而認識袖，經歷袖，是切實可行的。在我們一同學習的這幾個月中，請你繼續忍耐，我相信你會發現，過與神同行的生活是非常實際可行的；神也會徹底改變你與家人、教會弟兄姊妹、和其他人的關係。你會與神相遇，以致你知道自己正在經歷袖。

➤ 你能否用「眞實的、個人的和實在的」這幾個詞語來描述你與神的關係？爲甚麼？

_____

_____

下列兩句句子，是有關經歷神的七項實況中的第一、二項，請在留空的地方填上適當的字句：

1. 神常常在我身處的環境中作工。

2. 神 _____ 一份持續的、_____。

➤ 重溫今天的功課。禱告求神幫你找出一兩句袖期望你明白、學習、或付諸實踐的課文內容或經文，並回答以下問題：

在今天研讀的課文中，哪些字句或經文對你最有意義？

_____

_____

將這些字句或經文改寫爲你回應神的祈禱。

_____

_____

神期望你做甚麼來回應今天所學習的？

_____

_____

➤ 溫習你要背誦的金句，預備好在本週小組聚會中向一位組員背誦。

你若還未抽時間「與神同行」並寫下你「與神同行」的經歷，切記在本週小組聚會之前完成這項作業。

本課撮要

● 神期望與我建立一種眞實而又個人化的關係。

● 神擴展祂國度的整個計劃，是藉著祂與祂子民之間的關係，以眞實而又切合實際的方式來成就。

註釋

1. 中文譯詞版權屬宣道出版社所有，獲准使用。

單元四

神的愛和神的邀請

宣教牧師康傑克

信心浸信會開始從事差傳事工的時候，決定請康傑克成為我們教會的宣教牧師。但是，我們沒有錢支付傑克的薪金，也沒有經費支付他的搬遷費。傑克有三個孩子，三個孩子仍未畢業；因此，我們覺得每個月應當讓傑克至少有八百五十元的收入。我們開始同心禱告，祈求神供應傑克的搬遷費和薪金。我從未試過這樣牧養一間教會。但是，教會整體都肯踏出這信心的一步，深信差派康傑克到薩斯克其萬省中部任宣教牧師是神自己的心意。然而，除了在美國加州的幾位弟兄姊妹外，我想不到還有甚麼人會在經濟上支援這次的差傳工作。神到底會怎樣供應我們這些需用呢？當我想到神是無所不知、無所不能的神的時候，我便深信祂會提醒祂所揀選的弟兄姊妹，感動他們支援這次的差傳工作。

康傑克清楚神的呼召，他也到移民局辦好了一切手續，並且計劃遷往中部去。不久，我收到美國阿肯色州第一浸信會寄來的一封信，信上說：「神感動我們眾人的心，吩咐我們將差傳奉獻總額的百分之一用作加拿大薩斯克其萬省的差傳工作。現附上支票一張，用在你們有需要的差傳工作上。」我對於這間浸信教會如何得知我們的需要毫不知情，我只知道從他們那裡收到了一張一千一百元的支票。

有一天我又接到一個電話，來電的人問及奉獻作傑克薪金的數目，並且承諾會支付傑克全年薪金的不足之數。我剛放下電話，傑克恰巧到訪。我就問傑克：「傑克，這次搬遷的費用要多少？」他說：「唔，大約是一千一百元左右！」

我們踏出這信心的第一步，是因為我們深信那位知道我們需用的神，可以感動任何地方的弟兄姊妹來供應我們的所需。我們順從神的引導，開展差傳的事工，也踏出了信心的第一步。我們深信那位呼召傑克的神，也是那位供應我們一切需用的神。當我們順從神的指引，祂就顯明祂是我們的供應者。這次信心的經歷，使我們與這位一切充足的神進入更深的相愛關係。

本週背誦金句

有了我的命令又遵守的，這人就是愛我的；

愛我的必蒙我父愛他，我也要愛他，並且要向他顯現。

—— 約翰福音14：21

第1天 | 認識神

當神藉著各樣經歷,向我啓示祂自己的時候,我便能更深入地認識祂。

這個單元會繼續集中思想我們與神之間相愛的關係。你會發現蒙神呼召與祂建立關係,和蒙神呼召承擔使命是同一件事。如果你想知道神的旨意,你必須對祂的邀請作出積極的回應,必須全心全意地愛祂。神透過那些祂所愛的人作工,在這世上完成神國的計劃。在這個單元裡,我們將要開始思想神會怎樣邀請你與祂同工,有分於祂的工作。

藉經歷認識神

你永不會滿足於單單知道關乎神的事。只有經歷到神親自向你啓示祂自己,你始能認識神。當摩西在燒著的荊棘異象中,問神說:「我到以色列人那裡,對他們說:『你們祖宗的神打發我到你們這裡來。』他們若問我說:『祂叫甚麼名字?』我要對他們說甚麼呢?」(出3:13)

我是自有永有

神回答摩西說:「我是自有永有的」;又說:「你要對以色列人這樣說:『那自有的打發我到你們這裡來』」(出3:14)。當神說:「我是自有永有」的時候,祂的意思是說:「我是那位永恆的神;將來我也都會一樣;我就是你一切所需要的。」其後四十年,摩西從經歷上認識耶和華是獨一的神,是那位至高至大的全能者。

神的名字

在聖經裡,我們看見神採取主動向人啓示祂自己。當神向一個人啓示祂自己的時候,人常常會給神一個新的名字,或用一種新的方式去描述神。對希伯來人而言,一個人的名字是代表了他的性格、或描述了這個人的本性。因此,聖經中的人物經歷過神之後,隨後我們總會發現記載了神新的名字或稱號。要按著神的名字認識祂,必須有與神同在的個人經歷。

聖經中神的名字、稱號和對神的描述,表明了聖經中的人物如何親自認識神。聖經是神向人啓示祂自己的一種記錄,神的每一個名字是這啓示的一部分。

耶和華是我的旌旗

例如:約書亞和以色列人跟亞瑪力人爭戰之時,摩西在附近的一個山頂上監督戰事的發展。摩西何時向神舉起雙手,以色列人就得勝;摩西何時垂下手來,以色列人便戰敗。神最終藉著以色列人擊敗了亞瑪力人。摩西便築了一座壇,起名叫「耶和華尼西」(耶和華是我的旌旗)。旌旗是指豎立在軍隊前面的旗幟,表明軍隊是屬哪一方的。「耶和華是我的旌旗」,就是說我們是神的子民,祂是我們的神的意思。摩西向神舉起雙手,表明這場戰役是神自己的戰役,以色列人是祂的子民,一切的榮耀是屬於神的。以色列人對神有了進一步的體驗和認識 —— 我們是祂的子民;祂是我們的旌旗。(參出17:8-15)

➤ 另外一個例子,見創世記22:1-18。先讀這段經文,然後回答下列各問題:

1. 神要亞伯拉罕做甚麼?(22:2)

2. 你認為22：8顯出亞伯拉罕是一個怎樣的人？

_____

3. 神為亞伯拉罕做了甚麼？（22：13）

_____

4. 亞伯拉罕替那個地方起了甚麼名字？（22：14）

_____

5. 為何神應許要賜福給亞伯拉罕？（22：15-18）

_____

神必預備

神正在塑造亞伯拉罕的品格，以致他能成為一國之父。神吩咐亞伯拉罕獻以撒為燔祭，祂將亞伯拉罕的信心和服從加以考驗。亞伯拉罕面臨一個信仰的危機或難關。但他深信神必自己預備作燔祭的羊羔（第8節），於是亞伯拉罕服從神，相信神必預備。他對於神是供應者這方面的信心，作出了有生以來的調校。及至神為他預備了一隻公羊，亞伯拉罕便藉著經歷神做了他的供應者而對神有了更深入的認識。

➥ **翻到封底內頁。看亞伯拉罕從神所得的經歷是否與此處七項實況的次序相符？**

_____

_____

_____

_____

_____

在這個單元的開始，你便讀到有關信心浸信會和康傑克牧師，如何經歷到神預備了他們一切的需用這故事。神往往讓我們在生活中經歷祂的作為，向我們啟示祂自己。

神賜人終身伴侶

作為大學學生團契的牧者，我經常邀請同學到我的辦公室，彼此交通、禱告。我深深明白這些學生正處於一個急劇轉變時期，我希望在他們要作出人生重大的決定上，幫助他們去作出明智的抉擇。

舒莉正在修讀護士課程，我曾經為她禱告了一段時間，也為了神在她一生中的計劃求問。有一天，舒莉來到我的辦公室，我們討論到她是否應當繼續修讀護士課程這件事。後來，話題轉到了舒莉的父親。他是一個酗酒的人。我望著舒莉，對她說：「舒莉，我希望你知道神感動我，要我為你禱告求一個丈夫、一個終身的伴侶。」

「你是不是跟我開玩笑？」她問我。

「舒莉，我是認真的。由於你有一個酗酒的父親，你經歷過許多痛苦和令你心碎的事。我相信神要賜給你一個可愛的男子，他會全心全意愛你。我希望你知道，從今天開始，我會不斷禱告，求神賜給你一個可愛的丈夫。」

舒莉哭了！我們一同禱告，求神賜給她一位伴侶。大約過了三個月，神帶領了一位青年到我們教會參加聚會。他是一位工程系的學生。舒莉跟他墮入愛河，不久，我為他倆主持婚禮。現在他們有兩個孩子，並且忠心地服事基督。現在，舒莉仍然快快樂樂地過日子。

舒莉如何曉得神就是那位賜給她終身伴侶的神呢？首先，她確認神是神，神會醫治她生命中的創傷，賜她一位丈夫。因此，舒莉開始為這件事禱告，並留意察看

神的作為。當神向她指明哪一位青年是神為她揀選的配偶時，舒莉順服神的心意，接受弟兄的愛。這樣，她就曉得神是賜給人終身伴侶的神！

➤ 請描述一件事，是你藉此經歷到神在你生命中的作為的。

_____

_____

_____

你會用甚麼名字描述你所經歷過的神呢？

_____

請看下列聖經所記述的神的名字、稱號和對神的描述。有哪幾項是你親身體驗過的？請把它們圈出來。

我的見證（伯16：19）	生命之糧（約6：35）
悲傷中的安慰者（耶8：18）	我的倚靠（詩71：5）
奇妙的策士（賽9：6）	寡婦的伸冤者（詩68：5）
我堅強的拯救者（詩140：7）	誠信真實的（啓19：11）
我們的父（賽64：8）	烈火（申4：24）
穩固的根基（賽28：16）	我的朋友（伯16：20）
全能的神（創17：1）	賜各樣安慰的神（林後1：3）
為我伸冤的神（詩18：47）	拯救我的神（詩51：14）
我們的引路者（詩48：14）	教會的元首（弗5：23）
我們的幫助（詩33：20）	我藏身之處（詩32：7）
尊榮的大祭司（來4：14）	你們中間的聖者（何11：9）
我的盼望（詩71：5）	忌邪的神（出34：14）
公義的審判官（提後4：8）	萬王之王（提前6：15）
我們的領袖（代下13：12）	你們的生命（西3：4）
生命的光（約8：12）	萬主之主（提前6：15）
莊稼的主（太9：38）	中保（提前2：5）
至聖者（但9：24）	我們的和睦（弗2：14）
和平之君（賽9：6）	我的救贖主（詩19：14）
避難所和力量（詩46：1）	我的拯救（出15：2）
我的拯救者（詩42：5）	好牧人（約10：11）
至高主宰（路2：29）	我的山寨（詩18：2）
我的支持者（撒下22：19）	良善的夫子（可10：17）

倘若時間許可，嘗試在你圈出的名稱旁邊，簡單記下你如何經歷到神是聖經所描述的神。

你是否察覺到你是透過各種經歷來認識神？當你圈出上面任何一個名稱時，你必定會記起生命中的一個經歷。舉例來說，你不可能認識到神是「悲傷中的安慰者」，除非你親身經歷過祂如何在你傷痛的時候安慰你。

神啓示祂自己的時候，你便認識祂；當你經歷到神的時候，你就認識祂。

➤ 你如何可以個人化和深入地認識神？

_____

當神藉著各樣的經歷，向你啟示祂自己的時候，你便能更深入地認識祂。

➡ **重溫今天的功課。禱告求神幫你找出一兩句祂期望你明白、學習、或付諸實踐的課文內容或經文，並回答以下問題：**

在今天研讀的課文中，哪些字句或經文對你最有意義？

_____

_____

將這些字句或經文改寫為你回應神的祈禱。

_____

_____

神期望你做甚麼來回應今天所學習的？

_____

_____

寫下本單元要背誦的聖經金句，並且溫習單元一至三的聖經金句。

_____

_____

_____

_____

本課撮要

- 當我經歷到神親自向我啟示祂自己，我始能認識神。
- 當神藉著各樣經歷，向我啟示祂自己的時候，我便能更深入地認識祂。

第2天　敬拜神

耶和華我們的主啊，祢
的名在全地何其美！
（詩篇8：1）

　　昨天，你學到神會採取主動，讓人透過經歷認識祂。你也知道一個希伯來名字代表了一個人的性格和本性；因此，呼喚一個人的名字，就是尋求見這個人的面。神的名字是偉大的，配受我們的讚美。承認神的名字等於承認神就是那名字所描述的神；呼喚神的名字等於尋求見神的面；讚美祂的名字就是讚美神自己。聖經中所有神的名字是一個宣召，呼召你去敬拜祂。

　　請你用今天這段學習的時間，藉著神的名字來敬拜祂。將你的注意力集中在神的名字上面，就等於將注意力集中在神自己身上，因為神的名字代表了神親自的臨在。敬拜神就是尊崇神、高舉神、承認祂配受一切的讚美。詩篇中充滿了許多例子，指教我們如何藉著神的名字敬拜祂。

➡ **請閱讀下列各段經文，把哪些指教我們如何藉著神的名字敬拜祂的字句圈出來。**

要向耶和華歌唱，⬚稱頌⬚ 祂的名。（詩96：2）

求祢救活我們，我們就要 ⬚求告⬚ 祢的名。（詩80：18）

我要將祢的名傳與我的弟兄。（詩22：22）

求祢使我專心敬畏祢的名。（詩86：11）

耶和華我們的神啊，求祢拯救我們，從外邦中招聚我們，我們好稱讚祢的聖名，以讚美祢為誇勝。（詩106：47）

主啊，祢所造的萬民都要來敬拜祢；他們也要榮耀祢的名。（詩86：9）

要以祂的聖名誇耀！尋求耶和華的人，心中應當歡喜。（詩105：3）

我要稱謝祢，直到永遠，因為祢行了這事。我也要在祢聖民面前仰望祢的名；這名本為美好。（詩52：9）

耶和華啊，認識祢名的人要倚靠祢，因祢沒有離棄尋求祢的人。（詩9：10）

我還活的時候要這樣稱頌祢；我要奉祢的名舉手。（詩63：4）

凡投靠祢的，願他們喜樂，時常歡呼，因為祢護庇他們；又願那愛祢名的人都靠祢歡欣。（詩5：11）

我們終日因神誇耀，還要永遠稱謝祢的名。（詩44：8）

知道向祢歡呼的，那民是有福的！耶和華啊，他們在祢臉上的光裡行走。他們因祢的名終日歡樂，因祢的公義得以高舉。（詩89：15-16）

耶和華啊，我夜間記念祢的名，遵守祢的律法。（詩119：55）

願祢使他們滿面羞恥，好叫他們尋求祢耶和華的名。（詩83：16）

我要照著耶和華的公義稱謝祂，歌頌耶和華至高者的名。（詩7：17）

全地要敬拜祢，歌頌祢，要歌頌祢的名。（詩66：4）

我們的心必靠祂歡喜，因為我們向來倚靠祂的聖名。（詩33：21）

敬拜神的方式		
稱頌祂的名	誇耀祂的名	因祂的名歡樂
求告祂的名	仰望祂的名	記念祂的名
傳揚祂的名	認識祂的名	尋求祂的名
敬畏祂的名	奉祂的名舉手	頌讚祂的名
稱讚祂的名	愛祂的名	歌頌祂的名
榮耀祂的名	稱謝祂的名	倚靠祂的名

➡️ 現在就用上述的方式來敬拜神，然後翻到附錄甲 —— 神的名字和稱呼，請用今天餘下的時間來敬拜主。附錄甲中的名字會幫助你將注意力集中在神自己和祂的作為上。你也應當爲著神的本性和祂的作爲頌讚祂，愛慕祂，將榮耀歸給祂。

在這段敬拜的時間，要專心尋求神的面，信靠祂，向祂歌唱。讓這段時間成爲一個有意義的時刻，使你可以經歷神和你之間相愛的關係。

簡單記述在這段敬拜的時間中，你的感受或經歷。你認爲這段時間中，有甚麼經歷是最有意義、最寶貴的？

_____

_____

_____

_____

第3天

愛神

我若愛神，就必遵守祂的命令。

有了我的命令又遵守的，這人就是愛我的；愛我的必蒙我父愛他，我也要愛他，並且要向他顯現。

——約翰福音14：21

神採取主動與你建立愛的關係。不過，這種愛的關係並非單方面的事情；神期望你認識祂，敬拜祂，更重要的，是祂希望你願意愛祂。

➡️ **請讀一次本單元的金句（見左欄），然後回答下列各問題：**

1. 愛耶穌的人是怎樣的人？

_____

2. 父神會如何對待那些愛耶穌的人？

_____

3. 耶穌會爲愛祂的人做哪兩件事？

愛？

遵守祂的命令

耶穌說：「你們若愛我，就必遵守我的命令」（約14：15）。因此，當你遵守耶穌的命令，你就表明自己是愛祂、倚靠祂的人了。父神也愛那些愛祂兒子的人。耶穌清楚表明祂愛那些愛祂的人，並且祂要向他們顯現。遵守耶穌的命令就是愛神的外在表現。

耶穌應許要向那些愛祂又守祂命令的人顯現。主耶穌的一生，爲你樹立了愛神的榜樣。祂說：「要叫世人知道我愛父，並且父怎樣吩咐我，我就怎樣行」（約14：31）。耶穌完完全全遵行父神的吩咐；祂藉著遵守父神的命令，表明了祂對父神的愛。

➡️ **你可以怎樣表明你對神的愛？**

_____

藉著遵守神的命令，就表明你與神之間相愛的關係。遵守神的命令並非單單死守一些宗教的條文，而是順從命令的精義。假若你在遵守神的命令這件事上感到困

難，是因爲你與神之間相愛的關係出了問題。請將你的注意力集中在神的愛上面吧。

神的本性

神是愛。

神的本性就是愛，袖絕不會違背袖自己的本性。神在你一生中的心意，只是向你表明袖那完全的愛。神不會將次好的東西賜給你。因爲這與袖的本性相違背。對於那些在罪中不斷叛逆袖的兒女，袖會加以管教、施行審判，向他們發怒；但是，神對袖兒女的管教是出於袖對他們的愛（來12：6）。因爲神的本性就是愛，所以，不論神採取何種方式向我表達袖的愛，我都可以肯定袖對我的愛是最美好的。有兩節聖經這樣描述神對我們的愛：

神的旨意是最美善的。

* 約翰福音3：16——「神愛世人，甚至將袖的獨生子賜給他們。」
* 約翰一書3：16——「主爲我們捨命，我們從此就知道何爲愛。」

「神就是愛」（約壹4：16）。相信神的本性就是愛乃非常重要的。堅信神就是愛，對我的一生有很重大的影響。我立定心意，只從耶穌基督十字架上的愛來看我一生中各樣的際遇。我每天的行事爲人，也取決於自己和神之間相愛的關係。

➡ **填充題**

神就是 _____。袖在我身上的旨意往往是最 _____ 的。

在屬靈的事上，「信」與「行」不合一是不可能的；你現在與神之間的關係，便說明了你對袖的信靠是否眞實。如果你眞的相信神就是愛，你自自然然會認爲袖在你身上的旨意是最美好的。

神是全知的。

神的引導是最正確的。

袖也是全知的神。一切有關過去，現在和將來的事情，袖都知曉；沒有一件事是神不知道的。因此，當神向你指示任何事情的時候，袖的引導往往是最正確的。

你曾否請求神給你多個選擇，以致你可以從中去選出一個對於你是最好的？你認爲神要讓你有多少個選擇的機會，你才會選擇到最好的呢？倘若你願意讓神作主，袖的選擇往往是最正確的。

➡ **填充題**

神是 _____ 的神，袖的引導是最 _____ 的。

神給予你的指引往往都是最正確的。袖的旨意常常是最美善的。你不用懷疑袖的旨意是否最正確、最美善。袖的旨意必定是美好，因爲袖愛你，袖又知曉一切，並且袖以完全的愛愛你。所以，你可以完全信靠袖，順服袖。

神是全能的神。

袖會賜你力量遵行袖的旨意。

神是全能的神，袖能夠從無中創造出世界，袖也可以成就任何袖要實現的旨意或計劃。假若神要你去做一件事，袖必定賜你足夠的能力去完成袖的工作。在本單元的第5天我們會再深入一點思想這個問題。

➡ **填充題**

神是 _____ 的神，袖會賜我 _____ 行在袖的旨意中。

配對題：（請將正確的字母寫在橫線上）

____	1. 神就是愛	A.	神的引導是最正確的。
____	2. 神是全知的神	B.	神會賜我力量遵行袖的旨意。
____	3. 神是全能的神	C.	神的旨意是最美善的。

倘若神在你身處的環境中作工，你需要重新改變自己許多的想法，神作工的方

式跟你和我的想法往往截然不同。許多時候，祂作工的方式看起來好像很不合情理，甚至好像是錯誤的。因此，你必須作出充分的準備，要完全相信神，完全信靠祂作工的方式。你必須相信神的指引是最美好的，要以神為神，切勿猜疑祂和祂的作為。答案：1-C，2-A，3-B。

神會用簡單、清楚、容易領悟的方式向你顯明祂自己，就像父親向一個年幼的孩子說話一樣。你也只需要像一個小孩子那樣，完全信任祂。這樣，你會發覺自己對生命有一種嶄新的看法。你的人生會變得滿有意義，你不會再感到空虛或缺乏人生的方向，因為神自己會充滿你的生命。當你擁有神，你便擁有一切。

▶ 當你聽見或看見「命令」、「審判」、「律法」、「典章」、「律例」這一類字句時，你所得到的第一印象是積極的抑或是消極的呢？　積極 □　消極 □

神的命令

神的命令乃是祂滿有愛心這種本性的表達。在申命記10：12-13，祂指出了頒佈誡命律例的用意，是為了我們的益處：

> 以色列啊，現在耶和華你神向你所要的是甚麼呢？只要你敬畏耶和華你的神，遵行他的道，愛他，盡心盡性事奉他，遵守他的誡命律例，就是我今日所吩咐你的，為要叫你得福。

▶ 請讀申命記32：46-47（見左欄）。對你來說，神的說話有多重要？

_____

_____

申命記32：46-47及10：12-13這兩段經文，是建基在神人之間相愛的關係上。藉著各樣經歷認識了神，你必能肯定祂對你的愛是完全的，是無微不至的。你既肯定神真的愛你，你就會信任祂，倚靠祂，並且順從祂。你若愛神，順從祂便不會是一件困難的事。「我們遵守神的誡命，這就是愛他了，並且他的誡命不是難守的。」（約壹5：3）

神深深地愛著你，正因為祂深愛你，所以祂給了你許多生活上的指引，免得你不能充分享受與祂之間相愛的關係。人生旅途中有時也會遇到埋伏著的危險，這些危險可以完全摧毀你和你的一生。神不願意你得不著最豐盛的生命，更不願意眼見你的人生毀於一旦。

這就如同你正要跨越一個佈滿地雷的區域，有一個人能準確知道每一個地雷埋藏的位置。因此，他自動請纓要領你安全地走過這個區域，你會否對他說：「我不用你告訴我怎樣做，我不喜歡你硬要我跟從你的路線和指示？」

倘若我是你，我會盡量靠近這個人，決不會隨便跑開；因為他的指引可以使我的生命得以保存。他會一路告訴我怎樣走，免得我喪掉生命。

神給我們誡命和律例，是要使我們得著生命，並且得到豐盛的生命。神要你遵守誡命，是因為祂想保護你又讓你享受生命中最美好的東西。因此，祂頒佈誡命，並非為了限制你、捆綁你，乃是為了釋放你，讓你享受真正的自由。

▶ 請讀申命記6：20-25（見左欄），然後回答下列的問題。神頒佈律例，用意何在？ _____

又說：「我今日所警教你們的，你們都要放在心上；要吩咐你們的子孫謹守遵行這律法上的話。因為這不是虛空、與你們無關的事，乃是你們的生命；在你們過約旦河要得為業的地上，必因這事日子得以長久。」
——申命記32：46-47

日後，你的兒子問你說：「耶和華我們神吩咐你們的這些法度、律例、典章是甚麼意思呢？」你就告訴你的兒子說：「我們在埃及作過法老的奴僕；耶和華用大能的手將我們從埃及領出來，在我們眼前，將重大可怕的神蹟、奇事，施行在埃及地和法老並他全家的身上，將我們從那裡領出來，要領我們進入他向我們列祖起誓應許之地，把這地賜給我們。耶和華又吩咐我們遵行這一切律例，要敬畏耶和華我們的神，使我們常得好處，蒙他保全我們的生命，像今日一樣。我們若照耶和華我們神所吩咐的一切誡命，謹守遵行，這就是我們的義了。」
——申命記6：20-25

使你常得益處，充分享受豐盛
人生。

神頒佈律例的用意，是使你常得益處，充分享受豐盛人生，讓我舉例說明這個道理。例如神說：「我會讓你享受一種愉悅的、奇妙的愛，我會為你預備一個配偶。藉著這人你便有機會經歷人間最深厚、最有意義的愛，你的配偶可以幫助你活出真我，也會在你失意的時候鼓勵你，幫助你。她會愛你、信任的、倚靠你。我也會藉著你們二人的關係，賜給你一些孩子。他們會坐在你膝上，親熱地對你說：『爸爸，我愛你！』」

但祂同時又吩咐說：「不可姦淫」（太5：27）。神吩咐你守這條誡命，是否要管轄你，限制你的自由呢？不！神這樣吩咐，是要保護你，讓你可以經歷人間最美善的愛。你若不守這條誡命，犯了姦淫，會有甚麼事情發生呢？你們夫妻之間相愛的關係馬上受到破壞。彼此不再信任，內心會充滿了罪咎，苦毒和怨恨，孩子們也會感受到家庭的氣氛不一樣。因為犯姦淫而造成的傷痕，會限制了你們二人可以一同享受的愛情生活。

神的誡命是我們人生的指引，引導我們過一個豐盛的人生。如果你不信靠神，你便不會順從祂。若你不愛祂，你便不會信靠祂。除非你認識神，否則，你又怎能愛祂呢？

認識神
愛神
信靠神
順從神

如果你認識那位向你啟示祂自己的神，你便會愛祂。

如果你愛祂，你便會信靠祂，若你信靠祂，你自然會順服祂。

神就是愛，所以祂在你身上的旨意是最美善的；神是全知的神；所以祂的引導是最正確的；神吩咐你遵守祂的誡命，是為了讓你得著益處，過一個豐盛的人生。你若愛神，你便會順從祂！你若不順從祂，那就表明你並非真正愛祂。（約14：24）

➤ **重溫今天的功課。禱告求神幫你找出一兩句祂期望你明白、學習、或付諸實踐的課文內容或經文，並回答以下問題：**

在今天研讀的課文中，哪些字句或經文對你最有意義？

_____

_____

_____

將這些字句或經文改寫為你回應神的祈禱。

_____

_____

_____

神期望你做甚麼來回應今天所學習的？

_____

_____

_____

背誦金句，或將金句寫下來。

_____

_____

_____

> **本課撮要**
>
> - 順從是我愛神的外在表現。
> - 倘若我在順從神這件事上感到困難，我和神之間愛的關係必然出了問題。
> - 神是愛，祂的旨意是最美善的。
> - 神是全知的，祂的引導是最正確的。
> - 神是全能的，祂會賜我力量遵行祂的旨意。
> - 神一切的命令都是祂愛的本性的表達方式。
> - 當神賜給我誡命，祂並不是要束縛我，乃是要釋放我。
> - 我若愛神，就必順從祂！

第4天 | 神邀請你與祂同工

當你看見神在你身處的環境中作工的時候，你必須調校自己生命的方向，接受神的邀請，與神同工。

聖經記錄了神在人類歷史中的作為。在聖經裡，神向人啟示祂自己（祂的本性）、祂的計劃和祂的法則。嚴格來說，聖經並不是一本記錄一些個人（例如亞伯拉罕、摩西、保羅）與神之間關係的書，而是一本記載有關神自己的作為以及祂主動與人建立關係的書。因此，聖經的焦點是神和神的作為。

➤ 溫習本課程所提及的七項實況中的前四項。在下列空白處填上適當的字句。你可以翻到封底內頁尋找答案。

1. _____ 常常在你身處的環境中作工。
2. 神尋求與你建立一份持久相愛的 _____，這個關係既真實又 _____。
3. 神邀請你與祂 _____。
4. 神藉著_____、透過聖經、_____、環境和 _____，向人啟示祂自己、祂的 _____ 和祂的法則。

神透過人作工

神正在我們身處的世界中作工。

聖經的啟示讓我們明白一件事——神從來未曾對我們身處的世界採取不聞不問的態度；相反地，祂主動介入人類的歷史，採取救贖的行動。神主動邀請祂的子民與祂同工，透過他們完成祂救贖的計劃。

- 當神準備以洪水審判世界的時候，祂向挪亞說話，透過挪亞完成祂要完成的計劃。
- 當神準備為自己的名建立一個國度的時候，祂到亞伯拉罕那裡，向他說話，透過亞伯拉罕完成祂的計劃。
- 當神聽到了以色列子民在埃及的哀聲，準備救他們離開為奴之地的時候，祂向摩西顯現，祂計劃藉著摩西施行拯救的工作。

及至時候滿足，神差遣祂的兒子來拯救這失喪的世界；神賜給祂的愛子十二個

門徒，裝備他們去完成祂的計劃。

神採取主動邀請人與祂同工

　　神每逢準備做一件事的時候，祂往往會主動接觸祂自己的僕人，讓他們知道祂正準備要做甚麼。神邀請他們與祂同工，他們也必須調校自己生命的方向，以致神能藉著他們完成祂的工作，先知阿摩司說：「主耶和華若不將奧祕指示祂的僕人眾先知，就一無所行。」（摩3：7）

▶ **是非題：**

＿＿＿　1.　神創造了這個世界，然後袖手旁觀，任由它自由運作。

＿＿＿　2.　神一直在場，祂至今仍積極地在這世上作工。

＿＿＿　3.　人為神做事，可以憑他們自己認為會是好事，便決定去做。

＿＿＿　4.　神邀請人參與祂的工作。

＿＿＿　5.　神常常採取主動，邀請人來參與祂的工作。

2, 4, 5是正確的，1, 3是錯誤的。

神的啟示就是對你發出的邀請

　　或許你會問：「神怎樣邀請我參與祂的工作呢？」讓我們從約翰福音5：17，19-20（見單元一第2天「耶穌的榜樣」）的記載，透過耶穌的榜樣學習功課。

耶穌就對他們說：「我父作事直到如今，我也作事。」

耶穌對他們說：「我實實在在的告訴你們，子憑著自己不能作甚麼，惟有看見父所作的，子才能作；父所作的事，子也照樣作。父愛子，將自己所作的一切事指給他看，還要將比這更大的事指給他看，叫你們希奇。」

——約翰福音5：17，19-20

耶穌的榜樣

1.　父神作事直到如今。

2.　現今神也要我作事。

3.　我不採取主動作任何事。

4.　我留心觀察，看看父神正在做甚麼。

5.　我按照我看見父神所做的去做。

6.　瞧！父神愛我。

7.　父神將自己所作的一切事指示給我看。

▶ **耶穌怎麼知道在父神的工作上要作甚麼？**

_____

耶穌知道後如何回應？ _____

_____

　　倘若你想親身經歷神自己和神的作為，你必須緊記一件事：神從創世以來，未曾竭止在這世界上作工，並且現在祂仍在不斷作工。耶穌的一生正好清楚說明了這一個事實。耶穌宣告說，祂到世間來，不是要照自己的意思去做，乃是要遵行那差祂到來的父神的旨意。（參約4：34；5：30；6：38；8：29；17：4）耶穌怎樣得知父神的旨意呢？祂知道父神的心意，是藉著留心觀察看看父神現正進行的工作，然後，耶穌便加入那工作。

　　父愛子，因此父神採取主動，向耶穌啟示祂（父神）正在做甚麼或將要做的。耶穌留意察看父神在祂（耶穌）身處的環境中的作為，以致能與父神的行動配合。

▶ **在上面「耶穌的榜樣」那框框內的第四點，有一個關鍵的字句，說到耶穌得知父神邀請祂來參與工作的，試把這個字句圈出來。**

你與父神既有相愛的關係，你自然會是祂**順服聽命**的孩子。神愛你，祂很想你在祂的工作上有分。因此，祂會指示你祂在何處作工，以致你能參與在其中。第四點的關鍵字句是**留心觀察看看**，耶穌**留心觀察看看**神在何處作工。當耶穌**看見了**神的工作，祂便去做父神正在做的事。對耶穌來說，每次父神啓示祂自己的工作，就等於向祂發出一個邀請，邀請祂來參與父神的工作。因此，當你看見神在你身處的環境中作工之時，你必須接受父神的邀請，調校自己生命的方向，來與父神同工。

神的啓示就是對你發出邀請，邀請你與祂同工。

以利沙的僕人

會否神在你環境的周圍作工，而你卻一點也察覺不到呢？當然有可能。以利沙和他的僕人曾經在多坍，被一支大軍圍困，僕人非常懼怕，但以利沙卻異常鎭定。「以利沙禱告說：『耶和華啊，求祢開這少年人的眼目，使他能看見。』耶和華開他的眼目，他就看見滿山有火車火馬圍繞以利沙」（王下6：17）。惟有在神開這僕人眼目之後，他才能看見神在他所處環境中的作爲。

耶路撒冷的領袖

耶穌預言耶路撒冷城將於主後七十年被毀，祂就爲耶路撒冷和城中的領袖哀哭。祂說：「巴不得你在這日子知道關係你平安的事；無奈這事現在是隱藏的，叫你的眼看不出來」（路19：42）。耶穌在耶路撒冷的居民中間施行神蹟奇事，然而他們卻認不出祂來。

兩項因素

要認出神在你所處環境中的作爲，有兩項重要的因素：

1. 你必須活在與神有親密相愛的關係中。
2. 神必須採取主動，打開你屬靈的眼睛，使你能看見祂的作爲。

➡ **填充題：**

神的作爲（行動）之啓示，就是 _____ 我與祂同工。

要認出神在你所處環境中的作爲，有哪兩項重要的因素？

1. _____
2. _____

除非神讓你看見祂正在何處作工，否則你就不會看見。因此，當神向你啓示祂的作爲的時候，就是向你發出邀請，請你來與祂一起作工。要察覺神的作爲的關鍵，在於你和祂之間有相愛的關係，以及神主動開啓你屬靈的心眼，使你能看見。

在神作工的地方與祂同工

設立教會

我們感覺神是期望我們教會在加拿大中部及西部協助開設新的教會。在加拿大中部及西部，有數以百計的城鎮和村落都沒有福音派教會。

➡ **在這種情況下，你會如何去決定在哪些城鎮或村落中開設教會呢？**

_____

_____

_____

有些教會採取人口調查的方式來開始。他們會運用邏輯推理來考慮在何處設立教會會取得最大的成果。但是，我們的教會在這件事情上採取了另一個方式。我們深信神願意讓我們知道祂在何處作工，祂若向我們啓示祂的作爲，就是祂邀請我們

與祂同工的表示。因此，我們開始為這件事禱告，並且留心察看神會怎樣回應我們的祈求。

雅崙鎮

雅崙是一個小城鎮，離開薩斯克頓大約四十哩，那裡從沒有過一間基督教會。我們當中有一位會友感覺神引導我們去為雅崙鎮的孩童開設假期聖經學校。因此，我們在那裡開辦了假期聖經學校，留意神是否已在那裡開始了祂的工作。

在假期聖經學校結束前的一天晚上，我們舉行了一次家長之夜，我們對這群家長說：「我們相信神期望在雅崙鎮建立一間浸信教會。倘若在你們當中有任何人願意開始參加定期性的查經小組，成為未來一間新的浸信教會的成員，請你作出一個表示。」

我禱告了三十年……

這時候，有一位女士漸漸從後面走到台前，她不停地用手帕抹去眼淚，她說：「我為雅崙鎮可以有一間浸信教會禱告了三十年，神藉著你們應允了我的禱告。」

我向神立志，每天用四至五個鐘頭禱告，直到祂在我居住的小鎮上設立一間浸信教會。

跟在這位女士後面，就有另一位更年長的弟兄也有話說，他顯然深受感動，眼淚不停地流下來，他說：「我曾經是一間浸信教會的積極分子，但後來，我開始酗酒。四年半前，我再次回轉歸向神。那時候，我向神立志，每天用四至五個鐘頭禱告，直到祂在雅崙鎮設立一間浸信教會為止。神藉著你們應允了我的禱告。」

我們無需做調查和人口統計了，神已親自指示我們雅崙鎮是祂工作的地方。祂邀請我們來與祂同工。於是，我們歡歡喜喜回到自己的教會，與弟兄姊妹分享神在雅崙鎮的作為。弟兄姊妹立即表決，通過在雅崙鎮建立一間教會。今天，雅崙鎮浸信會已建立了另外一間教會，並且正在協助兩個福音堂成立教會了。

在神動工之處與祂同工

神並不是一位只會發施號令，吩咐我們去為祂作工的神。祂乃是自己正不斷在作工去拯救一個失喪的世界。倘若我們願意在愛的關係中調整自己的生活去適應祂，神就會向我們顯明祂正在何處作工。這個啟示便是一項邀請，邀請我們來參與祂的工作。這樣，神就藉著我們作成祂的工。

➤ **重溫今天的功課。**禱告求神幫你找出一兩句祂期望你明白、學習、或付諸實踐的課文內容或經文，並回答以下問題：

在今天研讀的課文中，哪些字句或經文對你最有意義？

_____

_____

將這些字句或經文改寫為你回應神的祈禱。

_____

_____

_____

神期望你做甚麼來回應今天所學習的？

_____

_____

_____

_____

> **本課撮要**
> - 神正在我們身處的世界中作工。
> - 神採取主動邀請我來參與祂的工作。
> - 神必須主動開啓我屬靈的心眼,我才可以看見祂的作爲。
> - 當我看見父神在我身處的環境中作工,那就是我接受祂的邀請,調校自己的生命來適應祂,和與神同工的時候了。
> - 神的啓示就是一項邀請,邀請我與祂同工。

第5天 知道神在何處作工

有些事情惟獨神能作。

神會向我們啓示祂在何處作工,但我們往往不能立刻認出那就是神的作爲。我們會猶疑不定,並且不能肯定神正邀請我與祂同工。於是,我們決定先禱告再作打算。許多與神同工的機會就在這種情況下溜走了!我們若有柔和、敏銳的心靈,我們就會立即對神作出回應。我們與神之間若建立了愛的關係,我們的心自然會變得柔和,屬靈的觸覺也會變得敏銳。

如果你準備與神同工,你必須先知道神正在何處工作。聖經告訴我們,有些事情惟獨神才能夠作,你必須學會認出哪些事是惟獨神才能夠作的。這樣,當你在身處的環境中,見到那些惟獨神才可以作的事出現時,你便知道這是神的作爲。你也必須緊記,除非神開啓你屬靈的心眼;否則,你不會認出那就是神的作爲。

只有神才能夠作的事

➡ **在單元二開始的時候,我曾告訴你一件惟獨神才能夠作的事。請翻到單元二卷首的地方,再讀一次「大學校園裡的查經班」,然後寫下有哪些事惟獨神才能夠作的。**

聖經告訴我們,若不是父神吸引人,沒有人會親近基督(約6:44);除非神的靈在人生命中作工,否則,沒有人會尋求神或追求屬靈的事。倘若有人(你的鄰居、朋友或家裡的孩子)開始追問屬靈的事,你根本不用懷疑是否神在吸引他,因爲這件事只有神始能作。

撒該

耶穌在一大群人中間生活的時候,祂常常會留意神正在何人的生命中作工。故此,一大堆的人群並不是正待收割的田地,待收割的田地乃是在人群之內。舉例來說,有一次,耶穌在一大群人中間,祂留意到撒該爬在一棵樹上,或許耶穌心裡想:「若不是父神在這人心裡作工,他絕不可能這樣熱切地尋求見我一面。」於是,耶穌對撒該說:「撒該,快下來!今天我必住在你家裡」(路19:5)。這天晚

上，救恩臨到了撒該的一家。耶穌常常留意父神的作為，然後去與神同工。那天晚上耶穌參與了父神的工作，救恩便臨到了撒該的一家。

➡ **閱讀下列幾段經文，然後回答各問題：**

> **約翰福音14：15-17** —— 你們若愛我，就必遵守我的命令。我要求父，父就另外賜給你們一位保惠師，叫祂永遠與你們同在，就是真理的聖靈……你們卻認識祂，因祂常與你們同在，也要在你們裡面。

1. 你若愛基督，又遵守他的誡命，父神會賜甚麼給你？請列舉兩個名稱作為答案。＿＿＿＿＿＿＿＿＿＿＿＿＿＿＿＿＿＿＿＿＿＿＿＿

2. 祂會住在哪裡？＿＿＿＿＿＿＿＿＿＿＿＿＿＿＿＿＿＿＿

> **約翰福音14：26** —— 但保惠師，就是父因我的名所要差來的聖靈，祂要將一切的事指教你們，並且要叫你們想起我對你們所說的一切話。

3. 聖靈會為耶穌的門徒做甚麼？

＿＿＿＿＿＿＿＿＿＿＿＿＿＿＿＿＿＿＿＿＿＿＿＿＿＿＿＿

> **約翰福音16：8** —— 祂既來了，就要叫世人為罪、為義、為審判，自己責備自己。

4. 還有哪三件事是聖靈會做的？

＿＿＿＿＿＿＿＿＿＿＿＿＿＿＿＿＿＿＿＿＿＿＿＿＿＿＿＿

＿＿＿＿＿＿＿＿＿＿＿＿＿＿＿＿＿＿＿＿＿＿＿＿＿＿＿＿

＿＿＿＿＿＿＿＿＿＿＿＿＿＿＿＿＿＿＿＿＿＿＿＿＿＿＿＿

當你蒙恩得救的時刻，你便與耶穌基督（神自己）有了愛的關係。從這時候開始，保惠師 —— 就是真理的靈，便會與你同在，住在你的生命中，祂常常教導你明白真理，叫人為罪、為義、為審判，自己責備自己。

惟獨神才能夠做的事情

1. 神親自吸引人
2. 神使人有尋求祂的心
3. 神向人啟示屬靈的真理
4. 神使世人自知有罪
5. 神使世人承認基督的公義
6. 神使世人自知必受審判

當你看見上述任何一項事情發生的時候，你便可以肯定神正在作工。當你發現有人願意相信基督、願意求問屬靈的事情，並且能夠領悟屬靈的真理，又經歷到悔罪，信服基督的公義，相信神對世界的審判是必然的，這時候你可以肯定那都是神的作為。

神正在你的工作地方／家裡／
教會裡作甚麼？

有一次，我在一個聚會裡遇見比爾，他是一間大公司的經理，他對我說：「在我工作的地方，有一段很長的時間，我看不到神有甚麼作爲。」在這間公司裡，有幾位基督徒，他們的職位都很高，比爾開始思想一個問題：神讓這幾位基督徒在公司裡身處高位，是否有任何用意？因此，比爾決定招聚他們，對他們說：「讓我們看看神是否要使用我們，把這間公司中每一個靈魂引到耶穌名下。」這會否是神想要做些甚麼呢？會的！

➤ **假若你是比爾，你計劃好要把這些基督徒招聚在一起，你如何知道下一步當怎樣做？**

_____

先禱告，然後留意神會作甚麼。

你首先要作的事是禱告，因爲只有神知道祂自己的計劃和完成這些計劃的最佳辦法。神全然知道祂自己爲何把這些基督徒招聚在同一間公司，祂也知道爲甚麼讓比爾有這種負擔。

思想你的禱告和隨後發生之事的關連。

禱告之後，你要留心觀看神會作甚麼，要留意那些你遇見的人對你所說的話。假如比爾這樣禱告說：「神啊，請讓我知道祢在何處做工作。」禱告完畢後不久，公司裡就有一位同事約見他，對他說：「我的家庭正陷於經濟困境，我和孩子們的關係也不太好！」這時候，比爾必須找出他的禱告和這位同事對他所講說話之間的關連。若是你禱告以後，不去留意隨後在你身旁發生的事，你就不會知道神回應了你的禱告。

要去知道神正在作甚麼。

所以，常常要將你的禱告與隨後在你身邊發生的事相連起來。

當你與人相遇的時候，嘗試問他們一些問題，以便去發現神在他們身上的作爲。舉例來說，你可以問：

問一些較深入的問題

* 我當如何爲你禱告？
* 有哪些事情我可以爲你禱告？
* 你是否想跟我詳談？
* 你覺得自己生命中最大的挑戰是甚麼？
* 此刻在你生命中有甚麼最重大的事情發生呢？
* 你可否告訴我現今神在你生命中的作爲？
* 神是否要你關注自己生命中的一些問題？
* 神給了你甚麼特別的負擔？

聆聽

比爾的同事有人這樣回應說：「其實我和神並沒有甚麼關係。但這段日子，當我與孩子們的關係日漸惡化的時候，我就確實思想過自己與神的關係。」或者說出如下的回應：「在我孩童時期，父母常常要我到教會參加主日學，那時候我總不願意去。如今，面對家庭經濟的困境，我再次回想那時候在主日學所學到的東西。」比爾同事的回應，似乎反映出神正在他的生命中作工；祂吸引人尋求祂，也使人知道自己活在罪中。

➤ **回答下列問題：**

A. 在前面幾段記載中，有哪幾樣描述可以幫助你看見，神在比爾的公司那種處境中動工？

_____

_____

B. 請再看一遍第82頁關於「惟獨神才能夠做的事情」欄內列舉的六點。神若在你周圍的人的生命中動工，你會留意到他們有些甚麼表現嗎？試列出三點。我發現他們會

1. _____

2. _____

3. _____

C. 請把那些你留意到神正在他們生命中動工的人的名字記下來。

_____

_____

如果你想知道神正在你身處的環境中的作為，你必須先向神禱告，然後留意會有甚麼事情發生。把你的禱告與隨後發生的事連在一起來思想。你可以問一些問題，以便找出神在你周圍的人生命中的作為。留心聆聽他們的回應，並且隨時準備好調整自己的生活，以配合神的工作。

一位過路的「不速」之客

有一次，一位男士路過我們的教會，看見教會週刊上登出：「請為我們在基爾，在阿爾伯特太子城，在洛夫，在利根那，在白賴恩湖……各區的宣教工作禱告。」他便問我們這些資料是甚麼意思。

我便告訴他，教會會眾曾經向神許下的一個承諾。這個承諾就是：如果神讓我們知道何處有人希望成立查經小組或設立教會，我們便會作出回應予以協助。我解釋完畢，這位客人就問我：「你的意思是說，倘若我請求你們到我家的小鎮上設立一間浸信教會，你們也會過來幫助我們的？」我答應他我們一定會這樣做。這位弟兄便哭起來。原來他是離開我們教會東面75英哩的利萊鎮的一位建築工人。在過去二十四年來，他到處請求人去那小鎮設立一間浸信教會，但一直都沒有人肯給予幫助。

由於這位過路訪客的請求，我們終於在利萊鎮建立了一間教會，購置了兩幢房子，那位過路客人如今成為一位非專職的牧師，在利萊鎮甚至更遠的地區做牧養工作。他的兩個兒子也回應神的呼召，成為福音的使者。

上述這個例子，說明我們的教會會眾不斷學習留心觀看那些惟獨神才能夠作的事。當神讓我們看見祂在何處作工，我們就知道是神邀請我們與祂一同作工。許多時候，我們沒有與神同工的原因，是由於我們自己不願委身去參與；我們常常期望神賜福我們，但我們卻又不願意讓神透過我們作成祂的工。一間教會應當關注的，並不是神會怎樣賜福施恩，而是留意神如何藉著教會來完成祂的計劃，彰顯神自己的榮耀。教會服從神，經歷神在其中的作為，就是神賜福的明證。

一位陌生的過路客可能對你的教會帶來極大的祝福。若他在你教會中出現，嘗試向這些陌生人問一些問題，留意神在他們身上的作為，然後你會知道應當如何調整自己的生命，成為神手中合用的器皿。當你開始看見神的手作工時，要調整自己的生命作出回應。

➤ 上述例子，有否提供了一些意念，使你懂得如何開始在自己身處的環境中（家

倘若神告訴我們何處有人希望成立一個查經小組或設立一間教會，我們便會作出回應。

庭、工作地點、教會）觀看神的作爲呢？嘗試把這些意念寫在下面。

_____

_____

_____

你寫下的這些意念可能是從神而來的，神可能邀請你觀看祂的作爲。不要錯失良機，先禱告，然後留意會有甚麼事情發生。

兩個要點

我們用了兩天時間，集中於討論神常常邀請你來參與祂的工作這件事上，要徹底明白這件事實，你還需要留意下面兩個要點：

1.　神準備要完成祂的計劃的時候，祂便會向人説話。

當神向你啓示祂的作爲的時候，就是你需要作出回應之時。在整本聖經中，我們發現神準備要完成祂的計劃的時候，祂便會向人說話。

但請你記得一點，就是從神發出祂的話語，到話語完全成就，可能要相隔一段相當悠長的日子。神應許亞伯拉罕要得一個兒子。但是，從神應許他會得一個兒子，到以撒生下來，其間相隔了二十五年。然而，在神向你說話那一刻，你便應當作出回應，你需要調整自己的生命，配合神的計劃，以致神能藉著你作成祂的工。

2.　神是創始成終的神

以賽亞見證了神是創始成終的神。神藉著他說：「我已說出，也必成就；我已謀定，也必作成」（賽46：11）。以賽亞曾警告神的子民，說：「萬軍之耶和華起誓說：我怎樣思想，必照樣成就；我怎樣定意，必照樣成立。……萬軍之耶和華既然定意，誰能廢棄呢？祂的手已經伸出，誰能轉回呢？」（賽14：24，27）。神若讓自己的子民知道祂要作甚麼，這事必定成就，因爲祂必親自成全。（參王上8：56及腓1：6）

既然神保證祂自己所說的必定成就，這對於每個信徒、每間教會和各宗派都有重大的提醒。當我們知道神在我們的處境中要作一件事，我們也可以肯定神自己必親自成就祂所定意成就的事。

➡ **你是否同意「神是創始成終的神」這句説話？**

同意 ☐　不同意 ☐　爲甚麼？你作出這反應的理由是：

_____

_____

_____

或許有些人會不同意「神是創始成終的神」這句說話。但是，你要記得你對神的認識，是依據聖經的啓示，而不是根據你自己個人的意見或經歷。在人類歷史中，曾經有許多人宣稱自己從神那裡得著話語，但他們所宣講的，並沒有實現。因此，你不能根據這些事例來判定神是否創始成終的神。

屬靈領袖應當謹愼

屬靈領袖務必要非常小心謹愼。若是你曾向神的子民宣稱「從神那裡領受了祂的話語」，你必須持守你所領受的，直到神成就祂所說的。因爲神曾說，若有任何人宣告說：「我從神那裡領受了祂的話語！」但他所宣告的卻沒有成就，這人必定是一個假先知（參申18：18-22；耶28：9；結12：24-25），眞先知是一位從神領受

左側邊註：

1. 神準備要完成祂的計劃的時候，祂便會向人説話。

2. 神是創始成終的神

屬靈領袖應當謹愼

了話語的人；並且他所宣講的，必定成就。因為神是不失信、言出必行的神。

➤ **重溫今天的功課。禱告求神幫你找出一兩句祂期望你明白、學習、或付諸實踐的課文內容或經文，並回答以下問題：**

在今天研讀的課文中，哪些字句或經文對你最有意義？

_____

_____

將這些字句或經文改寫為你回應神的祈禱。

_____

_____

神期望你做甚麼來回應今天所學習的？

_____

_____

溫習要背誦的聖經金句，預備好在本週的小組聚會中向另一位組員背誦。

本課撮要

- 我們若有柔和的心和敏銳的屬靈觸覺，只要神稍稍提示，我們便會立時作出回應。
- 先禱告，然後留意神會作甚麼。
- 思想你的禱告和隨後發生之事的關連。問一些較深入的問題。留心聆聽。
- 神準備要完成祂的計劃的時候，祂便會向人說話。
- 神是創始成終的神。

單元五

神向人說話（上）

在阿爾伯特太子城（Prince Albert）設立教會

　　當我接受加拿大薩斯克其萬省薩斯克頓市信心浸信會的聘請，前往負起牧養工作的時候，參加教會聚會的人數只剩下十人左右，並且，他們剛剛舉行過一次會議，考慮是否要解散這教會。在這樣的一間教會，神可以作甚麼呢？我們決定在神面前安靜等候，並且留意神自己的作為；那年是1970年。

　　一個寒冷的禮拜六早上，當我返抵教會不久，有五位弟兄駕車從阿爾伯特太子城來到，希望與我們共進午餐。阿爾伯特太子城在薩斯克頓市以北九十英哩，約有三萬人口。這五位弟兄聽聞我到了薩斯克頓，他們便開始禱告，並且深信神會帶領我成為他們的牧者。因此，他們來到薩斯克頓，要與我分享「從神而來的話語」。

　　這幾位弟兄並不知道在差不多二十年前，當我還是一個少年人的時候，我曾對神許下諾言，說：「若祢呼召我為祢工作，只要在我駕車能到的範圍內，有人想開始查經聚會或設立教會，我都會去協助他們。」因此，當這幾位弟兄邀請我前往相助時，我就不能拒絕他們了。

　　信心浸信會從未做過支持一間福音堂的工作，我也從未牧養過一間要負責供應福音堂的教會。所以，我們不能憑著自己的經驗來推動差傳的工作，只能完全仰賴神自己的引導。我們深信，神已在阿爾伯特太子城的居民心中動了善工，使他們內心渴慕追求神自己。既然神帶領他們與我們有了接觸，我們就領悟到那是神的指示，我們應該去阿爾伯特太子城事奉祂。

　　神開始透露祂對阿爾伯特太子城的更大計劃。神發展這個教會，他們便有一位牧者來牧養教會，又得到一些產業和一座建築物。於是，這間教會開始增長，並且在洛夫、史密頓等五個地區開設了教會。他們也在阿爾伯特太子城開始了一項向印第安人宣教的工作，另外在三處印第安人聚居地和其他周圍的社區中開始建立教會，並且聚集了薩斯克其萬省北部各印第安人部族的酋長、領袖和民眾，有每年舉行一次的議事大會。神所作的，實在遠遠超乎我們所想所求的。（弗3：20-21）

本週背誦金句　　*出於神的，必聽神的話；你們不聽，因為你們不是出於神。*
　　　　　　　　　　——約翰福音8：47

第1天 ｜ 神用各種不同方式向人說話

當神對一個基督徒說話時，這個基督徒若懵然不知，他的信仰生活肯定出了根本的問題。

當神對你說話的時候，你能夠清楚知道那是神正在跟你說話，你便掌握到明白神的心意及經歷神的實際訣竅。當神對一個基督徒說話的時候，他若懵然不知，這個基督徒的信仰生活肯定出了根本的問題。在單元五和單元六，我們會集中思想神如何藉著聖靈啓示祂自己、祂的計劃和祂的方法（法則）；我們又會藉著聖經、禱告、環境、教會，和其他信徒，來查考神向人說話的方式。

神採用各種不同的方式向我們說話

在舊約時代，神藉著各種不同方式向人說話。

「神既在古時藉眾先知多次多方的曉諭列祖」（來1：1）。在整本聖經隨處可見的一個清楚眞理，就是神時刻向祂的子民說話。在舊約時代，神向人說話是藉著：

- 天使（創16章）
- 異象（創15章）
- 夢（創28：10-19）
- 烏陵和土明（出28：30）
- 象徵式的行動（耶18：1-10）
- 微小的聲音（王上19：12）
- 神蹟及其他方式

其實，神在舊約時代如何藉著各種不同的方式向祂的子民說話，並不是最值得關注的問題；最重要的一個眞理，就是神確曾向祂的子民說話，祂的子民也知道神向他們說話，並且知道神對他們說了甚麼。

▶ 下列二項與舊約有關的眞理，哪一項至爲重要？

☐ 神如何藉著各種不同的方式向祂的子民說話。

☐ 神確曾向祂的子民說話。

在舊約時代，當神對一個人說話的時候，有兩件甚麼事是這個人知道的？

_____

四個主要的特點

最重要的一件事，就是神確曾向祂的子民說話；神如何藉著不同的方式向祂的子民說話，並不是最重要的。

神確曾對祂的子民說話這個事實，比較神如何藉著不同的方式向祂的子民說話更爲重要。神向一個人說話的時候，這個人必定知道神正在向他說話，並且知道神對他說了甚麼。在舊約聖經裡，每一次神對人說話的時候，必定包含四個主要的特點。出埃及記第3章記載神從荊棘裡火焰中向摩西顯現，就是一個很好的例子。

個人獨特的經歷

1. 神向一個人說話的時候，對這個人來說，這往往是他個人獨特的經歷。

神從荊棘裡火焰中向人顯現、對人說話這個經歷，是摩西獨有的經歷。在摩西以前，從未曾有人經歷過神藉這種方式向人說話。因此，摩西不能說：「我的列祖亞伯拉罕、以撒、雅各，都經歷過神從荊棘火焰中向他們說話，如今我也有這同樣的經歷。」神對我們每一個人說話的經歷必定是獨特的，因爲神希望我們親身經歷

祂的實在、親耳聽見祂的聲音。神希望我們仰賴信靠祂，不是藉著運用某些方法和技巧，而是透過祂和我們之間相愛的關係。假如摩西生活在我們這個講求方法和技巧的時代，也許他會躍躍欲試，想寫一本書，名爲「我在荊棘火焰中的經歷」；而所有看過這本書的人，便會想盡辦法，要得著摩西那種荊棘火焰中與神相遇的經歷。我們必須清楚明白，重點並不在於神如何向祂的子民說話，重點乃在於神確曾對祂的子民說話。今天，神仍然會向祂的子民說話。神會向人說話這個事實，始終沒有改變過。

➡️ **在舊約時代，神向人個別說話的，第一個特點是甚麼？**

　　1. ＿＿＿＿＿＿＿＿＿＿＿＿＿＿＿＿＿＿＿＿＿＿＿＿＿＿＿＿

非常肯定是神對他說話　　*2.　神向一個人說話的時候，這個人必能肯定是神在對他說話。*

　　因爲神以一個獨特的方式向摩西說話，所以，摩西非常肯定是神對他說話。摩西對於自己所遇見的，就是宣稱「我是自有永有的」那位神，沒有絲毫的疑惑。摩西信靠祂、順服祂、並且經歷到祂的實在。摩西是否可以運用邏輯推理、向人證明他聽見神對他說話呢？摩西並不能向人證明神曾經對他說話，他只能向人見證他曾經與神相遇。誰能使以色列民知道他們列祖的神曾向摩西說話呢？只有神能！

　　倘若有人像基甸那樣，未能肯定是神向他說話，這位滿有恩慈的神，必定樂意更清楚地啓示祂自己。基甸向神求一個證據，他又預備好祭物獻給神。這時候，「耶和華的使者伸出手內的杖，杖頭挨了肉和無酵餅，就有火從磐石中出來，燒盡了肉和無酵餅。耶和華的使者也就不見了。基甸見他是耶和華的使者，就說：『哀哉！主耶和華啊，我不好了，因爲我覿面看見耶和華的使者』」（士6：21-22）。基甸才肯定是神對他說話。

➡️ **在舊約時代，神向人個別說話的第二個特點是甚麼？**

　　2. ＿＿＿＿＿＿＿＿＿＿＿＿＿＿＿＿＿＿＿＿＿＿＿＿＿＿＿＿

清楚知道神說了甚麼　　*3.　當神向一個人說話的時候，這個人是清楚知道神說了甚麼。*

　　摩西清楚知道神要藉著他作工，他也知道神吩咐他去做甚麼事，並且摩西知道神對他寄予厚望。雖然摩西不斷向神提出異議，但無論如何，他清楚知道神對他說了甚麼。神對挪亞、亞伯拉罕、約瑟、大衛、但以理等人說話的時候，他們都和摩西一樣，清楚知道神說了甚麼。

➡️ **在舊約時代，神向人個別說話的第三個特點是甚麼？**

　　3. ＿＿＿＿＿＿＿＿＿＿＿＿＿＿＿＿＿＿＿＿＿＿＿＿＿＿＿＿

與神相遇　　*4.　神向一個人說話的時候，就是這個人與神相遇的時刻。*

　　如果摩西說：「那次看見火焰荊棘的經歷實在奇妙！我希望這個經歷會幫助我遇見神」，他會是一個多麼愚蠢的人呢！因爲火焰荊棘的經歷，本身就是與神相遇的經歷。神向你說話，將眞理向你啓示的時候，就是你與神相遇的時刻，就是你經歷神與你同在的時刻。惟有神可以使你經歷到祂的同在！

➡️ **在舊約時代，神向人個別說話的第四個特點是甚麼？**

　　4. ＿＿＿＿＿＿＿＿＿＿＿＿＿＿＿＿＿＿＿＿＿＿＿＿＿＿＿＿

利用下面的提示，寫出神向人個別說話的四大特點：

1.　獨特＿＿＿＿＿＿＿＿＿＿＿＿＿＿＿＿＿＿＿＿＿＿＿＿＿

2.　肯定＿＿＿＿＿＿＿＿＿＿＿＿＿＿＿＿＿＿＿＿＿＿＿＿＿

3.　神說甚麼＿＿＿＿＿＿＿＿＿＿＿＿＿＿＿＿＿＿＿＿＿＿＿＿＿＿

4.　相遇＿＿＿＿＿＿＿＿＿＿＿＿＿＿＿＿＿＿＿＿＿＿＿＿＿＿

核對你的答案，看看是否正確。

神向人說話、與人溝通的方式會因人而異。但是，整本舊約聖經表明神向人說話的時候，必定顯出這四個特點：

- 神以獨特的方式向他的子民說話。
- 他們知道是神對他們說話。
- 他們知道神所說的是甚麼。
- 神對他們說話的時候，就是他們與神相遇的時刻。

神藉著聖靈，透過聖經、禱告、環境、和教會向你說話的時候，你會知道是神在向你說話，並且你知道祂所說的是甚麼。神對你說話的時候，就是你與神相遇的時刻。

錯誤的方式

我曾經聽見許多人講過類似這樣的說話：「主啊，我真的很希望知道祢的旨意。如果我這樣做是符合祢的心意，求祢使我凡事順利；倘若我所做的並不合乎祢的心意，求祢攔阻我，免得我得罪祢」；或是：「主啊，我會循著這個方向走下去，若這不合乎祢的旨意，請祢阻塞前路，好讓我知道祢並不喜歡我朝這個方向走下去。」上述這種方式，是我在聖經的任何地方都沒有看見的。

你不能單靠經驗、傳統、套用某種方法或程式，作為你的指引。基督徒往往喜歡倚賴經驗、傳統和某種方法，因為這樣做比較容易掌握，又可隨心所欲，並且可以把全部責任交給神去擔負。於是倘若他們走錯方向，神就必須介入或制止。如果他們做錯了，責任就由神來承擔！

你若想要知道神的旨意和聽見祂的聲音，你必須肯付出時間和精神與祂建立一種相愛的關係。那亦是神所想要達成的。

▶ **選擇題。下列哪一項，是聖經教導我們得以知道神旨意的方式？**

☐　看看前路是暢通抑或受阻。

☐　求神攔阻如果我正走在錯誤的方向。

☐　耐性等候神，直到清楚從神得著話語。

神的話語是我們基督徒生活的指引。從聖經的記載，我們發覺神通常不會在事情的開始就把你希望知道的，全部告訴你。祂只會告訴你哪些你需要知道的事，以致你可以在生活上作出相應的調整，踏出服從神的第一步。因此，你的責任只是耐心等候神，直到祂指示你怎樣做。你若在神指示你之前，急不及待自作主張，那麼，你肯定會犯錯。

具體明確的指示

現今基督教圈子裡流行一種說法，認為神賜予一個人新生命後，不會再對這個基督徒的生活給予任何具體明確的指引；因此，基督徒應當運用神所賜的腦袋，思想計劃自己生活的方向。這種論調本身最大的問題，是假設了基督徒是一個懂得按著神的心意去思想的人；同時也沒有考慮到基督徒的舊性情，常常仍會與那屬靈的

新生命交戰（羅7章）。神的道路非同我們的道路，神的意念非同我們的意念（賽55：8）。惟有神能給予你具體明確的指示，使你常用祂的方法，去完成祂的計劃。

神吩咐挪亞建造一隻方舟，祂將造方舟的尺寸、採用何種木材和造方舟的方法，一併告訴了挪亞。神吩咐摩西建造會幕的時候，祂給了摩西許多具體細緻的指示。神在耶穌基督裡成了肉身，住在世人中間的時候，祂對門徒的指示，例如往哪裡去，去做甚麼等等，都非常具體清楚。

有人或許會問，神呼召亞伯拉罕（亞伯蘭）的時候，僅對他說：「往我所要指示你的地去」（創12：1），哪又如何？這指示一點都不清楚明確。不過，神其實已對亞伯拉罕說：「我要指示你」。在神未更清楚明確指示亞伯拉罕之前，亞伯拉罕需要以信心回應神的呼召。因此，我們可以肯定，神必定會給我們足夠明確的指引，來做祂這一刻吩咐我們做的事。當我們需要更多指引的時候，神自會按著祂的時間，賜給我們足夠的指引。後來，神豈不是告訴亞伯拉罕他將要得一個兒子，他的後裔必如天上的星地上的沙那樣多，他們也必在寄居之地被領出來，住在應許之地麼？（創15章）

神是你個人生命的神，祂希望緊密地參與你的生活，與你同行。祂會藉著聖靈，清楚指示你如何過基督徒的生活。或許你會這樣說：「我從來未曾有過這種經驗。」請你緊記：

> **你對神的認識，必須根據聖經而不是憑自己的經驗。**

➤ **下面有些提示能幫助你學習如何在一生中尋求神的指引，請在它們下面畫線。**

在處理及面對一個問題的時候，若是你沒有從神那裡得著清楚的指示，你應當安靜下來，禱告等候神。學習忍耐是一門重要的功課；相信神有祂的時間，並且祂所定的時間往往是最好的。切忌急不及待自作主張，因為神可能暫緩給你任何指引，好讓你更熱切地尋求祂的面。切勿不顧及你與神之間的關係而獨自行事。在神眼中，你和祂之間相愛的關係，比起你能夠為祂做甚麼事，更為神所關注。

➤ **上述各項提示中，有哪幾點對你會有幫助？嘗試用你自己的說話寫出來。**

_____

_____

➤ **重溫今天的功課。禱告求神幫你找出一兩句祂期望你明白、學習、或付諸實踐的課文內容或經文，並回答以下問題：**

在今天研讀的課文中，哪些字句或經文對你最有意義？

_____

_____

將這些字句或經文改寫為你回應神的祈禱。

_____

_____

神期望你做甚麼來回應今天所學習的？

_____

_____

在下面空白處，寫出本週要背誦的聖經金句。另外，請溫習前面四個單元所背誦的金句。

_____

_____

_____

本課撮要

- 當神對我說話的時候，我若懵然不知；那麼，我的信仰生活肯定出了根本的問題。
- 神常常向祂的子民說話。
- 神曾對祂的子民說話這個事實，遠較神曾如何向祂的子民說話更為重要。
- 當神對一個人說話了，這往往就是他個人獨特的經歷。
- 當神對一個人說話了，這個人必會確知是神曾對他說話。
- 當神對一個人說話了，這個人便清楚知道神所說的。
- 當神對一個人說話了，那就是這個人與神相遇的時刻。
- 如果我在某件事上未有神清楚明確的指示，我要禱告、耐心等候神，我不會妄顧自己與神之間相愛的關係自作主張。

第2天　神藉著聖靈曉諭我們

因為聖靈在我裡面作工，所以我能夠明白屬靈的真理。

神藉著祂的兒子向人說話。

希伯來書1：1-2這樣說：「神既在古時藉眾先知多次多方的曉諭列祖，就在這末世藉著祂兒子曉諭我們……」

在福音書裡面……

在福音書裡面，神藉著祂的兒子耶穌向人說話。約翰福音一開始就說：「太初有道，道與神同在，道就是神……道成了肉身，住在我們中間」（約1：1，14）神在耶穌基督裡成了肉身，成為人，住在我們中間。

耶穌的門徒曾否講過這樣愚拙的說話：「主耶穌啊，我們可以認識祢，真是好極了；不過，我們還是希望可以認識父神」？腓力曾經說過：「求主將父顯給我們看，我們就知足了」（約14：8）。耶穌回答腓力說：「腓力，我與你們同在這樣長久，你還不認識我麼？人看見了我，就是看見了父；你怎麼說：『將父顯給我們看』呢？我在父裡面，父在我裡面，你不信麼？我對你們所說的話，不是憑著自己說的，乃是住在我裡面的父作祂自己的事」（約14：9-10）。耶穌說話，是父神藉著祂說話；耶穌行神蹟，是父神藉著祂作工。正如摩西在燒著的荊棘叢中與神面對面相遇，耶穌的門徒因著與祂之間的親密關係也與神面對面相遇。門徒與耶穌相遇，聽見祂向他們說話，就是與父神相遇，聽見父神向他們說話。

➡ 概要説明耶穌在世生活的時候，父神如何曉諭耶穌的門徒。

_____

_____

根據福音書的記載，神在耶穌基督裡面，藉著耶穌曉諭門徒。門徒聽見耶穌向他們說話，就是聽見父神向他們說話。當耶穌向他們說話，那就是他們的一次與神相遇了。

從使徒時代直到如今……

神藉著聖靈向人說話。

從使徒時代直到如今，許多基督徒錯誤地認為神不再親自對祂的子民說話，他們不知道基督徒與聖靈相交就是與神相交。在使徒行傳中，神清清楚楚向祂的子民說話；在現今這個世代，神仍然向我們說話。從使徒時代直到如今，神藉著聖靈向祂的子民說話。

一個人信耶穌的時候，聖靈就開始住在他的生命中。「豈不知你們是神的殿，神的靈住在你們裡頭麼？」（林前3：16）。「豈不知你們的身子就是聖靈的殿麼？這聖靈是從神而來，住在你們裡頭的……」（林前6：19）。因為聖靈常住在信徒的內心，祂就可以隨時清清楚楚對你說話。

溫習「神向人說話」的幾個重點。

現在，讓我們先溫習一下我們學過的八個重點：
- 在舊約時代，神曾用各種不同的方式向人說話。
- 在福音書裡，神藉著祂的兒子向人說話。
- 從使徒時代直到如今，神是藉著聖靈向人說話。
- 神藉著聖靈，透過聖經、禱告、環境、和教會，向我們啓示祂自己、祂的計劃、和祂的法則或方法。
- 認出神的聲音，是由於與神有一份親密相愛的關係。
- 當神在祂心中對你的生命有了一個計劃的時候，祂便對你說話。
- 神對你說話的時候，正是祂期望你對祂作出回應的重要時刻。
- 神在甚麼時候對你說話是神自己作決定。

➡ 回答下列問題：

1. 在舊約時代，神如何向人說話？

_____

2. 在福音書裡，神如何向人說話？

_____

3. 從使徒時代直到如今，神如何向人說話？

_____

4. 你是怎樣認出神的聲音的？

_____

5. 你如何知道何時才是神所定的時間？

_____

根據上面列出的八個重點，核對你自己的答案。

現在讓我們把前面幾個單元內所學過的幾個重點串連起來：
- 由於罪入了世界，所以「沒有義人，連一個也沒有。沒有明白的；沒有尋求神

的；都是偏離正路，一同變爲無用。沒有行善的，連一個也沒有」（羅3：11-12）。

- 聖靈又稱爲「眞理的靈」（約14：17；15：26；16：13）。
- 惟獨神可以將屬靈的眞理啓示人：「神爲愛他的人所預備的，是眼睛未曾看見，耳朵未曾聽見，人心也未曾想到的。只有神藉著聖靈向我們顯明了，因爲聖靈參透萬事，就是神深奧的事也參透了。除了在人裡頭的靈，誰知道人的事？像這樣，除了神的靈，也沒有人知道神的事。我們所領受的，並不是世上的靈，乃是從神來的靈，叫我們能知道神開恩賜給我們的事」（林前2：9-12）。
- 耶穌說，聖靈「要將一切的事指教你們，並且要叫你們想起我對你們所說的一切話」（約14：26）。
- 聖靈要爲耶穌基督作見證（約15：26）。
- 「祂要引導你們明白一切的眞理；因爲祂不是憑自己說的，乃是把祂所聽見的都說出來，並要把將來的事告訴你們。祂要榮耀我，因爲祂要將受於我的告訴你們」（約16：13-14）。

與神相遇

與聖靈相遇就是與神相遇。

舊約時代，當神向**摩西以及其他人**說話的時候，那些都是與神相遇的事件；**門徒**與耶穌相遇，就是與神相遇。同樣，今天**你**與聖靈相遇，就是與神相遇。

如今，神已經賜下聖靈，祂就是引導你進入一切的眞理，並且將一切的事指教你的那一位。你能夠明白屬靈的眞理，是因爲聖靈正在你的生命中作工。除非神的靈教導你，否則，你斷不會明白神的話語。你閱讀神話語的時候，聖經作者（神自

你永不能發現眞理。眞理是由神啓示出來的。

己）會教導你。因此，你憑著自己永遠不能**發現**眞理，眞理是由神**啓示出來**的。聖靈將眞理向你啓示的時候，祂不是引導你與神相遇，而是你的一次**與神相遇**！

➡ 從開始參與這個課程直到如今，神有沒有對你說話？

有☐　　沒有☐

請重溫單元一至單元四每課結束時你回答的三個問題：

- 讀一遍神使你留意到的字句或經文
- 再次向神獻上每一課結束前的回應禱告
- 重溫神在每一課結束時期望你作出的回應

簡要總結一下從你參與這課程直到如今神對你講過的說話。（把你的注意力集中在一般主題或方向而不是細節問題上）

_____

_____

_____

_____

你對於神要你留意的字句或經文有沒有作出回應？

_____

_____

你覺得目前在屬靈的事情上你最大的挑戰是甚麼？

_____

_____

嘗試背出經歷神的七項實況中的首四項（提示：作工、關係、邀請、說話）。翻至封底內頁，看看答案是否正確。你也可以向另外一位基督徒背出這四點，請他替你查核答案是否正確。

立刻作出回應

當神對摩西說話以後，摩西下一步會怎樣做是非常關鍵性的；耶穌對門徒說話以後，門徒如何回應耶穌是非常重要的；當神的靈藉著他的話語對你說話以後，你如何回應神同樣是非常要緊的。我們往往在神的靈對我們說話以後，開始與神討價還價，摩西就是這樣，他花了許多時間與神討論（出3：11-4：13）。結果，摩西一生的事奉受到限制，他只能藉著他的哥哥亞倫向神的子民傳達神的說話（出4：14-16）。

現在，我要向你發出一個挑戰：請你重溫一下，你覺得神是否經常對你說話。如果你聽到神對你說話，卻不作出回應，終有一天，你會完全聽不到他的聲音。不服從能導致「聽不到耶和華話語」，正如先知所說的（摩8：11-12）。

撒母耳長大了，耶和華與他同在，使他所說的話，一句都不落空（撒上3：19）。你要做到像撒母耳。你要調整自己的生命，使神對你所說的每一句話都不落空。這樣，神便能在你生命中，和藉著你的生命，成就他對你所說的每一句話。

在路加福音8：5-15，耶穌講了一個撒種的比喻。落在好土裡的種子，就是人聽了道，持守著，並且結出果實來。耶穌講完這個比喻後，說：「所以你們應當小心怎樣聽，因為凡有的，還要加給他，凡沒有的，連他自以為有的，也要奪去」（路8：18）。倘若你聽見神的說話，卻不在生命中應用，結出果實來，那麼，連你自己以為有的東西，也會被奪去。因此，要小心聆聽神對你所說的每一句話。現在請你就立定心志，就是當神的靈對你說話的時候，你就照著他所吩咐的去做。

➤ **重溫今天的功課。禱告求神幫你找出一兩句他期望你明白、學習、或付諸實踐的課文內容或經文，並回答以下問題：**
在今天研讀的課文中，哪些字句或經文對你最有意義？

_____

_____

將這些字句或經文改寫為你回應神的祈禱。

_____

_____

神期望你做甚麼來回應今天所學習的？

_____

_____

撒母耳長大了，耶和華與他同在，使他所說的話一句都不落空。

—— 撒母耳記上3:19

本課撮要

● 與聖靈相遇就是與神相遇。
● 我明白屬靈的眞理，因爲聖靈在我的生命中作工。
● 當我閱讀神話語的時候，聖經的作者（神自己）與我同在指教我。
● 我絕不能憑自己去發現眞理；眞理乃是由神啓示出來的。

第3天┃神向人啟示

神啓示的目的，是爲了將人帶進一種與祂相愛的關係中。

神常會對祂的子民說話。當神說話的時候，祂要向人啓示甚麼呢？透過全本聖經，我們發現神對人說話的時候，祂要向人啓示祂自己、祂的計劃和祂行事的方法。神向人發出啓示的目的，是爲了將人帶進一種與祂相愛的關係中。

神向人啟示祂自己

神藉著聖靈向你說話的時候，祂常常會向你啓示祂自己。祂會向你啓示祂的名字、祂的品格和祂的本性。

➡ 閱讀下列幾段經文，然後寫出神向人啓示了甚麼？

> 亞伯蘭年九十九歲的時候，耶和華向他顯現，對他説：「我是全能的神。你當在我面前作完全人。」（創17：1）

_____

> 耶和華對摩西説：「你曉諭以色列全會眾説：你們要聖潔，因爲我耶和華你們的神是聖潔的。」（利19：1-2）

_____

> 因我耶和華是不改變的，所以你們雅各之子沒有滅亡。萬軍之耶和華説：「從你們列祖的日子以來，你們常常偏離我的典章而不遵守。現在你們要轉向我，我就轉向你們。」（瑪3：6-7）

_____

> 我是從天上降下來生命的糧，人若吃這糧，就必永遠活著。（約6：51）

_____

神以祂的名字向亞伯蘭啓示祂自己 —— 全能的神。神向摩西啓示了祂聖潔的本性。神藉著先知瑪拉基向以色列民說話，向他們啓示祂是不改變的神，是樂於饒恕人的神。耶穌向人啓示祂自己 —— 生命之糧和永生的源頭。

當神想要一個人來參與祂的工作，祂就說話。神向人啓示祂自己，目的在於幫

神向我啓示祂自己，來增強我對祂的信心。

助人以信心回應祂。一個人若相信神確實是正在將自己啓示出來的那一位神，相信神能作祂宣稱自己能作的事；那麼，這個人對於神的指示就會作出更佳的回應。

➤ **用一兩分鐘時間，默想神爲甚麼向上述幾段經文中的人物啓示祂自己。當你認爲自己有答案了，然後才繼續讀下去。**

- 九十九歲的亞伯蘭需要知道神是大能的神（祂是全能的，祂能夠做成任何事），以致他可以相信神在他年紀老邁的時候，仍能賜他一個兒子。
- 藉著摩西，神宣稱祂是聖潔的神，祂的子民需要相信祂是聖潔的，以致他們亦願意過分別爲聖的生活。
- 神藉著瑪拉基啓示祂樂於饒恕人的本性，以致以色列民可以相信他們若轉向神，神就轉向他們。
- 耶穌向人啓示祂是永生的源頭，以致聽見祂說話的猶太人可以相信祂，並接受永生。

➤ **神爲甚麼要啓示祂自己（祂的名字、祂的本性和品格）？**

_____

神向人啓示祂自己，是爲了增強人對祂的信心，導致人願意有所行動。你需要專心聆聽神向你啓示一切有關祂自己，這會在你面臨信仰危機的時候成爲你的重要關鍵。

- 你要**相信**神就是宣告自己是說怎樣就怎樣的那一位。
- 你要**相信**神能做到祂宣告自己會做的一切。
- 你要在這種信心的情況中**調整**自己的思想。
- 你要信靠神會顯明祂自己是正如祂所說的那樣，然後你便要**服從**祂。
- 當你**服從**神，神便能藉著你作成祂的工，並且顯明祂就是祂自己宣稱的那一位。
- 這樣，你便能從經歷中**認識**神。
- 你會**知道**神就是那位說自己是怎樣就是怎樣的神。

舉例來說。亞伯蘭在甚麼時候知道神是大能的神呢？在神向他宣告祂是全能的神的那一刻，亞伯蘭在頭腦上便知道神是全能的；但是，直到神在亞伯蘭的生命中，作了一件惟獨神方能做出來的事情時，亞伯蘭才藉著經歷，認識神是全能的神。當神賜給亞伯拉罕（一百歲）和撒拉（九十歲）一個兒子的時候，他們便知道神是全能的。

➤ **神藉著聖靈説話的時候，祂向人啓示甚麼？**

神藉著聖靈說話，向人啓示 _____、祂的計劃和祂的法則。

神向人啟示祂的計劃

神向我啓示祂的計劃，以致我能與祂同工。

神向你啓示祂的計劃，以致你可以知道祂要作何事，如果你願意與神同工，你便需要知道神正準備做甚麼。你自己計劃爲神做甚麼並不重要，神計劃在你身處的環境中要做甚麼才重要。當神對你說話的時候，祂心中必定已有一個計劃。

挪亞

當神到了挪亞那裡的時候，祂並沒有問挪亞：「挪亞，你想要爲我作甚麼？」神去到挪亞那裡只是向他啓示將要做甚麼。知道神準備做甚麼是非常重要的——神正預備毀滅世界！如果挪亞計劃爲神做許多事，又有何用呢！神期望藉著挪亞完成

祂的計劃 —— 保存一些人和牲畜飛禽，當洪水以後在地上再繁殖。

亞伯蘭

同樣，神去到亞伯蘭那裡，又對他說話，因為神心中有一個計劃。神正準備為祂自己建立一個民族，祂要藉著亞伯蘭完成祂的計劃。

當神準備毀滅所多瑪和蛾摩拉的時候，祂並沒有問亞伯拉罕有何計劃。對亞伯拉罕來說，知道神預備做甚麼才是最要緊。

主耶和華若不將奧祕指示祂的僕人眾先知，就一無所行。

—— 阿摩司書3：7

在整本聖經中處處看見這樣的結果，不論士師們、大衛、眾先知、門徒和保羅，都有這樣的經歷：神預備做一件事之時，祂會主動臨近祂的僕人（摩3：7），將自己的心意和計劃向他們說出，以致祂能讓他們有分，又藉著他們完成祂的計劃。

可惜，我們卻常常自作主張，自己籌算去為神做甚麼。我們都傾向於首先根據自己的選擇來訂定許多長期計劃。其實，神在我們現有處境中所定出的計劃，以及祂想要如何藉著我們去完成那計劃才是最重要的。看一看詩篇中詩人論到我們的計劃和籌算怎樣說：

> 耶和華使列國的籌算歸於無有，
> 使眾民的思念無有功效。
> 耶和華的籌算永遠立定，
> 祂心中的思念萬代常存。
>
> —— 詩篇33:10-11

人心多有計謀；惟有耶和華的籌算，才能立定。

—— 箴言19:21

▶ **請讀箴言19：21（見左欄）和詩篇33：10-11，神為何要向人啟示祂的計劃？**

_____

根據詩篇33：10-11，回答下列問題：

1. 神如何處理列國的計謀籌算？

_____

2. 神如何處理世上眾民的計劃？

_____

3. 神自己的計劃會有何結局？

_____

你是否明白，為何你需要知道神的計劃呢？你個人的計劃和目的必須是神自己的計劃和目的；否則，你便不能經歷神藉著你作工。神向你啟示祂的計劃，於是你知道祂計劃做甚麼，然後你就能與祂同工。神的籌算永遠立定，祂的計劃終必成就，但祂能使列國的籌算歸於無有，使眾民的思念無有功效。

神的計劃與人的籌算

許多時候，計劃可能是神讓你使用的一種工具，但它絕不能替代神。你與神的關係，比較你為神訂定任何計劃更重要。我們最大的難題是我們常常用自己的聰明來定下計劃，又去做許多事情，其實那些是神才有權作決定的。我們根本不能知道神計劃在何時、何處和採用何種方法成就祂自己的旨意，除非祂告訴我們。

溫習單元二第2天

神期望我們每天一步步跟從祂，而不是單單依循一套計劃。假若我們在知道神的心意後，自己去訂出一套詳盡的計劃，漸漸我們會自以為可以靠自己去完成神的心意，而忘記了我們需要每一天與神有緊密的關係。我們會只顧完成計劃，而忘記

了與神的關係。神創造我們，是為了與我們建立永恆的、相愛的關係；祂賜予我們生命，為了讓我們可以經歷祂的作為。

訂定計劃並非完全錯誤。我們只當小心謹慎，不要訂下一些神沒有要求我們去訂的計劃。你應當讓神有絕對的主權，可以隨時隨意修訂你的計劃，你要保持與神有親密的關係，以致神要對你說話的時候，你聽得見祂的聲音。

➡ **神藉著聖靈說話的時候，祂會向人啟示兩樣甚麼？**

神藉著聖靈說話的時候，祂會向人啟示 ＿＿＿＿＿＿＿，祂的 ＿＿＿＿＿＿＿和祂行事的方法。

神向人啟示祂行事的方法

神向我啟示祂行事的方法，以致我能完成祂的計劃。

一位粗心大意的讀者在閱讀聖經的時候，也會看得出神的計劃和完成計劃的方法，與人的計劃和完成計劃的方法是何等的不同。神是用天國的原則去完成天國的計劃。神向我們啟示祂行事的方法，因為這是成就祂的計劃的惟一途徑。

神向人啟示祂自己和祂憐憫人的心腸，目的是吸引人甘心樂意與祂建立相愛的關係，神並非一位在我們身旁候命，幫助我們去完成我們為祂訂出的計劃的神。祂期望藉著我們成就祂自己的計劃，並且是採用祂的方法來完成，神的方法，往往含有救贖的意義。

耶和華說：「我的意念非同你們的意念；我的道路非同你們的道路。」

—— 以賽亞書55:8

神說：「我的意念，非同你們的意念；我的道路，非同你們的道路」（賽55：8）。神作工的方法，與人作工的方法並不相同，我們若用自己的方法，必不能完成神的工作。先知以賽亞曾經這樣描述人的基本罪性，他說：「我們都如羊走迷，各人偏行己路。」（賽53：6）

➡ **神為甚麼要向人啟示祂行事的方法？** ＿＿＿＿＿＿＿＿＿＿＿＿＿＿＿

＿＿＿＿＿＿＿＿＿＿＿＿＿＿＿＿＿＿＿＿＿＿＿＿＿＿＿＿＿＿＿＿＿＿＿

我們也許以為自己想出來的方法相當不錯。有時候，我們採用自己想出來的方法辦事，也會獲得一些成果。但是，我們若用自己的方法去做神的工作，我們必定不能親睹神大能的作為。神向我們啟示祂行事的方法，因為這是成就祂的計劃的惟一途徑。當神用祂的方法，藉著我們成就祂的計劃的時候，其他人也會同意，事情得以成就完全是神自己的作為。這樣，神就會得著一切的榮耀！

運用屬天的方法，耶穌餵飽了五千人。

—— 馬太福音14：13-21

門徒曾多次看見耶穌運用屬天的方法。有一次，耶穌叫門徒餵飽一群飢餓的民眾，門徒回答耶穌說：「不如打發他們回家去吧！」耶穌卻採用天國的原則。祂吩咐群眾坐下，餵飽了他們，還剩下了多籃的零碎，門徒便看見父神行了一個神蹟。他們只知道把飢餓的民眾打發回家，神卻向一群民眾顯明祂的慈愛、祂的本性和祂的大能。神藉著祂的愛子耶穌施行這個神蹟，吸引人去親近祂。門徒曾多次親睹神大能的彰顯，他們需要學習如何運用屬天的原則，去作屬天的工作。

神得榮耀

運用神的方法來成就神的計劃，會讓神得著榮耀。你必須學習用屬天的方法去做天國的工作，「來吧，我們登耶和華的山……主必將祂的道教訓我們，我們也要行祂的路。」（彌4：2）

➡ **神藉著聖靈說話的時候，祂會向人啟示三樣甚麼？**

神藉著聖靈說話的時候，祂會向人啟示 ＿＿＿＿＿＿＿，祂的 ＿＿＿＿＿＿＿和祂的

＿＿＿＿＿＿＿。

配對題（把正確的字母寫在橫線上）。

神向人啟示		因為
___ 1. 祂自己	A.	神期望我懂得如何完成那些惟獨祂方能作成的事情。
___ 2. 祂的計劃	B.	神期望我知道祂正準備作何事，以致我能與祂同工。
___ 3. 祂的方法	C.	祂期望我有信心，深信祂能做到祂所說的。

答案：1-C；2-B；3-A

當我剛剛開始學習與神同行的時候，我太倚賴別人的幫助。我會常常去徵詢別人的意見說：「你認為這真是神的旨意嗎？這是我的想法。你認為如何？」我會有意或無意地靠賴別人，多過倚靠我與神的關係。後來，我決定自己在神面前尋求清楚知道神對我講的說話是否屬實，然後按神的指示去做，留心察看神如何親自印證祂自己所說的。

我開始在生活各方面全然倚靠神之後，我與神之間相愛的關係變得更加重要。我開始領悟到神常常藉著祂的話語，向我啟示祂行事的方法。明天我們會思想神如何藉著祂的話語向人說話。以後，我們還會思想神如何藉著禱告、環境和教會，把祂的旨意顯明給我們知道。

➡ **重溫今天的功課。**禱告求神幫你找出一兩句祂期望你明白、學習、或付諸實踐的課文內容或經文，並回答以下問題：

在今天研讀的課文中，哪些字句或經文對你最有意義？

_____

_____

將這些字句或經文改寫為你回應神的祈禱。

_____

_____

神期望你做甚麼來回應今天所學習的？

_____

_____

嘗試高聲背誦本週金句。

本課撮要

- 神啟示的目的，是為了與我建立相愛的關係。
- 神向我啟示祂自己，目的在於增強我對祂的信心。
- 神向我啟示祂的計劃，以致我能與祂同工。
- 神向我啟示祂行事的方法，以致我能完成祂的計劃。

第4天

神藉著聖經說話

當聖靈引導我留意聖經中的一項真理時，我會把它記下來，細細默想，然後調整自己，配合這項真理，我會留意察看神會如何幫助我，使我可以在日常生活中活出真理。

祂的羊認得祂的聲音

神藉著聖靈向我說話，向我啓示祂自己、祂的計劃和祂行事的方法。下面幾個問題，是最常見的問題：

- 神以甚麼方式向我說話？
- 我怎樣知道神正在對我說話？
- 我怎樣會更經歷到神的真實，經歷到祂是我個人的神？

神可以隨意選擇用何種途徑，以獨特的方式向人說話。你若與神同行，與祂有一個親密相愛的關係，你必然可以認出祂的聲音，你也會知道神是否正在對你說話。

耶穌將祂和門徒的關係，與牧人和羊群的關係來相比，祂說：「從門進去的，才是羊的牧人……羊也聽祂的聲音……羊也跟著祂，因為認得祂的聲音」（約10：2-4）。因此，當神對你說話的時候，你也會認出祂的聲音，並且會跟從祂。

神會透過各種途徑對人說話。如今，神主要藉著聖靈，透過聖經、禱告、處境和教會表明祂的心意。但是，這四種方式（聖經、禱告、處境和教會）彼此之間並非毫無關連。神常常同時藉著聖經和禱告向人說話。實際的處境、教會或其他信徒也會幫助你，使你肯定神對你所說的。神也會藉著教會和你所處的景況，幫助你明白祂的時間表，在單元六我們會較詳細討論這個問題。今天，我們會思想神如何透過聖經對人說話。明天，我們會思想有關禱告的問題。

➧ 是非題：

- ____　1.　神可以隨意選擇用何種途徑，以獨特的方式向每一個人說話。
- ____　2.　如今，神主要藉著夢和異象對人說話。
- ____　3.　只要與神有正確的關係，神的子民可以聽見祂的聲音，並且認出祂的聲音。
- ____　4.　神常常藉著聖靈，透過聖經及禱告向人說話。

神有絕對的主權。祂可以完全隨己意行事，祂可以以獨特的方式向每一個人說話，神的子民可以聽見祂的聲音，也可以認出祂的聲音。如今，神主要藉著聖靈，透過聖經、禱告、處境和教會對人說話。上述四項是非題中除了第2項，其他全都是對的。

真理的靈

聖經是神自己的話語，它記述了神對人完整的、關乎祂自己的啓示，神也透過聖經對你說話。但是，正如我們曾經提過的，除非神的靈啓示人，否則，人是不可能明白屬靈的事的。聖靈就是「真理的靈」（約14：17）。下面的一幅圖畫，會幫助你更容易理解聖靈如何透過神的話語對你說話。

聖 經

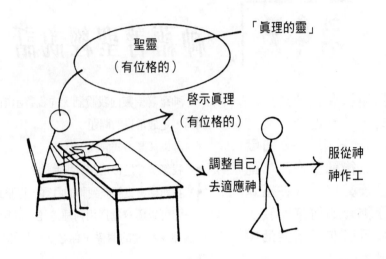

上面這幅圖畫，描繪出人與神相遇的一個過程。在你研讀神話語的時候，聖靈會向你啟示聖經中的屬靈真理，是與你個人的生命悠關。那就是一次與神的相遇。這過程包括下列幾點：

1. 你研讀神的話語 —— 聖經。
2. 真理的靈（聖靈）透過你所讀的經文，向你啟示真理。
3. 你調整自己的生命，去與神的真理配合。
4. 你服從神。
5. 神在你的生命中作工，又藉著你去完成祂的計劃。

➡ 簡單寫出神如何透過聖經向你說話。

_____

_____

請在下面的橫線上，填上正確的字句：

調整 啟示 服從 研讀

1. 我 _____ 神的話語 —— 聖經。
2. 真理的靈（聖靈）透過我所讀的經文，向我 _____ 真理。
3. 我 _____ 自己生命的方向，活在神的真理中。
4. 我 _____ 神。
5. 神在我的生命中作工，又藉著我去完成祂的計劃。

核對你的答案。

聖靈藉著神的話語（聖靈的寶劍 —— 弗6：17），向人啟示神自己、神的計劃，和神行事的方法。我們靠自己是不能明白神的真理，沒有聖靈的幫助，我們會以神為愚拙的（林前2：14）；有了聖靈的幫助，我們便能看透萬事（林前2：15）。

➡ 從參與這個課程開始直到如今，神也許藉著某一節經文對你說話。現在請重溫單元一至五，在下面的橫線上寫下神要你留意的那經文。（只需把經節記下）

1. 這節經文對你啟示了甚麼有關神自己、祂的計劃和祂行事方法的真理？

_____

_____

屬血氣的人不領會神聖靈的事，反倒以為愚拙，並且不能知道，因為這些事惟有屬靈的人才能看透。屬靈的人能看透萬事，卻沒有一人能看透了他。

—— 哥林多前書2：14-15

2. 默想這節經文，禱告祈求神繼續啟示你與這節經文有關的眞理。請你緊記：神關心你會成爲一個怎樣的人，多過關心你會爲神做甚麼。

_____

_____

_____

3. 神期望你有一個怎樣的生命？祂希望透過你作成甚麼？

_____

_____

_____

4. 你會在個人生活 _____

家庭生活 _____

教會生活 _____

工作崗位 _____

各方面作出甚麼調整，使你的生命能與神啟示你的眞理並行不悖？

5. 寫下你的禱告，祈求神使你能應用這眞理在你的生命中。

_____

_____

6. 你領悟這個眞理以後，神是否要求你在生活上應用出來？祂有否期望你與人分享你所領受的眞理？

是□　　否□

如果是是，請加以說明：

_____

_____

領悟屬靈的眞理本身就是一次與神相遇的經歷。

　　領悟屬靈的眞理本身就是一次與神相遇的經歷。除非神的靈教導你，否則，你不能明白神的計劃和神行事的法則或方法，倘若神藉著一節經文向你啟示了屬靈的眞理，你已經經歷了神自己在你內心的工作！

回應眞理

　　對我來說，閱讀聖經是充滿期待和興奮的一件事。神的靈知道神的心意，也知道神在我身上的計劃。因此，神的靈會開啟我的心竅，使我能領悟神的計劃和祂行事的方法。所以，我會以非常認眞的態度來研讀神的話語。

　　神藉著聖經將眞理啟示給我的時候，我會把該段經文抄下來，然後沈緬於默想其中的意思，直至我完全了解經文的含義爲止。之後，我會調整自己生命的方向，與神和神所啟示的眞理配合。我也會採取必須的行動，好讓神能按祂所期盼的方式作工。然後，我留心察看神會使用甚麼方式，使我可以在日常生活中活出眞理，你也可以採用我在下面列出的幾個步驟。

　　神藉著聖經，使你對祂和祂行事的方式有嶄新領悟的時候：

- 在一本靈修日記簿內抄下那些經文。
- 細細默想經文。
- 全人投入於查考研讀這些經文，直到完全了解經文的含義。然後問自己，神啟

示了甚麼與祂自己、祂的計劃和祂行事的方式有關的真理？

- 列出你在個人生活、家庭生活、教會生活和工作崗位上需要作出的調整，以致神能與你同工。
- 向神禱告，把禱告內容寫下來。
- 作出一切必須的調整，去適應神。
- 留心察看神會怎樣在你每天的生活中，使你活出真理。

現在我舉一個例子，說明神怎樣藉著聖經對你說話。假若你今天要讀的經文是詩篇37篇，這篇詩篇你曾經讀過許多遍，但是今天當你讀到第21節「惡人借貸而不償還」的時候，你被這句說話吸引住，於是你再讀一次。這時候，你想起自己曾經借了別人一筆款項，卻未曾償還。於是你就知道這節經文是應用在你身上。

聖靈已經藉著這節經文對你說話。你已經與真理相遇。現在，你明白到那些借貸而不償還的人，在神眼中都是惡人，聖靈使你留意到這節經文可以應用在你自己身上；聖靈在你內心使你知罪，神藉著聖靈在你內心工作，透過祂自己的話語，向你說話。神期望在你和祂相愛的關係之間，毫無阻隔。

➡ **如果你正在這個處境中，你下一步會怎樣做？根據第102頁那幅圖畫的指示，聖靈使你明白了屬靈的真理後，你會怎樣做？**

_____

_____

調整　一旦神藉著聖經向你說話，你如何回應祂的啟示是非常重要的。你必須調整自己，去適應神所啟示的真理。因此，現在你要作出的調整包括：

- 你必須同意神所啟示的真理 —— 借貸而不償還的，在神眼中都是惡人。
- 你必須同意自己在這件事（借貸而不償還）上得罪了神；必須承認自己犯了罪。

當你願意改變自己的看法，同意神的觀點，承認借貸而不償還是罪的時候，你已經作出了適當的調整。然而，單單同意神的啟示並不足夠，因為只要你仍未還清**服從**　借貸，你在神的眼中仍然是一個惡人，你必須服從神，償還一切的借貸。

這樣，你就能自由地享受與神相愛的關係。

➡ **重溫今天的功課。禱告求神幫你找出一兩句祂期望你明白、學習、或付諸實踐的課文內容或經文，並回答以下問題：**

在今天研讀的課文中，哪些字句或經文對你最有意義？

_____

_____

將這些字句或經文改寫為你回應神的祈禱。

_____

_____

神期望你做甚麼來回應今天所學習的？

_____

_____

本課撮要

- 神可以隨意選擇用何種途徑，以獨特的方式向每一個人說話。
- 當神對我說話的時候，我會認出祂的聲音，並且跟從祂。
- 我無法明白屬靈的真理，除非神的靈把它啓示出來。
- 神關心我會成爲一個怎樣的人，多過關心我會爲祂做甚麼。

第5天 | 神藉著禱告向人說話

禱告是一種關係，不是一種宗教活動。

如果你還未有寫靈修日記的習慣，你必須現在就開始有這個操練。倘若那位掌管宇宙萬有的神在你安靜的時間對你說話，你必須立即把祂的說話記下來，免得你會忘記。你要把神啓示你的那節經文記下來，然後，要以禱告回應神對你所說的話，並且把你的禱告也記下來。你也應當把在生活上要作出甚麼調整（改變）記下來，提醒自己立即順服神所啓示的真理。

真理是一位有位格的神

➤ 小心閱讀下面這段文字然後完成以下的填充題：

我就是真理。
——耶穌

聖靈將真理啓示人，真理本身並不只是一些可以學習的觀念；真理是一位有位格的神。耶穌並沒有說：「我會教導你們真理」祂說：「我就是……真理」（約14：6）。神賜給你永生的時候，祂把自己也給了你（約17：3）；聖靈向你啓示真理的時候，祂並不是教導你一些觀念，而是引導你與那有位格的神建立關係。祂就是你的生命！神把永生賜給你的時候，祂就是把耶穌基督賜給你，當你成爲一個基督徒的時候，你得著的，是耶穌基督自己。

➤ 填充題：

1. 聖靈將 _____ 啓示人。
2. 真理本身並不只是一些可以學習的 _____。
3. 真理是一位 _____。
4. 聖靈引導你與那位有位格的神 _____。

我與神之間的關係

下面幾點，說明我如何在生活中表達神與我之間親密的關係：

- 神使我內心有一種渴慕，就是願意參與祂救贖這個失喪世界的計劃。
- 我繼續尋求神在我身上的旨意和計劃。
- 神將真理向我啓示的時候，我便知道祂期望我察覺到祂正在我的生命中做甚麼。

神藉著祂自己的話語，讓我知道祂正在我的生命中做甚麼。

當神藉著祂的話語，向我啓示真理的時候，那就是一個與神相遇的經歷。神將真理啓示給我知道的那一刻，我是面對面與這位活生生、有位格的神相遇。祂就是聖經的作者，神藉著祂自己的話語，讓我知道祂正在我的生命中做甚麼。

神的靈知道神的心思意念。因此，神藉著自己的話語，使我得知他的心意。領受了神所啓示的眞理後，我必須立即調整自己的生命去適應神。我調整生命並不是爲了迎合一種觀念或哲學思想，而是去適應一位有位格的神。

你曾否在閱讀一段讀過多次的經文時，猛然領悟了一些以前未曾留意到的東西？在這種情況下，神正在使你對他有進一步的認識，並且提醒你要把領悟到的屬靈眞理應用在生活中。神準備在你的生命中有所作爲的時候，他的靈會藉著聖經上的說話使你清楚知道他的心意。這樣，你就可以調整你的生命去適應他，以及他向你所啓示的他自己，他的計劃和他行事的方法。

禱告是一種關係

禱告是與神交通，這是一種雙向的關係：你對神說話，神也向你說話。禱告並不是你單方面在講說話。你個人的禱告生活可能只有你自己對神說話。其實，禱告包含有聆聽神說話的成分。事實上，在禱告的時候，神對你說了甚麼，遠較你對神說了甚麼來得重要。

禱告是神人之間的一種關係，並不單單是一種宗教活動。

禱告並不是一種宗教活動，禱告是神人之間的一種關係。在禱告當中，你學會調整自己去適應神，而不是神調整他自己來迎合你。神並不需要你的禱告，但他期望你肯禱告。你需要禱告，因爲神很想在你禱告的時候，他在你生命中或藉著你的生命，做一些他想要做的。當神子民禱告的時候，他便藉著聖靈向他們說話。下面這幅圖畫，說明神如何在人禱告的時候向人說話。

禱　告

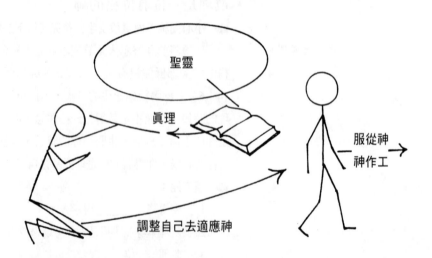

上面這幅圖畫，是闡釋人與神相遇的情況。當聖靈在你的禱告中向你啓示屬靈的眞理，這時，他便會臨在，並且在你生命中作工。眞正的禱告並非導致與神相遇，它本身就是一次與神相遇的經歷。當你禱告尋求神心意的時候，常會有甚麼事情發生？

1. 神主動地促使你願意禱告。
2. 聖靈藉著神的話語，向你啓示神的旨意。
3. 你在聖靈裡的禱告，會與神的旨意一致。
4. 你調整自己的生命，去適應眞理（就是神）。
5. 你留意從聖經、處境和教會（其他信徒）而來的印證。

6.   服從神。

7.   神在你生命中作工，並藉著你成就祂的計劃。

8.   你經歷神（真理），就正如你在禱告時，聖靈向你啓示一樣。

➤ **再讀一次上面列出的八點，把每句中的鑰字或主詞圈出來。**

你禱告的時候，我深信神的靈會運用神的話語幫助你。我發現當我爲一些事情禱告的時候，常常會有一些經節在我腦海中浮現出來，我相信神藉著聖經引導我，神的靈藉著神的話語，在我心思意念中把真理啓示給我。因此，我會立即停止禱告，打開聖經，查看神的靈引導我去思想的經文。

在聖靈裡禱告

神的靈會運用神自己的話語，在你禱告的事情上引導你。

➤ **請讀左欄的經文，然後回答下列各問題：**

1.   我們禱告的時候，爲甚麼我們需要聖靈的幫助？（第26節）

_____

2.   有些甚麼事情是聖靈做得到而我們做不到的？（第27節）

_____

3.   聖靈常常爲我們做甚麼？ _____

_____

我們既軟弱又不懂得該如何禱告，但聖靈比我們優勝的，就是祂知道神的心意。因此，當聖靈爲我們禱告的時候，祂是絕對跟神的旨意一致。然後，祂又幫助我們明白神的心意。

我最大的兒子理燦六歲的時候，我決定買一輛腳踏車給他作爲生日禮物。我買了一輛漂亮的腳踏車，然後把它藏在車房裡。隨後，我要作的事，就是說服理燦，告訴他一個六歲的男孩需要有一輛腳踏車，理燦終於決定要一輛腳踏車作爲他的生日禮物。最後，理燦得到甚麼作爲他的生日禮物呢？就是那輛藏在車房裡的腳踏車。我嘗試說服理燦要一輛腳踏車作爲生日禮物，他便要求一份這樣的生日禮物，最後他終於如願以償！

你禱告的時候，有甚麼事情發生？聖靈知道神預備要賜給你的好東西，就像那輛要送給理燦的腳踏車一樣。聖靈的工作，就是使你向神求那些神已預備要賜給你的好東西。因此，當你向神求那些東西的時候，你必然得著它們，因爲你所求的，是按著神的旨意祈求。神應允你的禱告的時候，祂便得著當得的榮耀，你的信心亦隨之而加增。

知道聖靈在甚麼時候向你說話是十分重要的。但是，你如何知道聖靈對你說了甚麼呢？對於這問題，我不能提供一條方程式說可以怎樣做，我只可以告訴你，祂對你說話的時候，你會認出祂的聲音（約10：4）。此外，你必須決定是否只願神的旨意成就，你要除去個人自私的、屬血氣的私慾；這樣，你禱告的時候，聖靈會引導你的心思意念，使你按著神的旨意祈求（腓2：13）。

當你禱告的時候，聖靈早已知道神爲你所預備的；聖靈並不是自己作主來引導你，祂只是把從父神那裡聽到的告訴你；祂引導你作出合神旨意的祈求。

當我禱告和讀神話語的時候，我常常把神對我所說的話記下來，我也把感覺到

況且我們的軟弱有聖靈幫助，我們本不曉得當怎樣禱告，只是聖靈親自用説不出來的歎息替我們禱告。鑒察人心的，曉得聖靈的意思，因爲聖靈照著神的旨意替聖徒祈求。

—— 羅馬書8：26-27

爲理燦預備的生日禮物

因爲你們立志行事，都是神在你們心裡運行，爲要成就祂的美意。

—— 腓立比書2：13

祂不是憑自己説的，乃是把祂所聽見的都説出來，並要把將來的事告訴你們。

—— 約翰福音16：13

記下神對你所說的話

神帶領我要禱告的事項記下來。我漸漸察覺到神向我說話是循著一種模式 —— 如果我留意聖靈如何帶領我禱告，我便可以清楚知道神要對我說甚麼，在這個聆聽神說話的過程中，你必須對屬靈的事專心一致。

或許你會問這個問題：我如何得知是聖靈在引導我去禱告，而不是出於我自己的私慾呢？你是否還記得穆勒這個人？在尋求神指引的時候，穆勒首先會怎樣做？

➡ **請翻到單元二第3天「喬治穆勒的信心道路」，穆勒首先會作甚麼？**

_____

否定自我

首先你要否定自我。你要誠誠實實面對自己、面對神，以致你清楚自己惟一的渴慕，就是知道神的旨意。然後，你留意聖靈是否透過其他途徑對你說話，你可以問自己下面幾個問題：

- 藉著神的話，聖靈對我說了甚麼？
- 藉著禱告，聖靈對我說了甚麼？
- 聖靈是否藉著我的處境印證祂的說話？
- 聖靈是否藉著其他信徒的意見印證祂的說話？

神對你的引導和帶領，絕不會與祂在聖經上的話語產生矛盾。因此，倘若你在禱告裡感覺到神的引導與聖經上的說話不一致，可以肯定你的感覺是錯誤的。舉例來說，神絕不會引導你犯姦淫之罪，或與人有不正常的關係，因為神不贊成這種事情；所以，你只須留意神如何用祂自己在聖經上的話語，印證你在禱告中的感動。不過，你不要跟神開玩笑。你不可從聖經中找些經文來配合自己的私慾，然後宣稱這是神的旨意。這樣做是非常危險的！千萬不要這樣做。

➡ **簡要說明神如何透過禱告向人說話（你可以翻看有關圖畫）。**

_____

_____

_____

填充題：（將下列各個鑰詞，填在合適的橫線上）

調整　印證　話語　主動　一致　服從

1. 神 _____ 地促使我有禱告的心意。
2. 聖靈藉著神的 _____，向我啟示神的旨意。
3. 我在聖靈裡的禱告，會與神的旨意 _____。
4. 我 _____ 自己的生命與真理配合。
5. 我留意從聖經、處境和教會（其他信徒）而來的 _____。
6. 我 _____ 神。
7. 神在我生命中作工，並藉著我成就祂的計劃。

從參與這個課程開始直到如今，神有沒有藉著聖靈，在你禱告的時候向你說話？　有☐　　沒有☐

倘若神曾經向你說話，請說明你感覺神對你說了甚麼？

如果你認為神並沒有向你說話，你可以求問神，請祂把祂沒有對你說話的原因啟示你。

_____

_____

神有沒有透過聖經、處境和教會（其他信徒）印證祂對你所說的話？

有☐　　沒有☐

如果有的話，你感到神對你說了甚麼？

_____

_____

➡ **重溫今天的功課。禱告求神幫你找出一兩句祂期望你明白、學習、或付諸實踐的課文內容或經文，並回答以下問題：**

在今天研讀的課文中，哪些字句或經文對你最有意義？

_____

_____

將這些字句或經文改寫為你回應神的祈禱。

_____

_____

神期望你做甚麼來回應今天所學習的？

_____

_____

溫習本週要背誦的金句，並預備在小組時間向另一位組員背誦。

本課撮要

- 當那位掌管宇宙萬有的神對我說話的時候，我必須把祂所說的記下來。
- 真理是一位有位格的（神）。
- 禱告是人與神的雙向交通（或稱溝通）。
- 禱告是一種關係，不僅是一種宗教活動。
- 我要清楚知道自己惟一的渴慕，就是知道神的旨意。

單元六

神向人說話（下）

神賜給你的，並非你所祈求的……

你曾否向神求一樣東西，神卻把另一樣東西賜給你？我曾經有過這樣的經驗。有些主內親愛的同伴這樣對我說：「神是要試一試你是否恆切禱告，你只要持之以恆，至終你會得著你所祈求的。」於是，我繼續向神求，神也繼續賜給我一些我沒有祈求的東西。

在經歷那種經驗期間，我在自己的靈修中讀到馬可福音第2章。那裡記載了一個故事，說到有四個人把一個癱子抬到耶穌面前，求耶穌醫治他的病，由於人太多，他們只好把房頂拆掉，把癱子從房頂縋下去，耶穌看見這個癱子，對他說：「小子，你的罪赦了。」（可2：5）

我繼續讀這章聖經，但是我感覺神的靈對我說：「布克比你是否看見了？」我重複再讀一次，細細默想神自己的話語。在聖靈的引導和啓迪之下，我開始領悟到一個奇妙的眞理：那四個人求耶穌醫治癱子，耶穌卻赦免了他的罪；爲甚麼？他們向耶穌求一個神蹟，耶穌卻施行了另一個神蹟；癱子和他的朋友求耶穌醫治不治之症，耶穌卻扭轉了癱子的生命，使他成爲神的兒子，以致他能承受一切的產業！

當我領悟到這個眞理之時，我在神面前痛哭，我對神說：「神啊！如果祢要賜給我的，比我自己所求的更豐盛，那麼，請祢把我的禱告一筆勾銷吧！」

本 週 背 誦 金 句

耶穌對他們說：「我實實在在的告訴你們，子憑著自己不能作甚麼，惟有看見父所作的，子才能作；父所作的事，子也照樣作。」

—— 約翰福音5：19

第1天

你禱告的時候，甚麼事正在發生？

惟有神的靈才知道神正在做甚麼或神正在我生命中進行甚麼計劃。

聖靈參透萬事，就是神深奧的事也參透了。除了在人裡頭的靈，誰知道人的事？像這樣，除了神的靈，也沒有人知道神的事。我們所領受的，並不是世上的靈，乃是從神來的靈，叫我們能知道神開恩賜給我們的事。

—— 哥林多前書2：10-12

倘若我開始為一件事向神祈求，卻有些與我所求的迥然不同的事情發生，我便會關注這看來迥然不同的事。因為我留意到神賜給我的，往往是超乎我所想所求的。保羅說：「神能照著運行在我們心中的大力，充充足足的成就一切，超過我們所求所想的。但願祂在教會中，並在基督耶穌裡，得著榮耀，直到世世代代，永永遠遠。」（弗3：20）

憑你自己，實在無法想出你在禱告中祈求的，與神要賜給你的會是多接近。只有神的靈才知道神在你生命中的計劃，和神在你身上的作為。就讓神把祂想要賜給你的一切賜給你好了。（參林前2：10-12）

➤ 如果神要賜給你的，是超乎你所求的，你會堅持只要自己所求的，抑或要神所賜的呢？

我寧願要＿＿＿＿＿＿＿＿＿＿＿＿＿＿＿＿＿＿＿＿＿＿＿＿＿＿＿＿＿＿

惟有誰能教導你知道神在你生命中的作為？

＿＿＿＿＿＿＿＿＿＿＿＿＿＿＿＿＿＿＿＿＿＿＿＿＿＿＿＿＿＿＿＿＿

假如你期望在市內某一地區開設一間福音堂。你做過調查，知道該地區的需要。你更制訂了一些長遠的計劃，你且已向神禱告祈求祂祝福和引導你的計劃了。就在這時候，神卻帶領了一群不同文化背景的人來到你的教會，他們並不是居住在你計劃要設立福音堂的地區，在這情況下，你會怎樣做？

☐ 1. 我會「繼續不斷禱告」，直到神幫助我們在計劃中的地區開設福音堂。

☐ 2. 我會沮喪和放棄。

☐ 3. 我會開始求問神，看看我們應否為這群不同文化背景的人開設一間福音堂取代我們原先計劃的那一間或作為另外加多的一間。

☐ 4. 其他＿＿＿＿＿＿＿＿＿＿＿＿＿＿＿＿＿＿＿＿＿＿＿＿＿＿

在這種情況下，我會怎樣做呢？我會立即到神面前，以求清楚知道神自己的心意。若我禱告和計劃的方向與神自己動工的方向不同，我會調整自己，去配合神的工作。在這種情況下，你就必須作決定，是繼續做你自己想要做的並求神來賜福你所做的，抑或是來參與祂正進行的工作。

你必須決定：是繼續做你自己想要做的並求神來賜福你所做的，抑或是來參與祂正進行的工作。

我們的教會開始了一項特別強調去接觸在溫哥華的大學生的福音工作。在那年秋季我們開始接觸了三十位大學生，為他們預備聚會。到了春季學期結束的時候，來參加聚會的學生人數已增至250人；其中三分之二為來自世界各地的青年人。我們原本可以這樣對他們說：「我們的聚會，並不是為國際學生而設的，所以，請你們另外尋找合適的地方去聚會，又願神繼續賜福給你？」當然，我們並沒有那樣做。我們只是調整我們的計劃，去配合神在我們周圍開始了的工作。

屬靈的專注

在信仰生活中我們的一個問題就是我們在禱告以後，便不再留意隨後發生的事

我們的問題就是我們在禱告以後，便不再留意隨後發生的事情與我們禱告所祈求的，這兩者的關係。

留意隨後會有甚麼發生

期望神回應禱告

情與我們的禱告所祈求的，這兩者的關係。在你向神禱告之後，最大的一件事你要做的，就是開始將你的屬靈注意力集中起來。當你在某一方面禱告了，就要立即留意神會如何回應你的禱告。我在聖經裡到處可以找到這樣的例子。每當神的子民禱告，祂必定會作出回應。

如果你禱告以後，卻忘了自己曾禱告祈求過甚麼；那些開始發生在你平凡的生活中的一些不尋常的事，你會視爲使你分心的事，你便嘗試把這些事置諸腦後。你竟不曉得把這些不尋常的事情與你禱告所祈求的拉上關係（或是作聯想）。

我常常會在禱告以後，便立刻開始留意隨後會有甚麼發生。我也隨時預備調整自己去配合開始在我生命中所發生的事。在我心中從沒想過，當我禱告以後，神會不回應我的祈求。因此，你若期望神會回應你的禱告，就要鍥而不舍的堅心求答案。神回應祂兒女禱告的時間往往是最適當和最好的。

▶ **回答下列各問題：**

1. 你有否爲某些事情持續禱告了很久，卻得不到你所求的，或者神對你禱告的回應，並不是你所期望的？

　　有 □　沒有 □　　簡單描述一次或多次這樣的經歷。

　　_____

　　_____

　　_____

2. 重溫過往這些禱告的經歷以後，若再遇到類似的情況，你會如何應付？

　　_____

　　_____

　　_____

3. 現在，你是否爲一些事情禱告，神卻仍未照你所求的賜給你？

　　是 □　否 □　　若是，你所求的是甚麼？

　　_____

若第3題的答案是「是」，請你現在先向神禱告，祈求神幫助你知道祂現今正在你的生命中做甚麼。然後留意隨後會有甚麼發生。你也要留意神會藉著祂的話語對你有甚麼啟示。

神默然不語

我曾經爲一件事禱告了很長一段時間，神卻一直默然不語。你可能也有過這樣的經歷。那時候，我一點都不明白發生了甚麼事。有人對我說是因爲我有罪，所以神掩面不聽我的禱告。他們把一張列出許多項「對罪作自我省察」的單子交給我，我便按著上面列出的事項禱告，看看自己是否觸犯了任何一條。當我逐一禱告以後，覺得自己並沒有甚麼不妥。但我仍然不明白神爲何靜默不言。

約伯

你是否記得有一位聖經人物也有過類似的經歷？這人就是約伯。他的朋友認爲他一切問題的根源在於他犯了罪，得罪神。但是，約伯不斷申訴說：「按我自己所知，神和我之間的關係並沒有出現問題。」約伯的朋友的看法是錯誤的。雖然約伯並不知道神在他那段暗淡的日子裡正在做甚麼。

➡ 若你有過神對你靜默不語的經歷，請扼要地把這個經歷在以下描述出來。

_____

_____

在這種情況下，我知道惟一當作的事，就是去尋求神的面。我深信那位與我建立了相愛關係的神，也必定會在最恰當的時刻，讓我知道祂正在我的生命中做甚麼。於是，我禱告說：「天父，我不明白祢為何默然不語，請祢告訴我，祢在我生命中的作為。」神果然藉著祂的話語，讓我知道祂在我生命中的作為。這次經歷，成為我信仰歷程中一次最有意義的經歷。

我並不是胡亂地自己去尋求一個答案；我只是如常地每日研讀聖經，我深信在我研讀神話語的時候，神的靈（祂知道父神對我的心意）會幫助我去知道神正在我的生命中做甚麼。當你需要知道神在你生命中正在做甚麼的時候，神必定會讓你知道。

當你需要知道神現今在你生命中正在做甚麼，神必定會讓你知道。

拉撒路

一天早上，我讀到有關拉撒路（約11：1-45）死而復活的事蹟，讓我說一遍那次讀經中所看見的結果。使徒約翰指出耶穌愛拉撒路、馬利亞和馬大，耶穌知道有關拉撒路病倒的消息後，並沒有立即去見他，直到拉撒路死了，耶穌才起行。換言之，當馬大和馬利亞請求耶穌來幫忙的時候，耶穌卻不發一言。自拉撒路病況轉為嚴重直至死亡，耶穌也沒有採取任何行動。耶穌曾說過祂愛拉撒路、馬大和馬利亞；但是，在這個時候，馬大和馬利亞卻發現耶穌甚麼也沒有做。

拉撒路終於死了！她們姊妹二人做足一切葬禮程序。她們用布將他的身體裹好，放在墳墓裡，又用大石把墓穴堵塞。直到這個時候，她們所經歷的神，仍然是一位默然不語、沒有行動的神。之後，耶穌才對祂的門徒說：「我們的朋友拉撒路睡了，我去叫醒他。」

當耶穌來到他們村子的時候，拉撒路已經死了四天，馬利亞對耶穌說：「主啊，你若早在這裡，我兄弟必不死」（第32節）。當我讀聖經讀到這裡的時候，神的靈開啟我的心眼，我好像聽見耶穌對馬大和馬利亞說：

> 你說得一點不錯，我若早在這裡，你兄弟必不死；因為你曾經看見我治好許多人的病，所以你知道我必能治好他。但是，我若早來，把拉撒路的病治好，你對我的認識，便一點不會增加。我知道你已經可以領受更大的，關乎我的啟示；我希望你知道復活在我，生命也在我。我沒有立刻來治好拉撒路的病，並非不顧你們的感受。我拖延來看你們，是要讓你們更多認識我。

當我明白耶穌的心意後，我實在興奮不已，我對自己說：「我現在所經歷的，正是馬大和馬利亞所經歷過的！神對我默然不語，表示祂正準備向我更多啟示祂自己。」明白了這一點，我對待神的態度立即改變過來。我積極地留意神會將一些關於祂自己的真理教導我。倘若我沒有這種積極期待的心態，我就會失去許多認識神自己的機會。

➡ 你禱告以後，神卻緘默不言，可能是哪兩個原因呢？

_____

現在，我禱告以後，神若緘默不言，我依舊會根據那張「自我省察事項」來查察自己，看看是否有甚麼事得罪了神。有時候，由於我個人的生命中有罪沒被處理，神便對我的禱告不作出任何回應，我必須向神認罪，並且轉離自己的惡行。如果認罪悔改以後，神仍沈默不言，也許是因為祂正準備帶領我更深入地認識祂。因此，當神沈默不發一言的時候，只管繼續去做神所吩咐你的，並且期待與祂有一個嶄新的相遇經歷。

面對神的緘默，你可以有兩種截然不同的反應：第一種是你變得情緒低落、滿了罪疚感，和自怨自恨；另外一種是積極地期待神會帶領你更深入地認識祂。

真理使我得自由！

是甚麼使我得享自由？是真理！真理是一位有位格的（神），祂與我的人生息息相關。當我明白到神可能要在我生命中行奇事，我便把一切鬱悶和罪疚感拋棄，我不再因神不聽我的呼求而看不起自己。我調整自己，讓生命充滿期盼、信心和對神的倚靠；我若肯這樣改變自己的心態，神便會開始啟示我當行的路，以致我能更多認識祂。

……真理是一位有位格的（神）

➡ **重溫今天的功課。禱告求神幫你找出一兩句祂期望你明白、學習、或付諸實踐的課文內容或經文，並回答以下問題：**

在今天研讀的課文中，哪些字句或經文對你最有意義？

_____

_____

將這些字句或經文改寫為你回應神的祈禱。

_____

_____

神期望你做甚麼來回應今天所學習的？

_____

_____

在下面橫線上，寫出本單元要背誦的聖經金句。另外，請溫習前面幾個單元所背誦過的金句。

_____

_____

_____

_____

本課撮要

- 神啊，如果祢要賜給我的，比我自己所求的更豐盛；那麼，請祢把我的禱告一筆勾銷吧。
- 只有神的靈知道神在我生命中的計劃，和神在我身上的作為。
- 當我需要知道神在我生命中有何作為時，神必定會讓我知道。
- 有時候神緘默是因為罪的阻隔。
- 有時候神緘默，是因為祂正準備向我更多啟示祂自己。

第2天

神藉著處境對人說話

從神的角度去認識自己
身處的困境是十分重要
的。

聖靈利用聖經、禱告和我們的處境對我們說話，向我們啟示父神的旨意。約翰福音5：17，19-20也記載了耶穌如何藉著自身的處境，得知神在祂生命中的旨意、和神對祂每天的帶領。

➤ **約翰福音5：19是本週要背誦的金句，請把這節聖經寫在下面。**

_____

_____

_____

耶穌就對他們說：「我父作事
直到如今，我也作事。」
—— 約翰福音5：17

耶穌說，祂憑著自己不能作甚麼，惟有看見父神所作的，祂才能作（第19節）。父神自創世以來，一直到耶穌在世的日子，都在作事，並且一直作事到如今（第17節）。父神也將自己所作的一切事指給子看（第20節）。當耶穌看見父神在作工，祂便知道是父神向祂發出邀請，邀請祂與父同工。

➤ **填充題（利用左欄的提示）：**

作工
一切事
留意
父神
作
主動
愛

1. _____ 作事直到如今。
2. 現在神也要我 _____。
3. 我不採取 _____ 作任何事。
4. 我 _____ 父神所作的事。
5. 看見父神在 _____ 何事，我也去作。
6. 瞧！父神 _____ 我。
7. 祂將自己所作的 _____ 指示給我看。

請翻到單元一第2天「耶穌的榜樣」核對答案。

神藉著各樣的處境，向耶穌啟示祂要作的事。有些事情惟獨神方能作，耶穌在祂身處的環境中，看見父神的工作。

➤ **請翻到單元四第5天「惟獨神才能夠做的事情」，重溫一些惟獨神方能作的事。**

耶穌常常留意父神在何處動工，然後祂便與神同工；父愛子，父將祂所作的一切事都指給子看。因此，耶穌不用自己猜想要為神作甚麼，祂也無需去夢想可以為神成就甚麼。耶穌只是留意父神在祂生活的處境中的作為，然後積極參與神的工作，這樣，父神便藉著耶穌成就了祂的計劃。

耶穌不用自己猜想要為神作甚
麼，祂也毋須去夢想可以為神
成就甚麼。

耶穌是我們生命的主，祂期望我們與祂的關係，就像祂與父神的關係那樣。當我們留意到祂正在作工的時候，我們便調整自己的生命和人生大計，完全聽命於祂，任祂差遣，以致祂能藉著我們完成祂的計劃。

➤ **考考你的記憶力。請勿翻至封底內頁，看看你能否寫出經歷神的七項實況。你可以利用下面的提示。**

1. 作工_____
2. 關係_____
3. 邀請_____

4. 說話＿＿＿＿＿＿＿＿＿＿＿＿＿＿＿＿＿＿＿＿
5. 危機＿＿＿＿＿＿＿＿＿＿＿＿＿＿＿＿＿＿＿＿
6. 調整＿＿＿＿＿＿＿＿＿＿＿＿＿＿＿＿＿＿＿＿
7. 服從＿＿＿＿＿＿＿＿＿＿＿＿＿＿＿＿＿＿＿＿

現在可翻到封底內頁，查核答案。

上述提到父神如何在耶穌身處的環境中對祂說話，是一個在「順境」中的例子。但有時候，你身處的環境可能是一個困境，一個逆境。當你處身逆境的時候，也許你會問神：「為甚麼這種事情會臨到我的身上？」

從神的角度去看事物是十分重要的

約伯

約伯也有過一個困苦的經歷。當約伯失去一切的財物、兒女，並且滿身長了毒瘡的時候（伯1-2章），他並不明白發生了甚麼事。約伯掙扎著要明白為何自己會陷於這個困境。他並不知道在天上所發生的一切事（伯1：6-12；2：1-7），也不知道神後來會加倍賜福給他（伯42：12-17），讓他再度擁有財富、家庭和健康。

約伯的朋友以為自己懂得從神的角度解釋約伯的遭遇，他們告訴約伯要承認自己的過犯。但約伯省察自己以後，卻不覺得自己生命中有不義不潔的事要向神認罪。倘若你處身於約伯的景況中，不知道神如何看這臨到你身上的一切災難，也不知道最終神會加倍賜福給你，也許你會像約伯一樣，追問神為何會讓這一切的災難臨到你身上，也許你會認為神是一位殘忍的神。

從神的角度去了解自己身處的困境是十分重要的。困境和逆境可以把一個人完全摧毀。如果你從自己處身的困境為出發點去求問神，你只會誤解神和神的旨意。你可能會說：「神並不愛我」，或說：「神既不公義又不公平」。你這樣描述神顯然是錯誤的。

➡ **你曾否處身於一個困境的時候，在禱告中對神發出怨言和指控（例如說神並不愛你），而你知道這樣說是不對的？**
曾☐　不曾☐
若你有過這樣的經歷，請簡單記述當時你所處的困境。

＿＿＿＿＿＿＿＿＿＿＿＿＿＿＿＿＿＿＿＿＿＿＿＿

＿＿＿＿＿＿＿＿＿＿＿＿＿＿＿＿＿＿＿＿＿＿＿＿

也許在困境中，你開始對神的慈愛和智慧產生疑問。你可能不敢直截了當說神做錯了，但是你會埋怨說：「祢為甚麼會讓我陷入這種困境中？為甚麼祢不阻止事態的發展？」如果你從自己所處的困境為出發點去求問神，你只會繼續處身於困境之中。

在困境中，你應當來到神面前，求神幫助你從祂的角度來了解你自己的處境。你要嘗試從神的心意為出發點，了解自己的處境。當你處身於苦境之時，聖靈會藉著神的話語，幫助你從神的角度去了解自己的處境。聖靈會把真實的景況向你啟示。

神

你應當來到神面前，求神幫助你從祂的角度來了解你自己的處境。

嘉莉患了癌症

在單元三我曾經提及我的女兒嘉莉患上癌症，這件事對我們全家人來說，那是

主啊，我們當如何調整自己，來配合祢藉著這個經歷要成就的旨意？

一個困境。醫生告訴我們，嘉莉要接受六個月或八個月的化療和電療。我們知道神愛我們，所以我們到神面前，向祂禱告，祈求神讓我們明白祂要在我們生命中的作為。當時我們很想作正確的調整，去適應神，我們對神說：「主啊，我們當如何調整自己，來配合祢藉著這個經歷要成就的旨意？」

當我們禱告的時候，我們相信神藉著一節聖經給了我們寶貴的應許。事實上，不單只我們領受了這個應許，有許多弟兄姊妹在寄給我們的安慰信和撥來的電話中，都提及聖經裡這句帶應許的經文，他們同樣感覺到這應許是神為我們預備的。這節經文說：「這病不至於死，乃是為神的榮耀，叫神的兒子因此得榮耀」（約11：4）。透過聖經、禱告、和其他弟兄姊妹的印證，我們愈來愈肯定神藉著這節經文對我們說話。因此，我們調整自己去接受這個應許，並且開始留意神會如何利用這個處境來榮耀祂自己。

嘉莉患病期間，許多在加拿大、歐洲、和美國的弟兄姊妹不斷為她禱告。許多教會、大學學生團契和個別信徒紛紛來電，說他們都在為嘉莉禱告。我跟這些弟兄姊妹交談的時候，發覺他們當中不少人都這樣說：「我們的禱告生活已經變得很枯乾、冰冷、形式化，我們已有很長一段時間，沒有經歷到神是應允禱告的神。現在，知道嘉莉患病，我們都在禱告中切切記念她。」

嘉莉接受了三個月的治療後，醫生決定為她再作檢查。檢查後，醫生對我們說：「實在令人難以置信！我們並沒有發現任何癌細胞。」我立即與那些不斷為嘉莉禱告的弟兄姊妹聯絡，告訴他們神應允了眾人的禱告。許多人也表示，神藉著這次禱告蒙應允的經歷，更新了他們的禱告生活，教會的禱告事工和大學學生禱告團契都得到更新。

這時候，我才開始領悟到神的心意。藉著嘉莉患病這個經歷，神在祂子民當中得著榮耀。許多人感到神更新了他們禱告的靈。他們個別地經歷到真理、活活潑潑地經歷到神。嘉莉一些最要好的朋友開始學會迫切為人禱告，有些同學目睹了神在嘉莉身上的作為後，願意歸信基督。神確實藉著嘉莉的病，得著了榮耀。

你是否也明白嘉莉患病的意義？當時，我們處於一個困難的景況中，我們可以只看困境然後去質問神事情的緣由；這樣的話，我們會對神產生許多不正確的想法。但我們並沒有這樣做。我們到神面前禱告，尋求從祂的角度去理解這件事。聖靈藉著神的話，把神對嘉莉患病的看法向我們啟示。我們相信神，於是，我們調整自己，去適應祂，去跟祂的作為配合，留意神會如何成就祂自己的計劃，讓祂的名得著榮耀。因此，當神應允了眾人禱告的時候，我立即知道要做的一件事，就是向祂的子民宣告神奇妙的作為。這次經歷，神把祂對嘉莉患病的看法告訴我們，向我們展示了祂慈悲憐憫的心腸，我們對祂也有了嶄新的認識。

現在，讓我作出一個總結，列出當你處於一個困境或徬徨的時候該有的反應：

處於困境時

1. 在思想上肯定神已藉著耶穌基督的十字架，向你表明他絕對愛你，永遠愛你。祂對你的愛永不改變。

2. 不要在你自己所處的困境中，嘗試去了解神怎麼會這樣。

3. 去到神面前，祈求神幫助你從祂的角度去看清自己的困境。

4. 等候聖靈。聖靈會藉著神的話語，幫助你明白自己的處境。

5. 調整你的生命去適應神，和跟你所見神在你的處境中要做的工作配合。

6. 完全順服神，做一切祂吩咐你去做的。

7. 經歷到神在你生命中作工，並且藉著你去成就祂的計劃。

➡ 再讀一次上面列出的七個重點。在每一句中圈出一個鑰詞。然後用你自己的說話，扼要說出在處於一個困境時，你所當作的事。

_____

_____

你必須緊記，神是有絕對主權的神。或許你會有約伯的經歷，就是神始終沒有告訴你祂在作甚麼；在這種情況下，你只要肯定神對你的愛，承認祂有絕對的主權，並且不斷倚靠祂的恩典去渡過這段困苦的歲月。

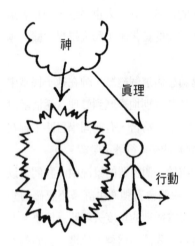

➡ 重溫今天的功課。禱告求神幫你找出一兩句祂期望你明白、學習、或付諸實踐的課文內容或經文，並回答以下問題：

在今天研讀的課文中，哪些字句或經文對你最有意義？

_____

_____

將這些字句或經文改寫為你回應神的祈禱。

_____

_____

神期望你做甚麼來回應今天所學習的？

_____

_____

本課撮要

- 父神藉著處境，向耶穌啟示祂要作的事。
- 耶穌留意自己身處的環境，藉此知道父神期望在何處與祂同工。
- 從神的角度去了解我自己身處的困境或逆境是十分重要的。

第**3**天 處境的實情

當你從神那裡得著了話語，你便會知道自己處境的實情。

當你從神那裡得著了話語，你便會知道自己處境的實情。在出埃及記第5及第6章，摩西照神所吩咐的，請求法老容許以色列民離開埃及。法老拒絕了摩西的請求，並且加重了以色列人的勞苦，因此，以色列人向摩西發怨言，指責他令百姓工作加重了。

➡ **若你處身於摩西的境地，你會怎樣做？（選擇題）**

☐ 1. 我會向以色列人發怒，然後重操故業，牧養羊群。

☐ 2. 我會向神發怒，並且請祂找另外一個人去承擔祂要我承擔的工作。

☐ 3. 我會認為自己誤解了神的意思，我不應向法老提出要求。

☐ 4. 我會再次回到神面前，耐心地求告祂，求神讓我可以從祂的角度來明白這個惡劣的處境。

摩西的反應對我很有幫助和鼓勵。如果我們處身於摩西的境地，通常我們的反應會像上述1. 2. 3項其中一項。倘若你沒有讀過出埃及記第5、6章，你會以為摩西的反應與第四項相似。事實上，在當時的處境，摩西埋怨神並沒有照祂所應允的去做。摩西說：「主啊，祢為甚麼苦待這百姓呢？為甚麼打發我去呢？自從我去見法老，奉祢的名說話，他就苦待這百姓，祢一點也沒有拯救他們」（出5：22-23）。摩西氣餒到一個地步，想放棄承擔神交付他的使命（出6：12）。

神極有忍耐

幸好神對我們有極大的忍耐，如同祂對摩西那樣。神用時間向摩西解釋，讓他明白神的心意：神任憑法老硬著心不讓以色列人離去，以致以色列民看見是神大能的手，把他們從為奴之地拯救出來。神期望祂的子民藉著這個經歷，認識祂是那位自有永有的神。我們應該從摩西的經歷學到功課，當我們處身於一個不明朗的處境，千萬不要埋怨神，也不要放棄跟從祂，只管到神的面前，祈求祂將你處境的實情啟示你，讓你能夠從祂的角度和眼光看事物，然後耐性等候主。

你必須要徹底地過以神為中心的生活。你要做的最困難的一件事，就是否定自己，遵行神的旨意，跟從祂走每一步。你與神之間的關係，應當以神為中心。如果你把自己每天的禱告、生活態度、思想等等細加省察，你會發覺自己多麼以自我為中心。當你以自己為生活的中心，你便不能從神的角度來看事物，甚至你還會要求神從你的角度來處理問題。在神成為你生命的主以後，祂有絕對的主權，成為：

—— 你生命的焦點

—— 你人生的策劃者

—— 你人生道路的引導者

這就是讓基督作你的主的意思。

聆聽真理向你說話

我就是……真理

—— 約翰福音14：6

聖靈對你說話的時候，祂會向你啟示真理（真理是一位有位格的神）聖靈會對你談及那位有位格的耶穌基督。

門徒在暴風中

門徒遇上了暴風，那時候他們正在船上，耶穌卻在船艙裡睡著了。如果你在這

個波濤洶湧的景況中問門徒說：「你們現在處於一個怎樣的景況中？」他們會如何回答呢？「我們快要喪命啦！」他們的看法，是否正確？不，絕不！那位聲稱自己是真理的耶穌，正在船艙裡睡著了，只消再過片刻，祂就會從熟睡中醒過來，然後平靜風浪，門徒便會知道，在他們身處的環境裡，基督正在他們中間。真理（耶穌基督）也常常與你同在，正如祂常與門徒同在一樣。

當你從神那裡得著話語，你便能知道自己處境的實情。神就是真理，真理常常在你的生活中，與你同在，向你說話。

耶穌往一座城去，這城名叫拿因，祂的門徒和極多的人與祂同行。將近城門，有一個死人被抬出來。這人是他母親獨生的兒子；他母親又是寡婦。有城裡的許多人同著寡婦送殯。主看見那寡婦，就憐憫她，對她說：「不要哭！」於是進前按著槓，抬的人就站住了。耶穌說：「少年人，我吩咐你起來！」那死人就坐起，並且說話。耶穌便把他交給他母親。眾人都驚奇，歸榮耀與神，說：「有大先知在我們中間興起來了！」又說：「神眷顧了祂的百姓！」祂這事的風聲就傳遍了猶太和周圍地方。

—— 路加福音7：11-17

當你從耶穌那裡得著了話語，你便會知道自己處境的實情。

➤ **請讀路加福音7：11-17（見左欄），然後回答下列問題：**

1. 試想在那個葬禮舉行的時候，你也參與其中。在耶穌出現之前，拿因城的寡婦認為她自己面對的，是一個怎樣的景況？

_____

2. 當耶穌（真理）臨在的時候，景況有何不同？

_____

3. 當耶穌（真理）向群眾啟示祂自己的時候，他們有何反應？

_____

倘若在這個葬禮進行的過程中，你問這個寡婦：「現在你處於甚麼景況之中？」她極可能這樣回答你：「我丈夫英年早逝，我和那惟一的兒子一同生活。我常常盼望與這個兒子一起，快快樂樂過日子，他會看顧我，與我談心。但是，現在我的孩子也死了，只剩下我孤單一人，繼續過我自己的生活。」婦人對她自己身處的景況的描述，是否真實？

婦人的看法並不真實！耶穌正站在那裡！當祂伸出祂的手，觸摸她的兒子，吩咐他從死裡復活的時候，一切都改變了！同樣，當你從耶穌那裡得著話語，你便會知道自己處境的實情。耶穌在葬禮進行的時候把祂自己啟示給眾人知道，眾人都驚奇，歸榮耀與神，說：「有大先知在我們中間興起來了」，又說：「神眷顧了祂的百姓。」祂這事的風聲就傳遍了猶太，和周圍地方（路7：16-17）。所以，永遠不要單注視身處的困境，誤以為這就是你處境的實情。當你從耶穌那裡得著了話語，你便會知道自己處境的實情。耶穌就是真理！

➤ **閱讀約翰福音6：1-15，然後回答下列問題：**

1. 有五千飢餓的民眾到耶穌那裡去，耶穌希望使他們得飽足。如果在這種情況下，你問門徒他們處身於一個怎樣的景況中，他們會如何回答？

_____

2. 耶穌為甚麼要問腓力從哪裡買餅給這五千人吃？（第5-6節）

_____

_____

3. 真理（耶穌）臨在這個處境中的時候，情況有何不同？

_____

_____

4. 耶穌把祂自己啟示給群眾知道以後，他們如何反應？（第14節）

_____

神是否也會考驗我們的信心，正如祂曾經考驗腓力的信心一樣？神有沒有對你

*你能否以這故事的下半部情況
那樣信靠祂？*

的教會說：「去餵飽那些飢餓的群眾！」但你們卻回應說：「我們沒有足夠的經費！」？如果你問門徒他們當時面對一個怎樣的處境，他們或許會說：「我們沒有辦法餵飽這五千人，要餵飽這一大群的民眾簡直是不可能的事。」門徒的看法是否正確呢！不！我們知道耶穌終於餵飽了這五千人和他們的家人，並且剩下了十二籃的餅碎！

假如神對你的教會說：「把福音傳遍天下！」你們卻說：「我們辦不到！」眞理（耶穌）是教會的頭，祂站在你們中間，說：「相信我，我會把我的權柄能力賜給你們，使你們可以作成我吩咐你們去作的工。只管相信我，服從我，福音便能傳遍天下！」

➡ **重溫今天的功課。禱告求神幫你找出一兩句祂期望你明白、學習、或付諸實踐的課文內容或經文，並回答以下問題：**
在今天研讀的課文中，哪些字句或經文對你最有意義？

_____

_____

將這些字句或經文改寫爲你回應神的祈禱。

_____

_____

神期望你做甚麼來回應今天所學習的？

_____

_____

本課撮要
- 切勿單單注視身處的困境，誤以爲這就是自己處境的實情。
- 當我從神那裡得著了話語，我便會知道自己處境的實情。
- 聖靈藉著神的話語，向你啓示神對你的處境的看法。

第4天 ┃ 靈程標記

當神預備引導你踏上新的一步，與祂同工的時候，祂的帶領，往往與祂在你過往生命中的作爲有連帶的關係。

在上一課，我用了幾個圖解來闡釋如何面對身處的困境。我們身處的景況不一定是困境，有時候，我們會處身於一個要作決定的處境中；在作決定的時候，最困難的事，並不是從「好」與「壞」之間作一選擇，而是在面對許多看來都不錯的選擇中，作出一個最好的決定。在這種情況下，最好的辦法，就是在神面前誠誠實實、全心全意對祂說：

> 「主啊，只要我知道是祢的旨意，我必定遵行，不管要付出多大代價，不管要作出何等重大的調整，我會全心全意、竭盡所能地順從祢的旨意。主啊，不管怎樣，我必定照祢的旨意去做。」

「是，主！」

在開始尋求神旨意的時候，你就要立即獻上這個禱告；否則，你便不是真正期望神的旨意得以成就，你可能只是期望在與你自己的心意沒有衝突的情況下，神的旨意得以成就。基督徒斷不能對主說「不」，卻又稱呼祂為主，如果你對主說「不」，祂就不是你的主。若祂真是你的主，你只能順從祂。當你要作決定之前，你必須可以真誠地對主說：「主啊，不論祢向我提出甚麼要求，我都會遵照祢的心意去做。」

屬靈經歷的實物標記

這些石頭，可以作為你們的證據。

以色列人經約旦河，進入應許之地的時候，神吩咐約書亞說：「你從民中要揀選十二個人，每支派一人，吩咐他們說，你們從這裡，從約旦河中、祭司腳站定的地方，取十二塊石頭帶過去，放在你們今夜要住宿的地方」（書4：2-3）。這些石頭，在以色列人中間，可以作為一種記號、一個證據，「日後你們的子孫問你們說，這些石頭是甚麼意思？你們就對他們說：這是因為約旦河的水在耶和華的約櫃前斷絕，約櫃過約旦河的時候，約旦河的水就斷絕了，這些石頭要作以色列人永遠的紀念」（書4：6-7）。

這些石頭，是紀念神為祂的子民施行的一項大能的作為。許多聖經人物在不同的情況下，或是築壇、或是立石，紀念他們與神相遇的經歷。

➤ **請翻開聖經，在下列八個人物中，挑選一個，讀一讀這個聖經人物與神相遇的經歷，然後回答下面的問題。**

☐ **挪亞**　　創世記6-8章

☐ **亞伯蘭**　創世記12：1-8或13：1-18

☐ **以撒**　　創世記26：17-25

☐ **雅各**　　創世記28：10-22及35：1-7

☐ **摩西**　　出埃及記17：8-16或24：1-11

☐ **約書亞**　約書亞記3：5-4：9

☐ **基甸**　　士師記6：11-24

☐ **撒母耳**　撒母耳記上7：1-13

1. 簡單描述這位聖經人物與神相遇的經歷，神做了甚麼？

_____

_____

2. 這位聖經人物為何會築壇或立石為記？

_____

3. 在經文中，他們為神或所築的壇和所立的石頭起了甚麼名字？

_____

這些壇和石頭，成爲神人難得的靈裡相遇的實物標記。

舊約中的聖經人物，常常以築壇或立石的方式，紀念他們與神相遇的經歷。伯特利（神的殿）和利河伯（寬闊）這兩個地方的名字，是記念神曾經在祂子民中的作爲；摩西築了一座壇，起名爲「耶和華是我的旌旗」；撒母耳立了一塊石頭，起名叫「以便以謝」，說：「到如今耶和華都幫助我們」（撒上7：12）。這些壇和石頭，成爲神人難得的靈裡相遇的實物標記。藉著這些名字，神的子民可以把神爲祂的百姓所做的事教導子子孫孫。

從神的角度洞察屬靈的遠景

神讓人學會從屬靈的角度來明白祂所作的事。

神按步就班成就祂自己的計劃，祂在過去所作的一切，都是爲著建立祂的國度，現今祂所作的一切，同樣是爲著建立祂的國度。但是，神每做一件事，必定承接著過去祂已作成的，並且爲祂將來要作的事作好準備。所以，神作事是按部就班，按著次序的。

當神呼召亞伯拉罕的時候（創12章），祂正開始爲自己建立一個民族。神對以撒說話的時候，祂提醒以撒有關祂與亞伯拉罕之間的關係，以撒便學會從神的角度來看自己與神的關係（創26：24）。神對雅各表明祂是亞伯拉罕和以撒的神（創28：13）。神對摩西說話的時候，祂幫助摩西從神自己的角度，去了解神在歷史中的作爲，祂告訴摩西祂是亞伯拉罕、以撒、雅各的神（出3：6-10）。每當神在祂永恆的計劃中，要採取新一步的行動之時，祂會呼召人參與祂的工作，神會向祂所呼召的人覆述祂過往的作爲，以致蒙召的人可以從神的角度了解所發生每一件事的屬靈意義。

摩西教導以色列人從屬靈的角度明白神所做的。

以色列民需要明白，進入應許之地這件事，是與神一直以來對他們民族的引導有關。

在申命記中，摩西回顧了神爲以色列民所作的一切事。那時候，神正準備帶領以色列人進入應許之地，神期望祂的子民在踏出新的一步之前，可以從神的角度來回顧過往的歷史。在申命記29章，摩西扼要講述了以色列民的歷史，摩西希望藉著與神重新立約這個時機，再次提醒以色列人要忠心跟從神。以色列民正準備進入應許之地，摩西的領導地位亦會由約書亞接替，以色列民需要學習明白，進入應許之地這件事，是與神一直以來對他們民族的引導有關。

在封底內頁的圖例中，我們用了一個箭咀，代表了神的計劃。

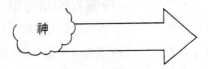

摩西

➡ 在出埃及記第3章，神在荊棘火焰叢中呼召摩西的時候，神如何向摩西啓示一幅屬靈的遠景？請根據以下三項指示完成隨後七題習作：

• 在有關神過往之作爲的句子旁邊寫上「過去」。

• 在有關神與摩西說話時顯現之作爲的句子旁邊寫上「現在」。

• 在有關神將要施行之作爲的句子旁邊寫上「將來」。

____ 1. 我是你父親的神，是亞伯拉罕的神，以撒的神，雅各的神。（第6節）

____ 2. 我的百姓在埃及所受的困苦，我實在看見了，他們因受督工的轄制所發的哀聲，我也聽見了。（第7節）

___ 3. 我原知道他們的痛苦，我下來是要救他們脫離埃及人的手。（第7-8節）

___ 4. 故此我要打發你去見法老，使你可以將我的百姓以色列人從埃及領出來。（第10節）

___ 5. 我必與你同在，你將百姓從埃及領出來之後，你們必在這山上事奉我，這就是我打發你去的證據。（第12節）

___ 6. 我也說，要將你們從埃及的困苦中領出來，往迦南人……就是到流奶與蜜之地。（第17節）

___ 7. 我必叫你們在埃及人眼前蒙恩，他們去的時候，就不至於空手而去……這樣，你們就把埃及人的財物奪去了。（第21-22節）

神正在幫助摩西透過一個屬靈的遠景，明白神對他的呼召：

- 神曾經與亞伯拉罕、以撒、雅各，甚至摩西的父親同工，為要建立一個民族。
- 神曾應許亞伯拉罕，要把祂的百姓從困苦中拯救出來，使他們進入應許之地。
- 當他們在埃及的時候，神的眼目並沒有離開他們。
- 現在，神準備要救他們脫離一切的困苦。
- 神揀選了摩西與祂同工，成就祂在以色列民身上要成就的計劃。祂要使用摩西拯救以色列人脫離埃及人的手，也要把埃及的財物，掠奪歸以色列人所有。
- 摩西順從神以後，神會帶領他們在神向摩西顯現的山上事奉神，這就是神打發摩西去作工的證據。

答案：1，2，6「過去」；3，4「現在」；5，7「將來」。

自創世以來，神一直不間斷地作工。祂期望你肯與祂同工，參與祂永恆的計劃。其實你還未出母胎，神已為你的一生定下美好的計劃。自你生下來直到如今，祂也不斷在你生命中作工。神對先知耶利米說：「我未將你造在腹中，我已曉得你，你未出母胎，我已分別你為聖，我已派你作列國的先知」（耶1：5）。當神預備引導你踏上新的一步與祂同工的時候，祂的帶領，往往與祂在你過往生命中的作為有連帶的關係。

一份靈程的結算單

在我信仰的歷程中，對我極有幫助的一件事，就是記下那些「靈程的標記」。每次我與神相遇，神呼召我去作一件事，或引導我如何繼續走前面道路的時候，我都會記下這些重要時刻所發生的事。「靈程的標記」使我可以清楚記起神曾經怎樣幫助我作出重要的決定，怎樣引導我踏上人生另一個新的階段。藉著這些「靈程的標記」，我常常可以回顧神如何引導我的一生，活在祂永恆的計劃中。

當我要決定如何進一步跟從神的帶領時，我便會回顧這些「靈程的標記」，我會回想神在我過往一生中的帶領，以便清楚看明神在我身上的旨意，然後我會看看作出一個怎樣的決定，最能配合神過往的帶領。要作出一個配合神過往的帶領的決定並不困難，但當我發覺任何決定都不能與神過往的帶領配合的時候，我會繼續禱告，尋求神的引導。如果實際的處境，與神在聖經及禱告中所說的有出入，我便會假設這並不是神的時間，我會繼續等候神，直至祂把應當作決定的時間啟示給我知道。

「靈程的標記」使我可以清楚記起神曾經怎樣幫助我作出重要的決定，怎樣引導我踏上人生另一個新的階段。

運用「靈程的標記」

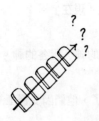

➡ 用你自己的說話，爲「靈程的標記」下一個定義。

_____

_____

用你自己的說話，說出你可以如何運用「靈程的標記」，幫助自己察驗神引導的方向，以便作出合神心意的決定。

_____

_____

_____

你認爲「靈程的標記」對你有何幫助？

_____

_____

神呼召我參與國內傳道部的事奉

　　當美南浸信會國內傳道部接觸我，請我帶領禱告及靈性覺醒運動的時候，我從未有過這方面的經驗，面對這個提議，只有神才能啓示我，讓我知道這是否祂計劃的一部分。因此，我回顧自己一生中的「靈程標記」，嘗試從神的角度作出一個恰當的決定。

　　我的祖先來自英國，我家族中有幾位成員是司布眞學院的畢業生。那時候，司布眞正在英國，努力爲基督耶穌贏取無數失喪的靈魂。我在加拿大一個市鎮中長大，那裡並沒有任何福音的使者，願意爲耶穌基督作見證；因此，我父親在鎮上開設了一間福音堂，擔任義務牧師一職。當我還是一個少年人的時候，我對於在加拿大這個國家，有無數社群仍然未有福音派教會的建立，有很沈重的負擔，1958年，當我仍然在神學院肄業的時候，神讓我確實知道，祂愛我的國家，祂必定會賜下復興，讓聖靈大能的作爲，橫掃整個加拿大。當我回應神的呼召，到薩斯克頓牧養教會的時候，神藉著一次屬靈大覺醒，肯定了祂對我的呼召。在單元十一，你會讀到在七十年代初期，由薩斯克頓開始橫掃加拿大的一次靈性大覺醒。

　　1988年，國內傳道部的負責人咸賓年打電話給我，他說：「布克比，我們禱告了很久，求神預備一位同工帶領我們禱告，一同尋求靈性的覺醒。我們四處找人出任這個職位，已有足足兩年的時間，你是否會考慮到美國來，帶領美南浸信教會尋求靈性的覺醒？」

祈求靈性覺醒是我一生事奉神的主流

　　當我回顧神在我生命中的作爲（回顧我的「靈程標記」）的時候，我發現祈求靈性覺醒是我事奉神的主流。我便答覆咸賓年說：「你可以請求我做任何事，但是我決不會離開加拿大；然而，如果是爲了尋求教會靈性的大覺醒，我一定義不容辭。自從我十六、七歲開始，尤其是自1958年開始，祈求靈性復興一直是我事奉生命中的主流。」經過許多的禱告，並且有了神話語和其他信徒的印證後，我接受了美南國內傳道部的邀請。神並沒有扭轉我事奉的方向，祂只是帶領我更專注地在祂一直帶領我的事奉道路上前進。

➡ **嘗試寫下你生命中的「靈程標記」。這些標記可能與你的家庭背景、信主經歷，和人生中一些重要的決定有關。你記起有哪些時刻，神幫助你作出重要的決定，引導你踏上人生的一個新階段？請用一張白紙或用一本筆記簿把這些「靈程標記」記下來。你可以從今天開始列出這些「靈程標記」，但是，你絕**

不可能一下子就把所有的都記下來。你可以禱告，默想神在你生命中的作為，以後記起甚麼就把它寫下來。

在本週小組聚會中，你會有機會與組員分享你的「靈程標記」。

▶ 重溫今天的功課。禱告求神幫你找出一兩句祂期望你明白、學習、或付諸實踐的課文內容或經文，並回答以下問題：

在今天研讀的課文中，哪些字句或經文對你最有意義？

_____

_____

將這些字句或經文改寫為你回應神的祈禱。

_____

_____

神期望你做甚麼來回應今天所學習的？

_____

_____

_____

本課撮要

- 在作決定的時候，最困難的事，並不是從「好」與「壞」之間作一選擇，而是在面對許多看來都不錯的選擇中，作出一個最好的決定。
- 基督徒不能對主說「不」，又稱呼主是「主」。
- 神按部就班，按著次序作工，去成就祂永恆的計劃。
- 當神預備引導我踏上新的一步，與祂同工的時候，祂的帶領，往往與祂在我過往生命中的作為有連帶的關係。
- 「靈程標記」使我可以清楚記起神曾經怎樣幫助我作出重要的決定，怎樣引導我踏上人生另一個新的階段。

第5天　神藉著教會說話

作為教會中的一分子，我需要其他的肢體，幫助我明白神的旨意。

聖靈透過神的子民——地方教會向人說話，以後我們會用整整一個單元，討論一間地方教會如何去聆聽及明白神的旨意。今天，我們先看看你如何可以透過教會明白神的心意。

▶ 現在讓我們先來溫習一下，然後回答下列問題：

1. 神在舊約時代如何向人說話？

_____

2. 耶穌在世的時候，神如何向人說話？

_____

3. 從使徒時代直到如今，神如何向人說話？

_____

4. 聖靈透過哪四種途徑向人說話？

_____

_____

基督的身體

　　許多福音派教會如今面對的一個問題，就是過分強調信徒皆祭司這教義，而忽視了教會作為一個屬靈群體的重要性。許多基督徒認為自己只需向神負責，而不需要向教會負責。不錯，基督徒可以藉著中保耶穌基督，直接到神面前；但是，神建立了教會，要藉著教會完成祂救贖世界的目的，神將信徒安放在教會裡，為要藉著教會，成就祂救贖的計劃。

　　教會是基督的身體（林前12：27）。耶穌基督是地方教會的頭（弗4：15）。神隨著自己的意思，把肢體俱各安排在身上（林前12：18）。聖靈又顯在各人身上，叫人得益處（林前12：7）。父神把眾肢體連於一起，成為一個身體。各肢體靠著聖靈，各按各職，建立基督的身體，直到眾人都得以長大成人，滿有基督長成的身量（弗4：13）。神使我們彼此相助，一個肢體有缺欠，其他的肢體便可以補足。

　　知道神在教會中的作為和神要藉著教會成就甚麼，是十分重要的一件事，因為當我知道神在教會中動工，我便可以立即調整自己，配合神的工作。在教會裡，我任由神隨意使用我，去作成祂在每一位弟兄姊妹身上要成就的旨意。這就如保羅所說的：「我們傳揚祂，是用諸般的智慧，勸戒各人，教導各人，要把各人在基督裡完完全全的引到神面前」（西1：28）。保羅也經常請求信徒在他的事奉生活中與他同工，因為他事工的果效，與信徒的代求有不可分割的關係。（參西4：3；帖後3：1-2；弗6：19）

▶ **請讀哥林多前書12：7-31，然後回答下列問題：**

1. 保羅寫信的對象，是一間地方教會（哥林多教會）的基督徒，甚麼是地方教會？(第27節)

_____

2. 根據第12節，你認為下面兩幅圖畫中，哪一幅圖畫較清楚表達了「教會」的含義？

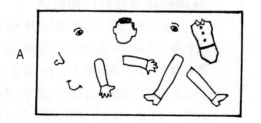 

3. 根據第25節，保羅認為怎樣才是一個真正的教會？你的教會是否像第25節所描述的哪樣？

_____

惟用愛心說誠實話，凡事長進，連於元首基督，全身都靠祂聯絡得合式，百節各按各職，照著各體的功用，彼此相助，便叫身體漸漸增長，在愛中建立自己。

——以弗所書4：15-16

4. 根據第14-24節，回答下列的是非題。如果答案是「非」，請把正確的答案寫下來：

____ a. 身子只有一個肢體。

_____

____ b. 雖然腳不是手，但是他仍然是身子中的一個肢體。

_____

____ c. 耳不是眼，所以他不是身子中的一個肢體。

_____

____ d. 眾肢體隨自己的意思，把自己安排在身子上。

_____

____ e. 每一個肢體都需要身子上的其他肢體。

_____

答案：

(1) 地方教會就是基督的身體，雖然普世的信徒，在父神的管治下，都屬於神國的子民；但是，一間地方教會的功能，就如一個身體。地方教會並不是身子上的一個肢體，乃是一個身子。

(2) 圖甲可能代表了一些教會的景況。但是，神的心意，是期望教會眾肢體都聯絡得合式，而不是肢離破碎。

(3) 教會裡面，眾肢體不應分門別類。若在你的教會中，各肢體分門別類，不能彼此相顧，你的教會便是一個生了病的身體。耶穌基督是一位大能的醫生，你的教會若肯讓耶穌醫治，這個身體必得痊愈。

(4) a，c，d是錯誤的，b，e是對的。

離開了基督的身體，你便不能透徹知道如何與身體保持合神旨意的關係。

離開了基督的身體，你便不能清楚知道如何與身體保持合神旨意的關係。若沒有了眼，手便不能觸摸東西，若沒有了耳，身子便不知道怎樣作出回應。因此，教會中每一個成員，都必須聆聽其他成員的意見。但是，如果他們所說的，並不是與神在教會中要作的工有關，教會整體就會遇到麻煩。

當我與教會保持正常的關係時，我便可以藉著其他肢體的幫助，明白神的旨意。現在，讓我先舉一個例子略作說明，然後在單元十，我會再用時間，幫助你明白在教會中，如何讓眾肢體都發揮功用，彼此聯絡，成為一個身子。

容讓神藉著教會向你說話

當我仍然在神學院就讀的時候，我在一間地方教會參與事奉。第一年，我要負責教導一班青少年人，我歡喜快樂地接受了這項工作。第二年，教會要求我負責策劃推動音樂及宗教教育的工作。我信主以後，曾經參加過詩班，但從未在音樂方面肩負過領導的職責。對於如何在這間教會中策劃及推動音樂及宗教教育事工，我更加是一竅不通。現在，讓我告訴你我怎樣作出決定。

教會中的弟兄姊妹需要有一位領袖來牧養他們。當他們為這件事禱告的時候，他們感覺到神帶領我去到他們當中，就是為了讓我成為他們的牧者。我也看到這間教會的需要，並且也意識到神可以用得著我。因此，作為耶穌基督的僕人，我不能對教會的提議和安排提出異議，我深信教會的元首耶穌基督可以透過其他肢體說

話，引導我知道如何在這身體中發揮功用。所以，我應允了教會的提議，表示會盡我最大的努力，做好音樂及宗教教育的工作。

有兩年時間，我在這間教會裡負責音樂及宗教教育事工。後來，教會議決聘請我成為他們的牧師，但我有生以來講道未超過三次。我進入神學院進修，並不是因為神呼召我去做牧養的工作。我進入神學院的原因，是因為神和我之間已建立了一種關係，我已甘心樂意任主差遣。我覺得接受了神學訓練後，我便有了基本的裝備去與神同工。因此，我從來沒有說過我要為神在國內或海外傳道，也沒有說過要在音樂或宗教教育或講道方面事奉神。我只是向神表示：「主，不管祢如何引導我在教會中服事祢，我必遵照祢的心意而行。我是祢的僕人，任祢差遣。」所以我終於接受了那間教會的邀請，成為他們的牧者。

教會需要牧者，但是這並不一定等於我要接受這個邀請。另一方面，我們也不應忽視教會的需要，不要怕讓教會中其他的肢體幫助你去明白神的旨意。但是，你也要記得，一個肢體並不可以代表教會的整體。總括而言，你需要聆聽其他人的意見，然後到神面前，尋求祂清楚的指引。你會從聖經、禱告和處境中得到印證，讓你知道當如何一步步走下去。這樣，你便可以滿有信心地前進。

布克比，你不了解我的教會。

或許你會對我說：「布克比，你並不了解我的教會，我不能靠賴他們來幫助我明白神的旨意。」如果你這樣說，你必須非常小心，因為你的說話，表明了你對神的認識和信心的程度。事實上你要說的是：「布克比，就算是神也沒有辦法藉著這些人向我說話。」你不相信神可以藉著其他的肢體對你說話，但是我仍然堅信祂會這樣做。

在這種情況下，我們面臨一個信仰的危機。在單元七，你會面對一個真實的挑戰。

➡ **重溫今天的功課。**禱告求神幫你找出一兩句祂期望你明白、學習、或付諸實踐的課文內容或經文，並回答以下問題：

在今天研讀的課文中，哪些字句或經文對你最有意義？

_____

_____

將這些字句或經文改寫為你回應神的祈禱。

_____

_____

神期望你做甚麼來回應今天所學習的？

_____

_____

_____

把要背誦的金句（約5：19）寫在下面。

_____

_____

_____

溫習你要背誦的金句，預備好在本週小組聚會中向一位組員背誦。

你若還未完成第4天的「靈程標記」，切記在本週小組聚會之前完成這項作業。

本課撮要

- 教會是一個身體，是耶穌基督的身體。
- 耶穌基督是一間地方教會的元首。
- 神隨著自己的意思，把肢體安排在身子上。
- 神使我們彼此倚賴，我們各人都需要其他的肢體。
- 離開了基督的身體，我便不能充分知道如何與身體保持合神旨意的關係。
- 每一個肢體都需要聆聽其他肢體的意見。
- 作為教會中的一分子，我需要其他的肢體幫助我明白神的旨意。

單元七

信仰危機

憑信心釐定預算案的經歷

有一年，教會財務部的弟兄姊妹對我說，「牧師，你曾經教導我們在辦理教會各項事情上要憑信心與神同工，可是你卻從未教導我們在釐定教會預算案的時候如何憑信心與神同工。你看，我們所訂出來的預算，只是根據自己力所能及的奉獻數目來釐定，這反映了我們並不相信神可以有奇妙的作為。」

「唔……那麼，你們認為應當怎樣制訂教會的預算呢？」我問他們。

他們說：「首先，我們必須清楚神在未來一年要藉著我們做甚麼。我們也要計算所需用的經費；然後，我們應當把經費目標分為三類：第一類是弟兄姊妹十一奉獻的數目，第二類是其他人承諾的奉獻數目，第三類是仰賴神自己供應的數目。」

我們同心合意禱告後，深信神的心意是要我們用這種方式來制訂預算。我們並沒有憑自己為神圖謀大事，然而我們必須絕對肯定，所要完成的工作都是神自己在教會中的心意，然後我們計算這些工作所需用的經費而已。我們也列出了弟兄姊妹十一奉獻和其他人（包括浸信會聯會、合作教會和友會的弟兄姊妹）捐獻的總數。預算中總支出的數目和奉獻總收入的差額，必須仰賴神自己的供應。

當我們決定這樣制訂教會明年度的預算案時，我們面臨一個信仰的危機。我們是否真的相信那位帶領我們去作工的神，會供應一切的資源，使工作能順利完成呢？任何時候當神帶領你做一些「惟獨神能」做成的工作，你便會面臨一個信仰的危機。此刻，你下一步決定怎樣做，會反映出你是否真正信靠神是大能的神。

通常我們教會的預算總支出為七萬四千元。這一年，當我們憑信心制訂預算案時，預算總支出達到十六萬四千元。我們立志天天禱告，求神供應我們的所需。在年終的時候，我們計算一下，總收入為十七萬二千元！神教導了我們教會一個重要的信心功課，這件事也徹底改變了每一個弟兄姊妹的生命。

本週背誦金句　*人非有信，就不能得神的喜悅；*
因為到神面前來的人必須信有神，
且信祂賞賜那尋求祂的人。
——希伯來書11：6

第 1 天

轉捩點

神邀請我與祂同工的時候，我會面臨一個信仰的危機。

這個單元會集中討論，在你跟隨神的心意時，必定會面臨一個信仰的轉捩點。當神邀請你與祂同工的時候，祂會把一項只有祂方能成就的，在人看來異常艱巨的任務交給你。神若袖手旁觀不加援手，你會注定失敗。許多人在面臨這個轉捩點的時候，雖然感覺神在帶領他們，卻放棄了繼續跟從神。因此，他們會奇怪為何自己不能像其他基督徒那樣，經歷神的同在和神的作為。

現在，讓我們先用幾分鐘時間，溫習你所學過的幾項實況，並且看看這幾項實況和本單元的主題（信仰危機）彼此的關係。

溫習

➡ 我們曾經提及神與祂子民同工的七項實況。現在，嘗試利用下面的提示，用你自己的文字寫出第1至第4項實況，然後翻到封底內頁，核對答案。

1. 神作工_____

2. 關係_____

   _____

3. 邀請_____

   _____

4. 說話_____

   _____

現在，試在下面的空格內填上恰當的字句，這句子是與第5項實況相關的。

5. 神邀請你與祂同工，當祂發出邀請的時候，你會面臨一個 _____ 的 _____，需要你以 _____ 和 _____ 來回應。

危機

我的生活就是一個見證，顯出我對神的信心

英文的「危機」（Crisis）一詞是從一個希臘字演變出來的，這個希臘字可以譯「決定」的意思。有時也可以翻譯為「審判」。信仰的危機（掙扎）就是信仰的轉捩點。面臨一個信仰危機的時候，你必須作出一個決定，這個決定會反映出你對神的信心；也會顯示出你是否願意與神同工，參與一件只有神方能成就的大事。你的決定，會涉及你是否開始偏行己路，以致失去神為你所預備的福樂。面臨信仰的危機是基督徒常常會遇到的經歷。因此，你的生活就是一個見證，顯出你對神的信心。

➡ 請再看一次本單元開始時有關我們教會憑信心釐定預算案的那個經歷，在這個經歷中，甚麼時候我們的信仰面臨危機呢？

☐ 1. 當財務部決定改變將來釐定預算案的方法的時候。

☐ 2. 當教會整體要決定明年度有哪些工作是神交給我們的時候。

☐ 3. 當財務部要決定接納經費達十六萬四千元的預算案，或採納預計奉獻總數與支出經費相等的預算案（即七萬四千元）的時候。

上述三個答案，每一個都是對的。在上述每一種情況下，我們都需要作出決定，這個決定會反映我們信神是一位怎樣的神。當我們要決定採用十六萬四千元的預算案，抑或是七萬四千元的預算案時，我們面臨的考驗最大。採用七萬四千元的

預算案並不需要甚麼信心，因爲我們肯定自己可以奉獻這個數目。但是採納十六萬四千元的預算案卻需要對神有信心，因爲我們沒有辦法籌措那麼多經費，除非神親自供應我們的所需。現在，你是否明白甚麼是信仰的危機？我們可以採納七萬四千元的預算案，但是，我們便不能更多認識神和經歷神。在我們的社群中那些未認識神的人，只看到我們這班基督徒所做的事，卻沒有機會看見神和神自己大能的作爲。

爲雅崙鎮的宣教事工購置物業

在教會進行擴建計劃的時候，我們面臨另一次的危機。那時候，我們有一個絕佳的機會，可以買下加拿大薩斯克其萬省雅崙鎮的一幢建築物做福音堂。我們的宣教牧師高士德跟業主接洽時，那業主說：「我花了一萬五千元買下這幢房子，裝修等費用用了七千元，現在我以一萬五千元的售價賣給你。」業主要求我們先付九千美元作爲首期，並且表示可以讓我們有六千元貸款額，年息八釐。

高牧師對他說：「讓我們有兩個禮拜時間先考慮一下，再跟你聯絡。」當時我們這間小型教會正在支援四個宣教工場，我們本身的擴建經費還欠下十萬元。神是清楚呼召我們在雅崙鎮開始宣教的工作，但我們連九分錢也沒有，又何來九千元呢？因此，我們與眾弟兄姊妹商量，問他們說：「你們認爲神期望我們做甚麼呢？」

讓我們切切禱告，祈求神供應我們在宣教事工上的需用

眾弟兄姊妹異口同聲表示：「讓我們切切禱告，祈求神供應我們在宣教事工上的需用吧。」我們開始爲這事禱告，並且決定了在以後兩個禮拜內收到的意外而得的奉獻，都是神爲雅崙鎮的宣教事工的經費而預備的。

一個禮拜之後，我接到從德克薩斯州來的一個電話，來電的弟兄對我說：「有人告訴我們教會，說你們正在推展宣教事工。你可否把計劃簡單說一說？」我就扼要講述了這事工的計劃，對方說：「我們正考慮奉獻五千元給你們的教會，並且在兩年內每月奉獻二百元，支持一位宣教牧師的薪金。你認爲那筆錢可以用在甚麼地方？」

「我們會把這些奉獻用於雅崙鎮的宣教事工的。我們正在爲這件事禱告。」我答道。

第二天，我又接到德克薩斯州另外一位牧師的電話，他說：「有人告訴我們教會關於你們正在推動的宣教事工。我們教會裡有一位姊妹，她的丈夫是一位傳道人，她丈夫去世後，她願意奉獻一千元作爲宣教的經費，你認爲這奉獻可以用在甚麼地方呢？」

我說：「我們正爲在雅崙鎮的宣教經費禱告。」現在，我們有六千元可以用來購買房子，每個月也有二百元支付牧師的薪金。我們繼續禱告，兩個禮拜很快過去了，我們仍欠三千元，高牧師再次聯絡業主，洽商購買房子的事。

高牧師還未開口，這位業主就說：「唔，上次交談以後，我想到有關入息稅的問題，若是你先付六千元做首期樓價費用，另外九千元同樣以年息八釐借給你，對我會較爲有利，你是否同意這樣交易？」

「當然！」高牧師回答他，「這正是我準備向你提出的建議。」我們很快便辦完一切買賣手續。又建立了一間教會。雅崙鎮的教會後來也買了另外一些物業，如今他們自己也開設了兩間教會。

若是我們只注目於銀行存款的數目，我們會否繼續推動宣教的工作？肯定不

當我知道神要藉著我作成一件工作的時候，我便面臨一個信仰的危機。

會！倘若我們只注目於客觀的環境和條件，我們是否會繼續推動宣教事工？當然不會！但是，你對神信靠的程度，決定了你會否有進一步的行動。當你知道神要藉著你作工的時候，你便面臨一個信仰的危機或掙扎。

▶ A. 用你自己的說話，對「信仰危機」下一個定義。

_____

_____

B. 細讀下列幾段經文，然後描述每個聖經人物所面臨的「信仰危機」。

約書亞記6：1-5 _____

_____

士師記6：33；7：1-8 _____

_____

歷代志上14：8-16 _____

_____

馬太福音17：24-27 _____

_____

C. 你自己或你的教會曾否覺得當神要你們做一件大事的時候，你便面臨一次信仰的危機？

曾□　不曾□

若是曾經有過這種經歷，請簡單講述當時的情況，和你自己（或你的教會）如何面對這信仰的危機。

_____

_____

D. 你的回應是否反映了你對神信心的程度？

_____

約書亞和耶利哥的城牆

你會不會吩咐一支軍隊跟隨你圍繞一座城行走，並且告訴士兵說，當你吹角的時候，城牆自會倒塌下來呢？對約書亞和以色列人來說，神吩咐他們這樣行的時候，他們正面臨一次信仰的危機，他們要作出一個決定 —— 是否相信神會照祂所說的去做？雖然以色列人剛剛親眼目睹神使約旦河的河水停止不流，讓他們安然過河。但他們仍需用信心踏上這一步。事實上，每一次神吩咐以色列人做某件事的時候，他們都需要以不同程度的信心作出回應。

基甸和他的三百勇士

基甸在面對他的信仰危機的時候，一定掙扎得相當厲害。米甸人、亞瑪力人和一些東方的部族一同聯合起來要攻擊以色列人。起初基甸挑選了三萬二千人，但神要基甸把三萬一千七百人遣回。神要藉著三百人戰勝聯軍。從神的角度來看，只用三百人戰勝入侵的聯軍，神便會得著當得的榮耀！人人都知道戰勝敵軍，乃是耶和華神的作為！

大衛和非利士人

大衛是神忠心的僕人，他拒絕倚靠人的智慧聰明作為引導，只願尋求神的帶領。神應許大衛會戰勝非利士人。對大衛來說，這是不是他面臨的一個信仰危機呢？當然是！大衛仍然要決定是否信任神的應許。他相信神會照祂所說的話去做。

你有否留意到大衛與神之間的親密關係呢？大衛並不是倚靠神過往對他的帶領，他是天天倚靠神。大衛也沒有運用人的智慧，判定是否要再次攻擊敵人。大衛

是一個很好的榜樣，說明神期望我們倚靠祂，而不是藉著一套方法與祂團契相交。神以前怎樣引導你；並不等於神今天會照樣帶領你；神怎樣引導另一間教會，也不等於神會照樣帶領你的教會。只有神有絕對的主權，可以告訴你下一步怎樣做！

彼得、一條魚和稅銀　　彼得是一個漁夫，但他從未曾在魚的口中尋見銀幣。他需要有極大的信心，照耶穌所說的去捕捉一條魚，又從魚的口中找到繳稅的款項。彼得憑信而行，神就供應他一切的需用。

在我們繼續思想「信仰危機」這個課題之前，讓我們先學習四個重要的原則：

信仰危機

1. 與神相遇的時候，你要以信心回應神。
2. 與神相遇的時候，祂交託給你的工作，只有神自己才能作成。
3. 你對於來自神的啟示（邀請）所作的回應，便反映出你對神信心的程度。
4. 真正的信心必定帶來行動。

➡ 把上表內每項原則裡的鑰詞圈出來。

重溫今天的功課。禱告求神幫你找出一兩句祂期望你明白、學習、或付諸實踐的課文內容或經文，並回答以下問題：

在今天研讀的課文中，哪些字句或經文對你最有意義？

_____

_____

將這些字句或經文改寫為你回應神的祈禱。

_____

_____

神期望你做甚麼來回應今天所學習的？

_____

_____

在下面的橫線上，寫出本週要背誦的聖經金句。另外，請溫習前面各單元所背誦過的金句。

_____

_____

_____

本課撮要

- 神邀請我與祂同工的時候，祂交給我的任務或工作，惟有神自己方能達成。
- 我的生活就是一個見證，顯出我對神的信心。
- 當我知道神想要藉著我做一件工作或事情的時候，我便面臨一次信仰的危機。

第2天　與神相遇要以信心回應

信心就是確信神所應許
的必定成就。

神對你說話的時候，你需要以信心回應祂。我們從聖經的記載中可以看到，當神向人啓示祂自己，祂的計劃和祂做事的方法時，人需要以信心回應祂。

➤ **請讀下面列出的經文，然後回答各問題：**

1. 信是所望之事的實底，是未見之事的確據（來11：1）。**甚麼是「信」？**

   _____

2. 我們行事爲人是憑著信心，不是憑著眼見（林後5：7）。**「信」的相反表現是怎樣的？**

   _____

3. 若有先知擅敢託我的名說我所未曾吩咐他說的話……那先知就必治死。……先知託耶和華的名說話，所說的若不成就，也無效驗，這就是耶和華所未曾吩咐的，是那先知擅自說的……（申18：20，22）。**爲何把你的信心建於神和神自己的話語，而不是建基於你自己或其他人的期望是那麼重要？**

   _____

4. 耶穌說：「我所做的事，信我的人也要做，並且要做比這更大的事，因爲我往父那裡去」（約14：12）。**信心本身有甚麼潛能？**

   _____

芥菜種

5. 我實在告訴你們，你們若有信心像一粒芥菜種，就是對這座山說，你從這邊挪到那邊，並且你們沒有一件不能作的事（太17：20-21）。**你只需要有多少的信心，神就能藉著你做出人看來不可能的事？**

   _____

6. 保羅說：「我說的話講的道，不是用智慧委婉的言語。乃是用聖靈和大能的明證，叫你們的信不在乎人的智慧，只在乎神的大能。」（林前2：4-5）**我們的信心應當以甚麼爲根基？我們的信心，不應以甚麼爲根基？**

   _____

7. 你們若是不信，定然不得立穩（賽7：9）。**缺乏信心會有甚麼危險？**

   _____

信心就是確信神所應許的必定成就。人憑己力可以做成，憑肉眼可以看得到的，就不需要信心。倘若你憑自己可以完成一件事，你根本就不需要信心。你是否記得我們教會釐訂預算案那個例子？倘若我們選擇了我們能力可以應付的預算案，我們就不需要信心。

> **信心就是相信那位呼召我們為祂作工的神，**
> **會供應我們一切的所需，使工作可以完成。**

信心的對像是一位有位格的神

信心並不是思想中的一個意念。信心必須以神 —— 一位有位格的神 —— 為對象。如果你帶領別人去「相信」某件事情發生會是好的，你所處的便是一個危險的位置。信心的對象是神自己，和神應許過要做成的一切。倘若你期望發生的事是出於你自己而不是出於神，你只能憑一己的努力去作成這件事。因此，當你呼籲自己家人和教會要對某件事有信心的時候，你必須肯定自己從神那裡得著祂的話語。

只需要有芥菜種（十分細小）那樣的信心，就沒有不可能的事。耶穌說，跟從祂的人，要作比祂所作的更大的事。但是，我們的信心必須建基於神的大能，而不是人的智慧。缺乏堅固的信心，你會失腳跌倒。

一些惟獨神方能做成的事情

摩西

摩西自己不能救以色列人脫離法老的大軍，他也無法帶領以色列人在乾地上橫過紅海。他不能吩咐磐石流出水來供以色列人飲用，也不能供應麵包和肉食給他

約書亞

們。摩西要相信那位呼召他的神，會照祂所說的話成就一切。約書亞也不能獨自帶領以色列人走在乾地上過約旦河，也不能攻陷一個城又一個城，和打敗敵軍。他不能叫日頭站住不動，是神做成這一切；約書亞惟一能做的是對神有信心。

門徒

在新約的記載中，門徒的情況也是這樣。門徒不能餵飽眾多飢餓的群眾、不能治好有病的人、不能平靜風浪、也不能令死人復活，惟獨神能作成這一切。不過，神曾呼召一些僕人，讓祂可以藉著他們作成這一切。

當神要藉著我去做一件事的時候，我會發現這件事只有神自己方能做成。你對神信心的大小，會影響你怎樣回應祂。你若對那位呼召你的神有信心，你便會服從祂；祂也會成就祂所定的計劃。你若缺乏信心，你便不會照祂的心意去做，這是不服從神的表現。耶穌問祂周圍的人說：「你們為甚麼稱呼我主啊，主啊，卻不遵我的話行呢？」（路6：46）。耶穌常常責備祂的門徒缺乏信心。門徒的不信，正好顯出他們還未真正認識耶穌。因此，他們不知道祂所能做的。

➡️ **回答下列各問題：**

1. 神要藉著摩西去做些甚麼事情，那是惟獨神自己才能做成的？

   _____

   _____

2. 耶穌要藉著門徒去做些甚麼事情，那是惟獨神自己才能做成的？

   _____

   _____

3. 當神邀請一個人跟祂一起做一件事情，那是惟獨神才可以做成的，那麼，這個人必須具備甚麼條件去回應神？

   _____

   _____

4. 這個人若不服從，便表明他是一個怎樣的人？

   _____

5. 這個人若服從，便表明他是一個怎樣的人？

_____

6. 本週背誦的金句（來11：6）是告訴我們信心的重要性。請把這節金句寫在下面：_____

_____

_____

服從是信心的表現

摩西和耶穌的眾門徒都需要有信心。當神呼召一個人來參與一件惟獨神方能做成的事情或工作的時候，這個人必須要有信心。服從是相信神的表現。不服從是不信的表現。人非有信，就不能得神的喜悅；教會對神沒有信心，這個教會也不會得神的喜悅。

問題的癥結 —— 自我中心

當神對我們說話的時候，祂是向我們啟示祂正要藉著我們去做某件事情或工作。

我們面對的危機，同樣是聖經人物曾經遇過的。神對我們說話的時候，我們需要以信心回應神。然而，我們最大的問題，就是我們以自我為中心。我們以為要完成神的工作或任務，就要靠自己的能力和現存的資源。我們想：「我辦不到，那是不可能的。」

耶穌看著他們，說：「在人是不能，在神卻不然，因為神凡事都能。」

—— 馬可福音10：27

我們會忘記當神對人說話的時候，祂是向人啟示祂正準備要做某件事，但不是祂期望我們可為祂去做甚麼。我們跟祂一起，於是祂就能藉著我們去做祂的工作，我們根本毋須靠賴自己有限的能力和資源去完成神的工作。憑著信，我們就能有信心地去服從神，因我們深信神會按著祂所說的成就一切。耶穌曾經表示，在人看為不可能的，在神凡事都能（可10：27），聖經證明了這個說法是真的。

需要信心

高士德和教會的宣教事工

我們在薩斯克頓的教會感覺神要使用我們，把福音傳遍整個薩斯克其萬省。這個省共有二百多個城市、市鎮和村落，因此我們需要設立許多教會。我們覺得神要帶領高士德成為我們教會的宣教牧師，協助在各地建立教會。

高士德和他的妻子路得曾經在一些小型教會工作，有十四年牧會的經驗。高士德是一位委身於基督的人。他帶職事奉主已有十四年之久。若不是高士德願意在那些小型教會中擔任兼職牧師的工作，那些教會根本就沒有人牧養。我們聯絡高士德的時候，他們夫婦二人在銀行裡一共有七千元存款，他們期望將有一天可以為自己的家買一幢房子。高士德也感覺神呼召他到薩斯克頓的教會，幫助我們開設教會。不過我對他說：「我們沒有經費可以支付你的搬遷費和薪金！」

呼召我的神會供應我一切的所需。

他對我說：「呼召我到這裡來的神，會供應我一切的需用，我們會動用銀行的存款，很快就會搬到你們這裡來！」後來，高士德告訴我：「布克比，路得和我整夜禱告，我們談了一晚，你知道，我帶職事奉主已有十四年，我也可以賺到足夠的錢供應家庭的開支。但是，薩斯克其萬省的需要這麼大，我又清楚神要帶領我作一個全時間的福音使者。昨晚，路得和我明白到銀行中的七千元是神的，不是我們的，神期望我們可以動用這筆款項去維持生活，當這筆錢用盡以後，祂會指示我們怎樣生活下去的，所以不要為我的經濟問題擔心！」

高士德離去後，我在神面前流淚哭泣，我禱告說：「父啊，我不明白為何這對忠心的夫婦需要作出這樣的犧牲。」高士德夫婦對神的信心，藉著他們的行動表明出來了。

　　兩天以後，我收到一位英屬哥倫比亞地區長老教會的會友寄來的一封信，信上這樣說：「我知道有一位名為高士德的弟兄會與你同工，神感動我要在經濟上支援他的工作，附上一張七千元的支票，用來支付高士德弟兄的需用。」讀完這封短簡，我只能跪下來，再次在神面前痛哭流淚。這次，我求神赦免我，因為我不相信祂是可信的神。

　　我立即撥電話給高士德，對他說：「你把一生的積蓄放在祭壇上，神卻為你另有預備，那位對你說：『我是供應你一切需用的神』，已經照祂所說的供應了你的所需！」把信上的內容告訴高士德。這件事對高士德和我們的教會產生了甚麼影響？我們對神的信心都增長了。這件事以後，我們一次又一次憑著信心為主作工，我們目睹了神奇妙的作為，倘若我們當初沒有憑著信心請高士德來協助宣教事工，我們便失去一個經歷神的機會。這個經歷，幫助我們學會更多信靠神。

　　當你與神相遇的時候，你會面臨一個信仰的危機，面對這個危機，你必須以信心來回應，如果你對神沒有信心你便不能討神的喜悅。

➤ **請簡單記下你生命中一次因為缺乏信心而沒有對神作出回應的經歷。**

_____

_____

簡單記下你生命中一次以信心回應神的經歷。

（如果你想不起有這樣的經歷，不要胡亂編造一個不真實的故事）

_____

_____

你是否知道神正期望你去做一件事而你卻沒有去做的？

_____

你認為自己拖延不服從的原因是甚麼？

_____

你有否像門徒那樣禱告，說：「求主加增我們的信心」（路17：5）？

有□　沒有□

用幾分鐘時間禱告，為自己對神的信心禱告，也為神期望藉著你的生命要作成的工作禱告。

➤ **重溫今天的功課。禱告求神幫你找出一兩句祂期望你明白、學習、或付諸實踐的課文內容或經文，並回答以下問題：**

在今天研讀的課文中，哪些字句或經文對你最有意義？

_____

_____

將這些字句或經文改寫為你回應神的祈禱。

_____

_____

神期望你做甚麼來回應今天所學習的？

_____

_____

本課撮要

● 神對我說話的時候，我需要以信心回應神。

● 信心就是確信神所應許的必定成就。

● 不憑眼見的信就是信心。

● 信心必須以一位有位格的（神）為對像。

● 當你呼籲自己家人和教會要對某件事有信心的時候，你必須肯定自己已從神那裡得著祂的話語。

● 當神要藉著我作成一件事的時候，我會發現這件事只有神自己才能作成。

● 我對神信心的大小，會影響我怎樣回應祂。

第 3 天

祂交託你的工作，只有神方能做成

神期望全世界的人都認識祂。

神期望全世界的人都認識祂，人能夠認識神的惟一途徑，就是親眼目睹神自己作工。這樣，人便能透過神的作為，認識神的本性。因此，每當神邀請你與祂同工的時候，祂交託你的工作，只有祂自己才能作成。

只有神自己才能成就的工作

我聽過有些人這樣說：「神從來不會要求我做一些我力所不逮的工作。」在我個人信仰的歷程中，我發覺如果神交給我的任務是我可以獨力承擔的，那往往就不是神要交託給我的工作。在聖經裡，我們發現神交託給人的使命（工作），往往是人所承擔不起的。神把人承擔不起的使命（工作）交託給人，是因為祂要向祂的子民和那些觀看祂作為的世人顯明祂自己，祂的能力、祂的供應、和祂的慈愛。惟有這樣，世人才會認識祂。

神交託給人的工作，往往只有神自己才能作成

➤ **憑著記憶，嘗試從聖經中列舉一些事例，說明神（父神或耶穌）交託給人的工作，往往是人所不能獨力承擔的。**

_____

_____

_____

在聖經裡，你可以找到許多這樣的例子。神告訴亞伯拉罕他要成為一國之父的時候，亞伯拉罕並沒有一個孩子，撒拉也過了生育的年歲。神吩咐摩西去領以色列民出埃及、過紅海，並吩咐水從石頭裡流出來，供應百姓的需用。祂吩咐基甸帶領三百人，打敗米甸的大軍。耶穌吩咐門徒餵飽五千人，又囑咐他們去使萬民作祂的門徒。這一切的任務，都是人所不能承擔的。因此，當神的子民和不信的世人，看見神作了惟獨祂才能作成的事情之時，他們便得以認識神。

人認識神的途徑

➡️ 下列幾段聖經，記載了神藉著祂的僕人彰顯了祂自己的作為。當人看見神的作為時，他們如何回應？請在那些描述人的回應的句子下面加上橫線。

摩西與紅海　　神吩咐摩西帶領以色列人在紅海海邊安營。神知道祂將會使海水分開，領他們走過乾地，救他們脫離埃及人的手。神說：「我要在法老和他全軍身上得榮耀，埃及人就知道我是耶和華」（出14：4）。事情的結局是怎樣的？「以色列人看見耶和華向埃及人所行的大事，就敬畏耶和華，又信服祂和祂的僕人摩西。」（出14：31）

約書亞與約旦河　　神命令約書亞在河水漲過兩岸的時候帶領以色列人渡過約旦河。為甚麼神要這樣做？是因為神「要使地上萬民都知道耶和華的手，大有能力，也要使你們（以色列民）永遠敬畏耶和華你們的神。」（書4：24）

約沙法王和以色列民面對入侵的大軍　　有一支大軍來攻擊以色列人，約沙法王定意尋求耶和華，在猶大全地宣告禁食，他禱告說：「我們的神啊……我們無力抵擋這來攻擊我們的大軍，我們也不知道怎樣行，我們的眼目，單單仰望祢。」（代下20：12）

神對他們說：「不要因這大軍恐懼、驚惶，因為勝敗不在乎你們，乃在乎神……你們不要爭戰，要擺陣站著，看耶和華為你們施行拯救」（代下20：15，17）。約沙法就立了歌唱的人，走在軍隊前面，讚美耶和華的慈愛，耶和華就在他們眼前擊殺來攻擊他們的大軍，這時候，「列邦諸國聽見耶和華戰敗以色列的仇敵，就甚懼怕。」（代下20：29）

沙得拉、米煞和亞伯尼歌　　沙得拉，米煞和亞伯尼歌選擇了順從神而不順從尼布甲尼撒王，在他們三人被捆起來扔入火窰之前，他們說：「我們所事奉的神，能將我們從烈火的窰中救出來，祂也必救我們脫離你（王）的手」（但3：17），抬沙得拉、米煞和亞伯尼歌入火窰的士兵都被火燄燒死了，神卻拯救了這三位忠心的人。

尼布甲尼撒王見此奇蹟，說：「沙得拉、米煞、亞伯尼歌的神，是應當稱頌的，祂差遣使者救護倚靠祂的僕人……現在我降旨，無論何方何國何族的人，謗讟沙得拉、米煞、亞伯尼歌之神的，必被凌遲，他的房屋必成糞堆，因為沒有別神能這樣施行拯救」（但3：28-29）。這位異邦的君王又曉諭住在全地各國各族的人說「我樂意將至高的神向我所行的神蹟奇事，宣揚出來，祂的神蹟何其大，祂的奇事何其盛！」（但4：2-3）

初期教會　　初期教會的基督徒是隨從聖靈的引導，使徒行傳所載便見證了神在那個世代中的作為。五旬節的時候，門徒都被聖靈充滿，說起別國的話來。然後彼得站起來宣講，「領受他話的人，就受了浸，那一天門徒約添了三千人。」（徒2：41）

神又使用彼得和約翰，他們奉耶穌的名，治好了一個瘸腿的乞丐。他們二人向人傳講耶穌，「聽道的人，有許多信的，男丁數目，約有五千。」（徒4：4）

神使用彼得，叫多加從死裡復活，「這事傳遍了約帕，就有許多人信了主。」（徒9：42）

➡️ 回答下列各問題：

1. 當世人看見神藉著祂的僕人作工的時候，誰會得著稱讚（是神還是神的僕人）？

_____

2. 那些看見或聽見神的作為的人，他們的生命有何改變？

_____

_____

3. 在你生活的社群中，民眾對耶穌基督的福音有甚麼反應？

_____

_____

世人看不到神和神的作為，原因在於基督徒並沒有嘗試去做一些只有神才能作成的事

如果世人看見神的作為，他們就會被吸引

　　如果生活在我們周圍的人看到的，只是一群熱誠委身的基督徒，在事奉他們所信奉的神；世人看不見神和神的作為，他們只是對他們加以評價：「唔，他們是一群獻身事奉神的人。」他們卻看不到神和神的作為，原因何在呢？原因在於我們作基督徒的，並沒有嘗試去做些只有神才能作成的事。

　　世人不被我們所事奉的基督吸引，原因在於他們看不見神的作為。世人只看見我們為神作許多的善工，他們卻沒有機會看見神大能的作為。倘若世人看見了神的作為，他們就會被神吸引。只要我們肯高舉耶穌基督 —— 不是靠言詞，而是將基督的生命活活潑潑呈現在世人面前 —— 他們就會被基督的生命吸引。讓世人看到永活的基督如何改變一個人，改變家庭或改變一間教會，他們就會對基督的福音作出積極的回應。除了神以外，沒有其他原因可以解釋的事，藉著神的子民發生的時候，世人就會親近那位他們看得見的神。

➡ **回答下列各問題：**

1. 世人如何認識神？

_____

2. 為甚麼世上的人不被基督和祂的教會吸引？

_____

3. 神交託給祂子民的工作，是哪一類型的工作？

_____

4. 神為甚麼要把個人或教會不能承擔，只有神才能作成的工交託給他們？

_____

5. 你正在努力做甚麼事是只有神才能作成的？

_____

_____

6. 你的教會正努力做甚麼事是只有神才能作成的？

_____

_____

_____

選擇題：

7. 下列兩項中，哪一項可以用來形容你在第5及第6題中寫下的答案？

☐ a. 這些事情是神帶領我（我們）去做的。

☐ b. 這些事情極具挑戰性，可以請求神為我們成就。

8. 你正努力做的那些只有神才能做的事，和人的回應，兩者之間有何關連？

☐ a. 我們並沒有做許多只有神才能作成的事，因此只有極少數人對耶穌基督的福音作出回應

☐　b.　我們並沒有做許多只有神才能作成的事，卻有許多人對耶穌基督的福音作出回應

☐　c.　我們看見神在我們的教會中，又藉著我們的教會成就大事，但是，只有極少數人對耶穌基督的福音作出回應

☐　d.　我們看見神在我們的教會中，又藉著我們的教會成就大事。因此，許多人對耶穌基督的福音作出回應

世人透過神的作為而看見祂的本性時，他們便會認識神。當神作工的時候，祂會成就一些惟獨祂才能作成的工。這時候，神的子民和不信的世人便會認識祂更多。因此，神往往把那些只有祂自己才能作成的工作交託給祂的子民。世人不被基督和祂的教會吸引的原因，是由於神的子民缺乏信心，去做那些只有神才能作成的工。倘若你或你的教會從不去作那些只有神才能成就的工作，你們就沒有操練自己的信心。「人非有信，就不能得神的喜悅」（來11：6）。若在你生活的社群中，世人對福音的回應，並不像你在新約聖經中見到的那樣，其中一個可能的原因，就是他們看不見神在教會中的作為。

經歷神會使你充滿喜樂

神期望你可以經歷祂的實在，比起祂期望你為祂作工更為迫切。你可以完成了一項事工，卻始終沒有經歷過神。神關注的，不是這項事工是否已經做得妥善，因為神可以隨時隨刻把一項事工做得妥善。到底神關注的是甚麼事？神關心的，是你和世人都認識祂，並且可以經歷祂的實在。因此，神會把一件只有祂才能成就的工作託付你，當你遵照祂的吩咐去做的時候，神就會按著祂自己的心意成就一切。這樣，你和其他人就會因著經歷到神而充滿喜樂，你們對神的認識亦會比以前加增。

一件只有神才能作成的事

我們在薩斯克頓的教會不斷增長，需要更多的地方供聚會之用。我們感到神帶領我們開始一項擴建的工程；擴建經費需要二十二萬元。但是，我們的擴建基金中只有七百四十九元。

我們盡了一切的力量節省開支。但是，擴建工程完成了一半的時候，我們尚欠十萬元，教會中那些親愛的弟兄姊妹留意著我的反應；看看我是否仍然相信神會照祂吩咐我們去作的，為我們成就一切。在這段時期，神使我內心平靜安穩，深信那位帶領我們的神，會啟示我們當怎樣行。

神逐漸供應擴建所需的經費，工程快要完成時，我們尚欠六萬元。德克薩斯基金會曾應允奉獻一筆款項，我們期望可以早日收到這筆款項。但我們一直收不到，也不明白個中的原因。有一天，加元與美元的兌換價在兩個小時內跌至歷史的最低點，就在這時候，德克薩斯基金會把款項匯來加拿大，我們終於得到足夠的六萬元，支付工程的費用。其後，兌換價又立刻回升。

我把主為我們作成的事，清楚展露在眾人的眼前

天父是否掌管著這世界的經濟活動，讓祂的兒女得到及時的供應？這個世界上沒有人會相信，神會為著一間地方教會，改變加元與美元的兌換價，但是我們教會中每一個人都相信神這樣做了！我把主為我們作成的事，清楚展露在眾人的眼前，並且把一切的榮耀都歸給祂。神向我們啟示祂自己，我們也藉著這個經歷，認識祂更多。

➡ **重溫今天的功課。**禱告求神幫你找出一兩句祂期望你明白、學習、或付諸實踐的課文內容或經文，並回答以下問題：

在今天研讀的課文中，哪些字句或經文對你最有意義？

_____

_____

將這些字句或經文改寫為你回應神的祈禱。

_____

_____

神期望你做甚麼來回應今天所學習的？

_____

_____

本課撮要

● 神交託給人的工作，只有神自己才能作成。

● 當神的子民及不信的世人看見神作成那些只有祂才能作成的事，他們便會認識神。

● 讓世人看到永活的基督如何改變一個人、改變一個家庭或一間教會，他們就會對基督的福音作出積極的回應。

第 4 天　你的生活行爲表明了你的信仰

你的生活行爲，表明了你對神的認識和信靠的程度。

神對一個人說話，向他啓示祂的計劃和旨意的時候，這個人便面臨一次信仰的危機。

➡ **填充題：**

1. 與神相遇的時候，你要以 _____ 回應神。

2. 與神相遇的時候，祂交託給你的工作，只有 _____ 才能作成。

3. 你對於來自神的啓示（邀請）作出的回應，反映出你對神 _____ 的程度。

4. 眞實的信心需要有實際的 _____ 表明出來。

在第3，4兩句中，把每句的鑰詞圈出來，幫助自己記得這兩個重點

> **你的生活行爲如何，取決於你信神是一位怎樣的神。**

你的生活行爲表明了你對神的認識和信靠的程度。當神向你啓示祂自己的計劃的時候，你便面臨一次危機，要作出一些決定；從你的決定和隨後而有的行動，可以看出你對神的信心。

大衛表現出他對神的信心

➡ **在下面這段文字中，根據大衛所説的話，在他相信神是一位怎樣的神的詞句下面加上橫線。（我已把其中一個詞句加上了橫線）**

大衛

　　在撒母耳記上16：12-13，記載了神揀選大衛，又命撒母耳膏立他爲以色列王。在撒母耳記上17章，神帶領大衛參與祂的工作。那時候，掃羅仍然作王，以色列人正與非利士人爭戰，大衛年紀尚幼，他父親差他往軍營去探望他的哥哥；大衛到達軍營的時候，歌利亞（一位身高九呎的士兵）正向以色列人挑戰，叫他們揀選一個人出來應戰，戰敗的一方便作勝方的僕人，服事他們。以色列全軍都驚恐萬分，大衛卻説：「這未受割禮的非利士人是誰呢？竟敢向<u>永生神</u>的軍隊罵陣麼？」（26節）大衛正面臨一個信仰的危機；他已體會到神把他帶到戰場上，並且預備讓他承擔重任。

　　大衛表示他會迎戰歌利亞，他説：「耶和華救我脱離獅子和熊的爪，也必救我脱離這非利士人的手。」（37節）出迎歌利亞的時候，大衛並沒有穿上戰衣，也沒有戴上盔甲，只是帶了幾塊石子和甩石的機弦，他對歌利亞説：「你來攻擊我，是靠著刀槍和銅戟。我來攻擊你，是靠著萬軍之耶和華的名，就是你所怒罵帶領以色列軍隊的神。今日耶和華必將你交在我手裡……使普天下的人都知道以色列中有神，又使這眾人知道耶和華使人得勝，不是用刀用槍；因爲爭戰的勝敗全在乎耶和華。他必將你們交在我們手裡。」（45-47節)。大衛終於殺了歌利亞，以色列人大獲全勝。

➡ **大衛表示他相信神是一位怎樣的神？**

_____

_____

根據大衛回應歌利亞的説話，你認爲大衛相信神是一位怎樣的神？

_____

_____

_____

大衛的行動，表明了他對神的認識和信靠

　　大衛所講的説話，表明了他相信神是永生神，是拯救者。他指出神是大能的神，祂必保護以色列人的軍隊。大衛的行動，印證了他對神的信心是眞實的信心。許多人認爲大衛只是一個愚拙的少年，甚至歌利亞也譏諷他。但是，神藉著大衛，拯救了以色列，使他們大大得勝，使普天下的人都知道以色列中有神！

撒萊缺乏信心

撒萊

　　神呼召亞伯蘭，並且應許他的後裔要如天上的星那樣多。可惜，亞伯蘭年紀老邁的時候，膝下猶虛。亞伯蘭便求問神，神再次肯定答覆他説：「你本身所生的，才成爲你的後嗣……亞伯蘭信耶和華，耶和華就以此爲他的義。」（創15：4,6）

　　這時候，亞伯蘭的妻子撒萊年約七十多歲，她知道自己已過了生育的年齡；因此，她決定自己想辦法，爲亞伯蘭存留後嗣。她把自己的婢女給亞伯蘭爲妾。一年後，夏甲生以實瑪利，撒萊的行徑，表明了她對神的認識和信靠的程度。

➡ **下列哪一項説明，將撒萊對神的認識和信靠的程度描述得較貼切？**

☐　a.　撒萊相信神是大能的神，祂能成就任何事情，包括在她已七十多歲的時候，仍會賜她一個孩子。

因不信神而付出的代價是非常大的。

☐　b.　撒萊認爲神不可能在她七十多歲的時候仍會賜她一個孩子；她認爲神需要她想辦法爲亞伯蘭存留後嗣。

你是否看到撒萊的行徑，表明了她對神的認識和信靠的程度？她並不相信神會在她七十多歲的時候，賜她一個兒子。撒萊對神的信心，是受著她個人理性邏輯思考的限制。撒萊因不信神而付出了沈重的代價。在她和亞伯蘭年老的時候，以實瑪利常常傷透了他們的心。以實瑪利和他的子孫對以撒和以撒的子孫非常敵視。這種景況一直延到今天。你對神的邀請作出怎樣的回應，就顯示出你對神的認識和信靠的程度。

➡ **請讀一遍下面列出的個案，對下列各人和各教會的回應作出評估，看看他們對神認識和信靠的程度。**

1.　**比利和嘉芙**剛剛參加完一個聚會，聽到一位宣教士的見證分享。他們相信神期望他們去非洲作宣教士。由於嘉芙對比利提及她的雙親不會容許他們帶同孩子遠離家園，因此，他們決定不再思想是否要往非洲宣教。你認爲比利和嘉芙所信的神，是一位怎樣的神？

　　☐　a.　神是有絕對主權的神，祂可以隨意使用他們的生命。

　　☐　b.　神會說服嘉芙的雙親，使他們明白這是祂的旨意和計劃。

　　☐　c.　神曾經使法老讓以色列人離開埃及，但是祂絕不能說服嘉芙的雙親准許他們帶同孩子去非洲

　　☐　d.　其他＿＿＿＿＿＿＿＿＿＿＿＿＿＿＿＿＿＿＿＿＿

2.　**莉芳妮**曾暗暗禱告，祈求神帶領她在教會中參與事奉。主日學校的校長也曾爲需要一位成人級的主日學老師禱告，他相信神帶領他邀請莉芳妮擔任這個職位。莉芳妮說：「我不能接受，我沒有能力教成人級主日學，而且我也從未教過主日學。」你認爲莉芳妮所信的神，是一位怎樣的神？

　　☐　a.　聖靈會幫助我，使我能作任何祂呼召我去做的事。

　　☐　b.　神不能藉著我去做那些我不能獨力承擔的工作。

　　☐　c.　其他＿＿＿＿＿＿＿＿＿＿＿＿＿＿＿＿＿＿＿＿＿

3.　有一組成年基督徒聚在一起已有六個月時間，他們祈求神會在他們居住的市鎮中設立一間教會，因爲那裡並沒有任何福音派的教會。他們禱告的時候，眾人感覺神要他們去接觸**加略山教會**，請求這教會的弟兄姊妹幫助他們成立一間教會，加略山教會的會眾說：「我們仍未付清購置堂所的欠款，所以我們沒有能力支援另一間教會，你們可以試試聯絡第一教會吧。」你認爲加略山教會所信的神，是一位怎樣的神？

　　☐　a.　神藉著加略山教會作工所需的資源，只限於由教會弟兄姊妹的奉獻而來。

　　☐　b.　神掌管宇宙萬有，祂會供應一切的資源，去完成祂計劃要作成的工作。

　　☐　c.　其他＿＿＿＿＿＿＿＿＿＿＿＿＿＿＿＿＿＿＿＿＿

4.　**第一教會**財務小組的成員在與教會領袖商討明年預算案前，用了一個月的時間一同禱告。他們也請求教會領袖爲明年的預算案禱告。禱告以後，財務小組訂出的預算案，極具挑戰性；因爲這個預算案，是根據他們相信神

期望教會明年要完成的工作來釐定的。教會全會眾存著禱告的心，考慮是否接納這個預算案；最後，全會眾一致投票，通過財務小組呈交的預算案。這時候，一班執事提出另一個比原先所訂的支出預算少百分之十的預算案，教會因而要求財務小組削減百分之十的預算經費，以免支出多過收入。你認為第一教會他們所信的神是一位怎樣的神？

☐　a.　神是信實的神，在祂帶領教會去作的事情上，祂會供應一切的需用。

☐　b.　神是吝嗇的神，祂引領我們去做許多的事情，卻不供應要作成這些事需用的經費。

☐　c.　神不能作教會承擔不起的工作。

☐　d.　其他 _____

　　比利、嘉芙、莉芳妮、加略山教會和第一教會可能還有許多其他的選擇，上面列舉的可能性，不一定反映了他們對神的信靠；但有一件事可以肯定的，就是他們的行動，表明了他們信心的程度。

　　當比利和嘉芙在面臨一個信仰危機的時候，他們的決定，表明了他們將焦點放在嘉芙父母的身上，而忽略了神是他們的主。莉芳妮關注的問題，是自己有沒有能力承擔成人級主日學的職分，而忽略了神是大能的神。加略山教會和第一教會想到的，是他們有沒有足夠的資源，而忘記了神會供應一切的需用。

行動表明了一個人的信仰

　　當神邀請你與祂同工，你便面臨一個信仰的危機；你隨後會採取甚麼行動，就表明了你對神信心的程度。你的行動比你的言語，更能說明你的信仰。

➡ **請讀下列幾段經文，然後回答各問題**

馬太福音8：5-13，百夫長做了甚麼事來表明他的信心？

_____

你認為百夫長對耶穌的權柄和醫治的能力是否有信心？他信心的程度有多少？

_____

馬太福音8：23-27，在風暴中，門徒做了甚麼事，表明他們的「小信」？

_____

馬太福音9：20-22，婦人做了甚麼事來表明她的信心？

_____

你認為婦人對耶穌治病的能力是否有信心？她信心的程度如何？

_____

馬太福音9：27-31，那兩個瞎子如何呼求耶穌治好他們？（第27節）

_____

基於甚麼原因，耶穌治好了他們？（第29節）

_____

用你自己的說話，完成下面第三句句子。

1.　與神相遇的時候，你要以信心回應神。

2.　與神相遇的時候，祂交託給你的工作，往往只有神自己才能作成。

3. 我對於來自神的啓示（邀請）作出的回應，_____。

4. 真正的信心必定會帶來行動。

當那兩個瞎子表明他們相信耶穌是憐憫人的，是彌賽亞（大衛的子孫）的時候，耶穌便因著他們的信心，治好了他們的病。婦人相信只要摸一摸耶穌的衣裳，祂醫治的能力就會臨到她身上。當我們在人生的旅途上遇到風暴的時候，我們的反應，就像門徒一樣，以爲神不會理會我們。耶穌責備門徒，祂並不是責備他們在暴風中感到懼怕，因爲懼怕是人本性的傾向；耶穌責備他們，是因爲他們忽略了主與他們同在，祂有能力保護他們的生命。百夫長說：「只要祢說一句話，我的僕人就必好了」。耶穌誇讚百夫長對祂的權柄和能力有信心。這些人的行動，分別表明了他們對耶穌信心的程度。

➤ **重溫今天的功課。禱告求神幫你找出一兩句祂期望你明白、學習、或付諸實踐的課文內容或經文，並回答以下問題：**

在今天研讀的課文中，哪些字句或經文對你最有意義？

_____

_____

將這些字句或經文改寫爲你回應神的祈禱。

_____

_____

神期望你做甚麼來回應今天所學習的？

_____

_____

高聲背誦你背誦過的金句，或把它們寫在另一張紙上。

本課撮要

- 你的生活行爲，表明了你對神的認識和信靠的程度。
- 你的生活行爲如何，取決於你信神是一位怎樣的神。

第5天 | 真正的信心必定會帶來行動

沒有行動的信心是死的！

雅各書2：26說：「身體沒有靈魂是死的，信心沒有行爲也是死的。」當你面對一個信仰危機的時候，你所作的，就表明了你信神是一位怎樣的神。信心沒有行爲是死的。

➤ **現在讓我們先溫習一下在這個單元裡我們學過的功課。**

1. 與神相遇的時候要以 _____ 回應神。

2. 與神相遇的時候，祂交託給你的工作，只有 _____ 才能作成。

3. 我對於來自神的 _____（邀請）作出的回應，反映出我對神 _____ 的程

度。

4. 真正的信心必定帶來 _____。

希伯來書第11章有時被稱爲「信心的點名冊」。現在讓我們看一看那些冊上有名的人士顯示信心所採取的行動。

➡ **請翻閱希伯來書第11章，下面左欄一系列的名字，是記載在希伯來書第11章的信心偉人。右欄列出的，是希伯來書中論到信心偉人所採取的行動，請根據聖經，把正確的英文字母填在空格內，有些人物可能有多過一個答案。**

___	1. 亞伯（第4節）	A.	寧可和神的百姓同受苦害
___	2. 以諾（第5-6節）	B.	因著信獻祭與神
___	3. 挪亞（第7節）	C.	離開埃及
___	4. 亞伯拉罕（第8-19節）	D.	在異地居住帳棚
___	5. 約瑟（第22節）	E.	圍繞耶利哥城行走
___	6. 摩西（第24-28節）	F.	竭力尋求神，討祂的喜悅
___	7. 以色列人（第29-30節）	G.	爲自己的骸骨留下遺命
___	8. 喇合（第31節）	H.	跟從神，雖然不知道要往那裡去
		I.	守逾越節
		J.	過紅海如走乾地
		K.	接待探子，把他們藏匿起來
		L.	以那位應許他的是可信的
		M.	預備方舟使全家得救
		N.	把以撒獻爲燔祭

在上面右欄內，把一個表明信心行動的動詞圈出來，根據希伯來書第11章，回答下面的是非題：

真實的信心是由行動表明出來的。 是☐ 非☐

答案：1-B；2-F；3-M；4-DHLN；5-G；6-ACI；7-EJ；8-K。

當你細讀希伯來書第11章的時候，也許你會留意到一個有信心的生命，不一定帶來人看爲美好的結局。

信心生活的結局

➡ **請讀希伯來書11：32-38。根據你自己的看法，把那些有信心的人的「好」結局和「壞」結局分別列在左欄和右欄，我已爲你列出了兩個作爲例子。**

「好」結局	「壞」結局
制服了敵國	*被石頭打死*

第33至35節上半節，描述了一些信心人物得勝和蒙拯救的經歷。第35節下半節至38節，描述了另外一些信心人物所經歷的 —— 嚴刑、戲弄和死亡。是否他們當中有些人比另一些人更有信心呢？不！「這些人都是因信得了美好的證據」（來11：39）。他們認爲得著主人的稱讚比自己的生命更爲寶貴，第40節說神爲這些有信心

之人預備了更美的東西，是這個世界上找不到的，因此：

> 我們既有這許多的見證人，如同雲彩圍著我們，就當放下各樣的重擔，脫去容易纏累我們的罪，存心忍耐，奔那擺在我們前頭的路程，仰望為我們信心創始成終的耶穌。祂因那擺在前面的喜樂，就輕看羞辱，忍受了十字架的苦難，便坐在神寶座的右邊。那忍受罪人這樣頂撞的，你們要思想，免得疲倦灰心。（來12：1-3）

許多時候，外表的成功並不一定表示有信心；照樣，外表的失敗也不一定表示缺乏信心。一個忠心的僕人，不管後果如何，會遵照他主人的吩咐去做。耶穌遵行了神的旨意，祂忍受了十字架的苦難，如今祂就坐在父神寶座的右邊！何等大的信心賞賜！所以，切勿疲倦灰心，因為神要厚厚賞賜祂忠心的僕人。

➤ **請寫下本單元要背誦的金句。**

_____

_____

我祈求神使你竭力尋求祂，討祂的喜悅（來11：6）。在下一個單元，我們會深入討論遵行神的旨意要付出的代價，遵行神的旨意是要作出一些調整。有時候，因作出調整而要付出的代價是相當高的；要付出這些代價的人不單是你自己，也包括你周圍的人。

進一步　➤ **用一段時間重溫單元一至七每天課文的結束前你要回答的三個問題。神有沒有引導你去做一件事，你卻因為缺乏信心而沒有遵照神的吩咐去做呢？**

有□　沒有□

若有這樣的情況，你認為自己應當怎樣做，才能表明你對神自己，祂的計劃和祂行事的方式是有真實的信心？

_____

_____

用一段時間禱告，求神增添你的信心。

➤ **重溫今天的功課。禱告求神幫你找出一兩句祂期望你明白、學習、或付諸實踐的課文內容或經文，並回答以下問題：**

在今天研讀的課文中，哪些字句或經文對你最有意義？

_____

_____

將這些字句或經文改寫為你回應神的祈禱。

_____

_____

神期望你做甚麼來回應今天所學習的？

_____

_____

溫習本週要背誦的聖經金句，預備在小組聚會中向另一位組員背誦。

本課撮要

- 沒有行動的信心是死的。
- 眞正的信心必定會帶來行動。
- 神爲有信心的人預備了更美的事。
- 切勿疲倦灰心，因爲神要賞賜祂忠心的僕人。

單元八

調整生命去適應神

年輕夫婦的奉獻

在四十哩外我們教會的其中一個福音站出現一項需要。我就請我們教會的人一起來禱告，求神興起帶職傳道人（lay pastor），到該區牧會。結果有一對年輕夫婦回應。但當時那位丈夫還在大學進修，所以經濟力量仍很薄弱。

若是他們留在福音站這一區內居住，丈夫便要每天奔走八十哩路，往返於大學和居所之間。我知道他們不可能辦得到，於是對他們說：「我不會讓你們這樣的。」我仔細解釋每一原因，認爲這種安排會對他們不公道。

這對年輕夫婦因深深感謝神拯救了他們，那丈夫就注視著我說：「牧師，請不要拒絕我們爲主奉獻的機會。」這句話就令我無話可說。我憑甚麼去拒絕他們呢？然而，我知道這對夫婦將要付出高昂的代價，都因爲我們教會服從了神，要開設新的福音堂。

既然我們已禱告求神呼召一位帶職傳道人給我們，我就必須開放自己去接受神以出人意表的方式來回應我們的祈禱。當這對夫婦以這麼深刻的委身和個人奉獻來作回應，基督的身子（我們教會）認定他們蒙召的感覺是出於神；而神也供應他們一切的所需！

本 週 背 誦 金 句

你們無論甚麼人，若不撇下一切所有的，就不能作我的門徒。

—— 路加福音14：33

第1天

必須作出調整

你不能一方面停留於現況，而另一方面又與神同行。

我們當中許多人都常常希望神對我們說話，又將任務交給我們；但我們卻又無心將自己的生活作出重大的改變調整。從聖經的教導看來，這是不可能的。每次神在聖經中向祂的子民說出祂想要透過他們做一些事情的時候，都免不了要他們有一些重大的調整。他們必須將他們的生命調校去適應神。當他們調校好了，神就會透過這些蒙祂呼召的人去成就祂的旨意。

第二個重要的轉捩點

1. 信心危機或難關
2. 重大的調整

在認識神和遵行神的旨意方面，第二個重要的轉捩點就是將你自己的生命調校去適應神。第一個轉捩點是信心的危機 —— 你必須相信，神是一位正如祂自己所描述的，並且會履行祂自己所講過一切說話的神。假如你對神缺乏信心，你便會在第一個轉捩點的地方作出錯誤的決定。將生命調整去適應神是第二個轉捩點。如果你選擇調整自己，你便能夠繼續走在對神服從的路上。你若拒絕作出調整，便可能會錯失祂為你的生命所預備的。

➡ **如果你在信心危機中仍對神有信心，你還需要做些甚麼將這份信心表明出來呢？請填寫以下空格。**

（第五項實況）神邀請你參與祂的工作時，祂往往會引領你去到信心的危機或難關，這是要你以信心和 _____ 的態度去面對。

當你相信了神，你就會在**行為**上將你的信心表現出來。那便需要有一些實質的行動。這項行動就是將會在本單元內詳細討論的其中一項重大調整。服從是實質行動的一部分。你所作的調整和服從，將會令你和你身邊的人要付出重大的代價。

> 信心 ⟶ 行動
> 行動 ＝ 調整 ＋ 服從

➡ **試用你自己的說話，將你對上面方格內容的體會作簡要陳述。**

_____

_____

_____

_____

調整自我去適應神

神對你發出的啟示就是祂對你的邀請，要你將生命作出調整來適應祂。

當神向你說話，把祂想要做的事情向你啟示，這便表示祂邀請你將生命作出調整來適應祂。當你將你的生命作出了調整，去適應祂、祂的旨意和祂的法則，這時你就是準備去服從祂。調整是使你做到服從的預備工夫。你不能一方面繼續照慣常的去生活或是繼續留在現況中，而同時又與神同行。整本聖經都說出這道理。

• **挪亞**不能繼續過慣常的生活，又同時建造方舟。（創6章）

- **亞伯蘭**不能留居吾珥或哈蘭，而又在迦南地成為一個民族之父。（創12：1-8）
- **摩西**不能躲在沙漠的另一邊牧養羊群，同時又站在法老面前。（出3章）
- **大衛**必須離開他的羊群，才成為國王。（撒上16：1-13）
- **阿摩司**必須離開他的桑樹，才向以色列民說預言。（摩7：14-15）
- **約拿**必須離開家鄉和放下極大的成見，才可以在尼尼微城傳講信息。（拿1：12；3：1-2；4：1-11）
- **彼得、安得烈、雅各和約翰**必須捨棄捕魚的事業，才去跟從耶穌。（太4：18-22）
- **馬太**必須離開他的稅關，才去跟從耶穌。（太9：9）
- **掃羅**（後來稱保羅）必須徹底改變生命的方向，才可為神使用，向外邦人傳講福音。（徒9：1-19）

必須作出許多的改變和調整！有些人必須離開家庭和祖國，有些人則必須撇下固有的成見和喜好，有些更要放棄自己的生活目標、理想和願望，一切都為神放下，並將整個生命調校對準祂。當所需的調整都做好了，神就會藉著這些人去成就祂的旨意。無論如何，每個人最終都會曉得，調整生命去適應神所付代價是值得的。

➤ 本單元的背誦金句指明，要成為耶穌的門徒，就必須作出重大的調整，試將經文寫下來：

_____

_____

此刻你是否願意撇下「一切」，來跟從祂？　是□　　否□

前一單元你已經學習過神藉著祂的子民作工的第五項實況。這一單元我們將連同第六項實況一起研習。請完成以下填充，作為溫故知新。

5. 神邀請你參與祂的工作時，往往會引領你去到 _____，這是要你以 _____ 和_____ 來面對。

6. 當你要參與神的工作，你就必須在你的生命中作出重大的 _____。

甚至耶穌也要作出重大的調整。

你或者以為：「也許，神不會要求**我**作出重大的調整吧。」如果你從聖經去了解神，你就會看到神是絕對要求祂的子民有所調整，祂甚至要求祂自己的愛子作出同樣重大的調整：「你們知道我們主耶穌基督的恩典：祂本來富足，卻為你們成了貧窮，叫你們因祂的貧窮，可以成為富足」（林後8：9）。耶穌捨棄了祂在天上的身分地位以及富貴榮華，來參與天父的工作，藉著祂在十架上的死亡，為我們帶來救贖──這是何等大的調整！

跟隨神的最大困難，就在於作出調整。

你若要成為耶穌的門徒或跟隨者，那就沒有其他的選擇。你必須在你的生命中作出重大的調整來跟隨神。跟隨主耶穌的條件，就是要調整你的生命。除非你肯為了跟隨神和遵行祂的話而作出了所需的調校；否則對神來說你仍是一無用處。我們跟隨神的最大困難可能就在於作出調整。

天怎樣高過地，照樣，我的道路高過你們的道路；我的意念高過你們的意念。

──以賽亞書55：9

我們的傾向都期望越過調整這一步，直接由相信神進到服從神的階段。可是，如果你想跟隨祂，你便沒有這種選擇。祂的道路跟你的道路是這麼截然不同（賽55：9），於是跟隨祂的惟一途徑便是要將你的生命調整，來適應祂的道路（或做法）。

➡ 以利沙和一個年輕有錢的官同受神的邀請。請閱讀以下兩段經文，並解答下面的問題。

以利沙 —— 列王紀上19：15-21　　　年輕有錢的官 —— 路加福音18：18-27

1. 神要求這兩個人各自作出甚麼調整？

   以利沙：＿＿＿＿＿＿＿＿＿＿＿＿＿＿＿＿＿＿＿＿＿＿＿＿＿＿

   年輕有錢的官：＿＿＿＿＿＿＿＿＿＿＿＿＿＿＿＿＿＿＿＿＿＿

2. 他們各自有甚麼反應？

   以利沙：＿＿＿＿＿＿＿＿＿＿＿＿＿＿＿＿＿＿＿＿＿＿＿＿＿＿

   年輕有錢的官：＿＿＿＿＿＿＿＿＿＿＿＿＿＿＿＿＿＿＿＿＿＿

年輕有錢的官

　　這名有錢的官渴望得到永生，但又不願意為耶穌作出所需的調整。他看金錢與財富更為重要。耶穌很明白他，耶穌知道這個人不可能一方面完全愛神，另一方面又愛他的錢財（太6：24）。耶穌要他放棄這些已成為他的神的東西 —— 就是他的財富。這年輕的官拒絕作出這所需的調整，於是他也失去經歷永生的機會。

➡ **根據約翰福音17：3所說，甚麼是「永生」？**

＿＿＿＿＿＿＿＿＿＿＿＿＿＿＿＿＿＿＿＿＿＿＿＿＿＿＿＿＿＿＿＿

＿＿＿＿＿＿＿＿＿＿＿＿＿＿＿＿＿＿＿＿＿＿＿＿＿＿＿＿＿＿＿＿

> 認識祢獨一的真神，並且認識祢所差來的耶穌基督，這就是永生。
>
> —— 約翰福音17：3

　　那年輕有錢的官既然貪愛錢財，他的貪財就使他成為一個拜偶像的人（弗5：5）。他無法去認識真神、認識神差來的耶穌基督。他希望得到永生，但卻拒絕為真神將生命作出所需的調整。

以利沙

　　以利沙的反應則迥然不同。他為了依從神的呼召，便離開了家人，放棄了原本的職業（農耕）。你一定聽過「破釜沈舟」這成語，而以利沙也燒毀他的農具，宰了牛，他把牛肉煮熟，分給鄰舍吃，他並不打算走回頭路！當他作出了所需的調整，他便處於一個服從神的地位。結果，神就藉著以利沙施行了舊約所載的一些最大的神蹟（列王紀下2-13章）。以利沙蒙召的第一步，就是調整自己。當他作出調整之後，神就能藉著他作工，行出祂的神蹟。

> 沒有人能計算得到，神藉著一個完全為神、完全降服、經過調整、和服從於神的生命，所能成就的一切！

➡ **你是否願意做一個對神完全降服、將生命調整、和服從神的人呢？**

願意□　　　　不願意□

當你決意要認識並遵行神的旨意時，以下的反應會依甚麼次序出現？請將它們的正確次序寫下號數來表示。（如有需要，可參閱課本封底內頁的七項實況。）

＿＿＿ 服從

＿＿＿ 調整

＿＿＿ 信心

　　每逢神邀請你來與祂同工，通常那工作都會艱巨到只有神才能應付，因而你會面對信心的危機。這時你首先需要信心。但信心是要用行動表明的；第一項行動是將你的生命調整去適應神，第二項行動是服從神對你的吩咐。你不可能服從神而沒

有首先作出調整。因此，正確的次序是：信心 ── 調整 ── 服從。

➡ **重溫今天的功課。**禱告求神幫你找出一兩句祂期望你明白、學習、或付諸實踐
的課文內容或經文，並回答以下問題：

在今天研讀的課文中，哪些字句或經文對你最有意義？

_____

_____

將這些字句或經文改寫為你回應神的祈禱。

_____

_____

神期望你做甚麼來回應今天所學習的？

_____

_____

默寫本單元所背誦的金句，並溫習其他的經文。

_____

_____

本課撮要

- 如果神向我說話，把祂想要做的事情向我啟示，這便表示祂邀請我將生命
  為祂作出調整。
- 調整是我實行服從所做的預備工夫。
- 我不能一方面停留於現況，另一方面又與神同行。
- 我跟隨神的最大困難，可能就在於要作出一些生命的調整。
- 沒有人能計算得到，神藉著一個完全為祂、完全降服、肯作出調整和服從
  的生命，所能成就的一切！

第2天　　各種調整

**神喜悅我們完全的降
服。**

哪一種的調整是必需的呢？要回答這問題，就好比要做一個表，列出一切神會
吩咐你去做的事情；而這表可能是沒有結尾的。不過，我可以舉出好些例子，幫助
你將所需的調整大略分成若干類別。

調整

你可能需要作以下一至兩方面的調整：

- **環境：**例如工作、家居環境、財政狀況、以及其他事情。
- **人際關係：**家人、朋友、業務伙伴、以及其他人。
- **思想模式：**成見、思想方法、你的潛能、以及其他事情。
- **責任承擔：**對家人、教會、工作、計劃、傳統、以及其他方面的承擔。
- **行動：**你如何禱告、付出、事奉、服務及其他。

- **信念：**關於神、祂的旨意、祂的法則或做法、你和祂的關係、以及其他方面的信念。

　　這表可以列出的事情數之不盡。能否作出重大調整就在乎你採取的行動是否出於信心。當你面對信心危機的時候，你便要決定自己對神相信些甚麼。作頭腦上的決定可能很容易，但要你調整生命去適應神，將信心**實踐**出來，那就相當困難了。如今你可能是蒙召嘗試去做一些只有**神**才可以做的事情，而以前你可能嘗試去做的都是那些你以爲**自己**承擔得起的工作。

➡️ **閱讀以下經文，每段經文都說出作某種調整所需的條件。請將左方的經文和右方的調整項目互相配對，有些經文可能指多過一種調整的條件，把各相配項目的字母填在橫線上。**

經文		調整
＿＿ 1.	馬太福音4：18-22	A. 環境
＿＿ 2.	馬太福音5：43-48	B. 人際關係
＿＿ 3.	馬太福音6：5-8	C. 思想模式
＿＿ 4.	馬太福音20：20-28	D. 責任承擔
＿＿ 5.	使徒行傳10：1-20	E. 行爲
		F. 信念

　　有時一種調整可能同時包括幾方面的。比方說，彼得與哥尼流的經歷，很可能是要彼得在好幾方面作出調整：與外邦人的關係、潔淨與不潔的觀念、對猶太傳統的信奉、以及與外邦人交往的行爲模式。不管怎樣，爲所需的調整定出名稱倒不重要，最要緊的，卻是認清神要你爲了祂、爲了祂的旨意、或是爲了祂的法則或做法作出甚麼改變。在以上五段經文裡，我起碼看到的調整是：1-A；2-B或C；3-E；4-B、C或E；5-C或F，如果你還看到其他方面的調整，那是絕對沒有問題的。

➡️ **請列出最少四方面神可能要求你作出生命的調整去適應祂的，我已爲你列出其中一項。**

1. <u>信念　　　　　　　　　　　　　　　　　　　　　　　　　</u>
2. ＿＿＿＿＿＿＿＿＿＿＿＿＿＿＿＿＿＿＿＿＿＿＿＿＿＿＿＿＿＿＿
3. ＿＿＿＿＿＿＿＿＿＿＿＿＿＿＿＿＿＿＿＿＿＿＿＿＿＿＿＿＿＿＿
4. ＿＿＿＿＿＿＿＿＿＿＿＿＿＿＿＿＿＿＿＿＿＿＿＿＿＿＿＿＿＿＿

試爲每一方面的調整列出一個例子。例如，在環境方面，神可能要你離開家鄉或是轉職。

絕對降服

神喜悦我們絕對降服。

　　神常常會在你從來沒有考慮過或接觸過的問題上要你作出調整。你或許聽過人常常這樣說：「不要向神說出有些你**不願意**作的事情，那些可能正是祂要你作的。」祂並非要設法使你「痛苦難安」；其實，祂不過想要作你生命的主。如果有哪些地方你拒絕由祂作主，祂才會在那些地方動工。祂喜悦我們絕對降服。祂不一定要你做一切你認同的事情，但祂卻會不斷作工，直至你願意在每件事上都將主權交給祂。請記住，因爲神愛你，祂爲你所定的旨意都是最好的！神期望你作的每一樣調整，都是爲了你的好處。在你跟隨神的過程中，你的生命和你的未來如何，全

取決於你是否依照神的指示迅速作出調整。

作出調整是為了一位有位格的神。你將生命調整去適應神，將你的觀點調整成為跟神的觀點相似，將你的處事方法調整成為跟神的方法相似。當一切所需的調整你都作好了，祂便會告訴你下一步怎樣去順從祂。只要順從祂，你便會領略到祂如何透過你去進行一些只有神才可以承擔的工作。

➡ 修讀這課程期間，你的思想有甚麼調整？試述最少一項。（有人可能會這樣回應：「我接受這個事實就是離了神我便無法做天國的工作，但目前我不知道為神作些甚麼，只能留意觀察，禱告求問祂期望透過我做些甚麼。」）

_____

_____

_____

神有否要求你作出重大的調整去適應祂呢？　有☐　　沒有☐　　如果有的話，請簡略說明神要求你作出甚麼調整，你如何回應？

_____

_____

_____

請閱讀下面一些敬虔人士的陳述。每段記載都描述了這位人士所作或願意作的某項調整。例如，在第一則摘錄中，李溫斯敦願意作的一項調整，是放棄在祖國做一個有錢的醫生，而寧願到非洲做一位傳教士，過清貧的生活。

李溫斯敦（David Livingstone，到非洲去的醫療傳教士）——「*既然許多人把替地上政府服務視為無上光榮，求祢禁止我們對萬王之王的侍奉有任何保留。如今我是一個全心全意獻上自己的傳教士。昔日神自己有一獨生子，祂曾是一位傳教士，也是醫生。如今我卑微地仿效祂（或希望能夠仿效祂），我盼望為這種事奉而活，也盼望為這種事奉捨命。我寧願過著清苦的宣教生活，放下財寶安舒。這是我的選擇。*」[1]

作出的調整_____

伊理奧（Jim Elliot，一位在南美洲向奎查斯族印第安人傳道的傳教士）——「*將無法保留的財寶付出去，以換取永不朽壞的財寶。這樣的人，才是智者。*」[2]

作出的調整_____

彼埃斯（Bob Pierce，世界宣明會及撒瑪利亞會的創辦人）——「*願那使神傷心的事物也來傷我的心。*」[3]

作出的調整_____

史密夫（Oswald J. Smith，加拿大宣教領袖）——「*神啊，我需要祢為我的生命所定的計劃。願我不論身在家鄉或是異地，不論是已婚或是獨身，不論是處於喜樂或憂愁、健康或疾病、富足或貧困、順境或逆境 —— 神啊，我都需要祢為我生命所定的計劃。我需要它，噢，我需要它！*」[4]

作出的調整_____

史達德（C.T. Studd，往中國、印度及非洲宣教的傳教士）——「*如果耶穌是神，並且為我捨命，那麼我為祂而作的犧牲就沒有一樣是太大的。*」[5]

作出的調整_____

調整自己去適應一位有位格的神

首先：調整
然後：順從

這些人所作的或是願意作的一些調整包括：

- 李溫斯敦認爲到非洲宣敎是無上光榮，而不是一種犧牲。
- 伊理奧願意放棄地上的東西，以換取天上的賞賜。他去南美洲，是準備向那些未曾聽過耶穌的印第安人傳福音，結果被那裡的族人殺害。
- 彼埃斯甘願心碎，爲的是使他可以更像天父。
- 史密夫那麼切求神爲他的生命所定的計劃，以致只要得著那計劃，他願意無論遇禍遇福，都感到滿足。
- 史達德願意爲耶穌作出任何犧牲。

➡ **在你認爲最有意義的一段摘錄旁邊畫上星號。**

請思想你認爲最有意義的那一段摘錄所反映的委身程度。假如你也願意對基督作同樣的委身，就請花一點時間向神禱告，表明你願意調整你的生命去適應祂。

我已嘗試幫助你明白，你不能一方面停留於現況，另一方面又在服從神的旨意的道路上與祂同行。第一步必須是作出生命的調整。然後你就能在服從中跟隨。請記住，這位呼召你的神也是那位令你有能力遵行祂旨意的神。在本單元餘下部分，將討論以下的第二及第三項論點：

> **服從之前需要調整**
>
> 1. 你不可能一方面停留於現況，同時又與神同行。
> 2. 服從往往會使你和你身邊的人都要付上高昂的代價。
> 3. 服從是要你完全倚靠神，讓祂透過你來作工。

當你願意將生命的一切都降服於基督的主權之下，你就會像以利沙一樣，發覺這些調整比起親歷神而得的收穫，是很值得的。假如你至今仍然未將生命中的**一切**降服於基督的主權，就請你由今天開始，下定決心，捨己、背起你的十字架來跟從祂（路加福音9：23）。

➡ **重溫今天的功課。禱告求神幫你找出一兩句祂期望你明白、學習、或付諸實踐的課文內容或經文，並回答以下問題：**

在今天研讀的課文中，哪些字句或經文對你最有意義？

_____

_____

將這些字句或經文改寫爲你回應神的祈禱。

_____

_____

神期望你做甚麼來回應今天所學習的？

_____

_____

你不能一方面停留於現況，另一方面又與神同行！

本課撮要

- 神喜悅我以祂爲主,對祂絕對降服。
- 我爲了一位有位格的神而調整自己。
- 比起經歷神的收穫,調整是很值得的。
- 這位呼召我的神也是那位使我能遵行祂旨意的神。

第3天

服從的代價極高(上)

服從是要你付上高昂的代價的。

你不能一方面停留於現況,另一方面又與神同行。你不能一方面繼續用自己的處事方法,另一方面又用神的方法去完成祂的計劃。因爲你的思想與神的並不接近,所以如果你要**遵行**神的旨意,就必須將生命調整,去適應祂、又與祂的旨意和方法配合。

➤ 本課將研讀三項關於調整和服從的論點,試用你自己的文字和觀點,重寫每一論點,並將「你」改寫成「我」。

1. 你不能停留於現況,同時又與神同行。

2. 服從是要你和你身邊的人都付上高昂的代價。

3. 服從是要你完全倚靠神,讓祂藉著你來作工。

願意付上代價

請留意第二項論點:服從是要你和你身邊的人都付出很高的代價。若不付上調整和服從的代價,你根本不可能認識神的旨意和行在其中。願意爲遵從祂的旨意而付上代價,便是其中一項**重大**的調整。這正解釋了爲甚麼「祂門徒中多有退去的,不再和祂同行。」(約翰福音6:66)。這也說明了爲甚麼有些教會無法明白神的旨意,也無法經歷神透過他們去成就祂的旨意,其中的原因是他們不願意付上服從的代價。

代價:調整我們的課程計劃

平信徒領袖需要訓練

我們在溫哥華的浸信會聯會中有好些人感到神呼召他們到別處去事奉,他們請我跟他們分享,如何才可以知道和跟從神的呼召。我們用了兩天的時間,呼籲那些感到神呼召的人一起來參加一次非正式的聚會。結果有七十五人來聽我分享。這些人全都覺得神在召喚他們參與事奉,並且說:「我們需要接受一些訓練。」

後來在兩星期內人數更增至一百二十人。我們開始明白他們的需要,並著手討論訓練的可能性和其他問題。在一群小教會裡,爲一百二十名感到神呼召的人進行訓練課程,可說是一件極艱巨的工作。我們商量爲這些人提供訓練的時候,有人便

問：「布克比，我們早已安排了在秋季推行的其他事工計劃又怎辦？」這人知道我們可能無法推行秋季的計劃和一百二十人的訓練。

➡ **根據你過去數週研習過的課文，你會如何回應這問題？你會對那一百二十人說些甚麼？**

_____

_____

我對這一百二十人可以有幾種的回應。我可以在教會通訊內作廣泛報導，請大家為神所作的事情讚美袖，然後向這一百二十人說，我們明年的計劃已預早安排好了，所以他們可再等一年，讓我們可以將訓練課程編入我們的行事曆中。我又可以依原有計劃，待所有既定的工作完成了，然後安排一些訓練課程來安撫一下這一百二十人。但我沒有這樣做，我解釋說：「如果神呼召這一班人去事奉，而他們又需要訓練的話，我們就得調整原定的計劃和安排，好配合神的工作。我們須緊記一點，我們是神的僕人。」我們就這樣做了。我們更改原定的計劃，參與神所做的。

我們常說，神是我們的主，袖可以隨時中斷我們正進行的工作。我們心裡就是不希望袖這樣。我們只想袖時常都贊成或支持我們所做的每一樣事情，永不要求我們改變任何我們已計劃妥的一切。如果我們只想神依從我們已建立好的通道進行，保守我們自己定下的計劃和安排不受干擾，那我們就大錯特錯了。每當神邀請我們與袖同工，我們就必須作出一些大調整。調整自我和服從神的指示是需要付上高昂的代價。神有要求我們更改個人的計劃、方向，然後跟從袖嗎？

➡ **請閱讀使徒行傳9：1-25並描述掃羅所曾作過的調整。再寫出他為了跟從基督所付的代價。**

_____

_____

_____

神是否常要求人改變自己的計劃、方向，然後跟從袖？

是☐　　不是☐

掃羅（保羅）

掃羅（後來改名保羅）曾作出全面轉向的改變。他最初迫害基督徒，後來卻宣揚耶穌是基督。當你跟從神，袖就會要求你將自己的計劃和方向調整。以保羅而言，他調整的代價極高，甚至使他在猶太人中間要冒生命的危險。同樣，你所作的調整也將要付出高昂的代價。

代價：忍受別人的反對

➡ **閱讀以下記載，將一些因為服從而需要付上代價的字句標示出來，我已做了一個例子。**

反對設立新的教會分堂

我們在薩斯克頓市的教會很清楚感到神要我們在全省各地設立新的福音堂。當時並非所有人都明白或同意我們的做法。有些人幾乎在我們每次開設新的福音堂的時候都提出強烈反對，雖然我們十分確定加拿大已陷於可怕的靈性低潮，可是有些人卻不以為然。在我們的省會利根那，報章刊登了一則佔全版篇幅的文章，<u>指責我們竟敢在這個十五萬人口的城市裡開設新教會</u>。我們在洪堡舉行查經班，結果有一個宗派的教會派了一班領袖代表來到我的辦公室，他們要求我停止這些聚會。他們

說，我們的工作是「屬魔鬼的」，他們反對查經班。在德斯杉堡，我們的牧師在街上受到一名巫醫咒罵。我又收到從阿爾伯特太子城寄來的信，質難我們的工作。在白賴恩湖，我們又聽說有人開祈禱會，祈求我們失敗和撤銷這些工作。

甚至在我們的內部會議中，也有人認為我們能力太薄弱，在這時期開設分堂極為不智。他們對我們說，假如分堂的牧師和員工的薪酬出現困難，到時就不要四處求助。神向我們說話的時候，這些人並沒有跟我們一起，他們認為我們的工作是「假借神的名」。不久之後我更發覺，每次凡踏出信心的一步，都會被人說成是假借神的名。惟有服從，以及我們的服從在神的檢定中一再獲得確認，那才顯明我們是正遵行神的旨意。

後來，這些分堂漸漸成長、興旺，而且開始能夠自給自足，反對我們的人才認識到這果真是神的工作。在這些人之中，有許多更因此受到鼓勵，願意同樣踏出信心的步伐，開始新的事工。神保守了我們對祂的信心，教我們以愛心對待其他人，然而，其中的代價卻是非常大的。

➡ **試根據以上描述，列出我們開設教會分堂時所付出的「代價」。**

———————————————————————————

———————————————————————————

閱讀哥林多後書11：22-23，然後列出保羅為了追隨和服從基督所付出的一些代價。

———————————————————————————

———————————————————————————

有時服從神的旨意會招致反對和誤會。保羅就因為服從基督而受了許多的苦。經文中所列的受鞭打、監禁和冒死，聽來好像不是一個人所能承受的，但他在一封書信的結尾卻這樣總結說：「我身上帶著耶穌的印記」（加6：17）。保羅在開始遵行主的旨意之前是不曾有過這些經歷的。服從的代價對他來說實在很大。雖然如此，保羅仍然說：

> 使我認識基督，曉得祂復活的大能，並且曉得和祂一同受苦，效法祂的死，或者我也得以從死裡復活。這不是說我已經得著了，已經完全了；我乃是竭力追求，或者可以得著基督耶穌所以得著我的。（腓3：10-12）

當使徒保羅說：「向甚麼樣的人，我就作甚麼樣的人。無論如何，總要救些人」（林前9：22）的時候，便透露了他的調整是為了遵行神的旨意。你所作的自我調整和對基督的服從付出的代價也會同樣巨大的。

➡ **你曾否有這經歷，就是在作出調整和對神服從上你要付出很大的代價？**

有☐　　無☐　　如有的話，請簡述那經歷以及所付出的代價。

———————————————————————————

———————————————————————————

李溫斯敦

李溫斯敦是十九世紀來自蘇格蘭的著名傳教士。他獻上自己的一生在非洲宣揚基督，他委身的禱告或許會激勵你也能付出跟從基督的代價：

> 主啊，只要祢與我一起，那怕祢差我往哪裡去
> 只要祢扶持我，那怕祢給我甚麼擔子
> 只要我緊繫於祢，那怕祢斷絕我與任何人的連繫
> —— 李溫斯敦

➤ **重溫今天的功課。禱告求神幫你找出一兩句祂期望你明白、學習、或付諸實踐的課文內容或經文，並回答以下問題：**

在今天研讀的課文中，哪些字句或經文對你最有意義？

_____

_____

將這些字句或經文改寫為你回應神的祈禱。

_____

_____

神期望你做甚麼來回應今天所學習的？

_____

_____

引述或寫出需要背誦的金句。

本課撮要

- 服從常常會使到我和我身邊的人都要付出高昂的代價。
- 倘若我沒有為著調整和服從付出代價，我就不能認識和遵行神的旨意。
- 我必須調整自己的原定計劃和安排，來配合神所做的。

第 4 天 | 服從的代價極高（下）

服從會使你身邊的人付出高昂的代價。

遵行神的旨意時其中一項最令人為難的調整，就是即使會連累身邊的人付出高昂的代價，你仍要去服從神。對於你和你身邊的人來說，服從所付的代價常是十分高昂的。

➤ **回答以下問題，如果你不知如何回答，可參閱經文內容。**

1. 摩西順從耶和華，要求法老讓以色列人離去，結果令以色列人付出了甚麼代價？（出5：1-21）

2. 當耶穌順從神，走上十字架的時候，祂的母親站在那裡看著祂死去，她所

付出的代價是甚麼？（約19：17-37）

3. 當保羅順從神，在帖撒羅尼迦向外邦人傳福音，這使到耶孫要付出了甚麼代價？（徒17：1-9）

摩西與以色列人

摩西順從神，結果使到以色列百姓所負擔的工作增加，他們的工頭也因此捱打。因摩西遵行神的旨意，以色列人便要爲他付出高昂的代價。

耶穌和馬利亞

當主耶穌順從天父的旨意死在十字架上，祂的母親馬利亞就須忍受看著兒子被殘暴殺害的傷心欲絕這苦楚。耶穌的服從便使到祂母親承受肝腸寸斷的痛苦。祂的服從也將每個門徒的生命置於恐懼和苦痛中。因耶穌遵行神的旨意，其他的人便要付出高昂的代價。

保羅與耶孫

當保羅跟從神的旨意去傳揚福音，其他人就去回應神在他們生命中所做的工作。耶孫和幾個弟兄因爲與保羅有交往，被暴徒拉到地方官那裡去，控以攪亂天下的罪名。因保羅服從神的旨意，經常都使到與他一起的人生命受到威脅。

在認識和遵行神旨意的時候，你不可忽略這方面的事實。神會將祂的計劃和旨意向你顯明，但你的服從可能使到你和你身邊的人都要付出重大的代價。例如，一名牧師殉道，這可能令到他身邊的人（家人、教會）所要付出的代價比他自己所付的代價更高。假如教會已直接參與他的事工，教會裡一些人所付出的代價可能比牧師本身所付的更高。

▶ **填充題：**

1. 你不能一方面 ＿＿＿＿＿＿ 現況，同時又與神 ＿＿＿＿＿＿ 。

2. 服從往往會使到你和 ＿＿＿＿＿＿ 的人都要付上 ＿＿＿＿＿＿＿＿ 。

3. 服從是要你完全倚靠神，讓祂透過你來作工。

請翻開本單元第2天「服從之前需要調整」核對答案。

我的家人因我遵行神的旨意所付的代價

當我妻子美蓮和我決定獻身傳道工作的時候，其中一項最大的代價，是孩子會因爲我經常不在家而受許多損失。我們遷往薩斯克頓市的時候，最大的孩子只有八歲，最小的卻在我們搬遷後幾個月才出生。在孩子成長的那些年間，我大部分時間都不在家人身邊，美蓮付了很重的代價；因我經常不在家，她必須獨力照顧五個小孩子。

我曾聽許多屬神的人說：「我的確感到神在呼召我，可是，我的孩子需要我，我不能不顧我的家人。」誠然，你的孩子確實需要你的照顧；但你可有想過，假如你對於神的行動願意順從地作出回應，祂就會另有安排，照顧你的孩子嗎？我們已這樣做了！

我深信祂會照顧我的家人

我們深信神會看重我們對祂的順從，也深信神呼召了我們，就會指示我們如何養育我們的孩子。我們相信天父愛祂的僕人，祂會照顧我們的兒女比我們照顧得更好。我們相信神會指示我們如何與孩子相處，以致能夠彌補失去的相聚時日。當然，我不能以此作爲藉口忽略我的家人。不過，當我服從天父的時候，我深信祂必會照顧我的家人。

我們遷到薩斯克頓市的第一年，我曾替三個人施浸。其後經歷了兩年半非常艱辛的工作，只有三十人參加主日學，美蓮對我說：「布克比，理燦今天走來跟我說，他很替你難過，他說：『爸爸講的道那麼好，他每週都發出邀請，但卻沒有人來聽。』」

於是我去跟理燦說：「理燦，不要為你的父親難過，縱然神讓我工作十年，而只有很少的成果，我仍是急不及待地等候祂收莊稼的日子來臨。」我必須幫助理燦明白箇中道理。我向他解釋神的應許：「那帶種流淚出去的，必要歡歡樂樂的帶禾捆回來！」（詩126：6）。神就是藉著此刻讓我有機會向我的兒子教導意味深長的屬靈真理。

神照顧美蓮

我記得有一段日子美蓮很消沈，她十分沮喪。後來到了第二個禮拜天，當我講道完畢，理燦就來到禮拜堂的通道前作了個決定，他說：「我感到神呼召我去傳道。」

一位鄰家的少年也走到理燦後面，他的名字也叫做理燦。美蓮過去不知花了多少時間照顧這個來自問題家庭的少年，他說：「我也感到神呼召我去傳道。」然後他轉過來說：「大部分功勞要歸布師母。」

另一名叫做阿朗的男孩也在那次崇拜中站起來，說：「我希望讓你們知道，神也在呼召我去傳道，而且我也希望你們知道，這都是因為布師母的幫助。」在阿朗面對困厄的時候，我們一家曾幫助他和鼓勵他尋求神在他生命中的旨意。美蓮更對他付出了很大的愛心。就在這關鍵時刻，神照顧了美蓮。

你儘可將你的家庭交託神！

如今我們的五名兒女全都領會到神的呼召，而投身於帶職事奉或宣教工作。只有神方能在我們孩子的身上作成這樣的美事。我希望你明白，你儘可將你的家庭交託給神！我情願將我的家交託神去照顧，甚於交給世上任何人。

▶ 你能否記得有一次，你的家人因為你遵行神的旨意而付出了極高代價的經歷？
有□　　無□　　如果有的話，試簡述這經歷。

_____

_____

_____

你能否記得有一次你選擇不順從神，因為那會使到你身邊的人要付出高昂代價這經歷？　有□　　無□　　如果有的話，試簡述當時處境。

_____

_____

你認識甚麼關於神的事物，而那些事物是能夠助你相信神會照顧你的家庭的？請列出其中幾樣。

_____

_____

_____

讓基督與屬祂的人溝通

只有基督可以做頭

假如你向一些屬神的人尋求知道神的心意，你要學習接納他們的回應。你要尊

重他們的答覆。我見過有些人邀請教會、或小組為某些事情禱告和求問神的旨意。他們表達了神啟示的說話後,有些領袖會說出這樣的話:「讓我告訴你神要我們做些甚麼吧。」假如神的子民就是基督的身子,那麼只有基督才是頭,整個身子都要去到基督面前,了解神對這身子有甚麼旨意。我們全都需要學習相信基督會與屬祂的人溝通。

➡️ 假設你的教會開始為應付一筆特別的財政需要禱告,一名退休人士正感到神在指引她,要她將畢生積蓄(四千元)的一半拿出來,用作應付教會的需要,你想你會有甚麼反應?在下列各項中選出你的做法。

☐　1.　我會拒收她的金錢,請那些經濟較穩定的人奉獻。

☐　2.　我會收下她的奉獻,感謝神應允禱告,並因她願意為教會順從神的旨意而付上極高代價,感激流涕。

☐　3.　我會收下她的奉獻,但嘗試用別的途徑盡快將錢歸還。

☐　4.　我會請她多等兩三個星期並且禱告,直至確定神真的想她這樣做。

有一個人因教會順從神的旨意而付出代價

我曾經面對一個個像這樣的處境。我們其中一個新福音堂需要會址,我們的財務公司要求我們先付一定百分比的款項作為訂金,然後才給我們貸款。

這福音堂很細小,所以我呼籲我們的會友為這事禱告,看看能否為支付的訂金作出奉獻。他們同意禱告,並等候神的指引。其中為我們懇切禱告的一位姊妹叫畢伊華,她是一名寡婦,除了微薄的退休金之外,她只靠銀行裡的四千元積蓄渡過餘年,但她寫了一張二千元的支票,作為建新堂的捐獻。

請不要否定我母親奉獻的權利。

作為她的牧師,我的心裡百感交雜。在這件事上我是領導教會去做我們相信是神要我們做的。然而當我看到大家為了回應神而付出的代價,心裡著實很難受。我與伊華的女兒談過,她說:「請不要剝奪我母親奉獻的權利。她向來信任她的主,她更想現在實行出來。」

一些牧師和財務委員會的成員說:「我們不能頻頻要求弟兄姊妹奉獻,否則會危害我們的經常費奉獻。」我學習永不拒絕給予會友奉獻的機會,也從不強迫或控制他們奉獻。這不是我的工作。但我會製造機會,鼓勵他們按著神的帶領奉獻。屬神的人樂於遵行神的旨意,有些人會慷慨付出金錢來回應神,他們以此為榮,認為這是神容許他們有奉獻的機會。有些人更會因為這些機會而改變一生。

➡️ 你是否認識一種情況,就是有些個人或家庭曾經因為教會要跟隨神的旨意而付出重大的代價? 有☐　　無☐　　如果有的話,試簡述當時的情況。

_____

_____

完成起首兩句說話,然後翻開159頁核對答案。

1.　你不能一方面停留於現況,另一方面又＿＿＿＿＿＿＿。

2.　服從往往會使＿＿＿＿＿＿＿＿＿＿＿＿都要付上高昂的代價。

3.　服從是要你完全倚靠神,讓祂透過你來作工。

母親從心裡哭出來

戴德生

戴德生是禱告和信心的偉人。他應神的呼召往中國宣教。當時他的父親已經逝世，所以他前往中國，就必須留下寡居的母親。一九零五年，在戴德生的生命即將結束的時候，他過去一直為神使用，創辦了中國內地會，設立了二百零五個宣教工場，有八百四十九名宣教士，十二萬五千名中國基督徒 —— 是一個對神絕對降服的生命所做成的美好見證。這裡是戴德生描述他自己如何因服從神的旨意前往中國做傳教士，而要母親與他一同付上代價。

➡ 試想像你是戴德生，父親已經逝世，你知道以後在地上可能永遠再見不到母親。請慢慢閱讀戴德生描述他們的離情，並嘗試想像他們當時的感受。

我摯愛的母親（她現在已回天家）到利物浦來給我送行，我永不能忘記那天的情景，也忘不了她怎樣送我走進小船艙，那個將會是我未來差不多六個月的居所。母親用她慈愛的雙手抹平小牀，坐在我身邊，與我一起唱詩，那是我們長久離別之前最後一次共唱的詩歌。我們一同跪下，她禱告 —— 我遠赴中國之前所聽見母親的最後一次禱告。後來船員宣告要離去了，我們只好說再會，但卻不敢奢望在地上再有機會相見。

她為了我的緣故極力抑制自己的情緒。當我們分開了，她走到岸上，為我祝福！我獨自站在甲板上，船駛向水閘，母親一直跟著來，直至船隻穿越了水閘，我們終於要分開了。我永遠無法忘記她從心裡拼發出來的痛哭。哭聲傳來，使我心如刀割。我那時才真正領會「神愛世人，甚至將祂的獨生子賜給他們」的意義。我同時相信，我心愛的母親也在那一刻，比前半生任何時候更體會到神那沒保留的愛。

讚美神，愈來愈多人找到無比的喜樂、找到祂的奇妙啟示和大愛。因為祂要將這一切賜給那些「跟從祂」、願意倒空自己、對祂的大使命完全服從的人。[6]

➡ 根據這段摘要，回答以下問題：

1. 戴德生將生命調整去適應神，且順從地前往中國，他付上了甚麼代價？

_____

_____

2. 戴德生的母親因為兒子順從神的旨意，她付上了甚麼代價？

_____

_____

3. 這次經歷使他們對神的愛有甚麼體會？

_____

_____

戴德生離開祖國和家人，踏上波濤洶湧的宣教旅程，這是代價極高的一步。他的母親因愛主，也願意付出代價，容許兒子往外地宣教。他們二人為了服從，都付上了極高的代價。可是他們卻因此從神那裡嘗到了從來不曾領會過的大愛。歷史也顯示出神因戴德生的忠心事主，祂賞賜了祂的僕人，祂使用他行了奇事，叫他深入

中國內地，在那裡傳揚基督的福音。

➡ **你認為神會叫你走上代價極高的信心之旅嗎？ 會☐　不會☐　如果神真的呼召你為祂接受一項付代價的使命，你會如何回應呢？你會選擇：**

主啊，我願意！☐　　　　不，代價太大了。☐

你可能認為，現在談論這問題似乎有點言之過早。其實不然，即使你不知道神將要你做甚麼，你也要面對這問題。基督的主權正是如此。你的一生就該以這樣的態度去渡過：「主啊，不管祢今天或將來差我做甚麼，我的答案都是**我願意！**」就在此刻，立下心志，將你的生命**完全**向祂降服。

➡ **重溫今天的功課。禱告求神幫你找出一兩句祂期望你明白、學習、或付諸實踐的課文內容或經文，並回答以下問題：**

在今天研讀的課文中，哪些字句或經文對你最有意義？

_____

_____

將這些字句或經文改寫為你回應神的祈禱。

_____

_____

神期望你做甚麼來回應今天所學習的？

_____

_____

本課撮要

- 我的服從會使我身邊的人付出重大的代價。
- 我深信神必會照顧我的家人。
- 不要拒絕給予別人為主奉獻的機會。
- 我必須相信基督會與屬祂的人溝通。
- 主啊，不管祢今天或將來差我做甚麼，我的答案都是「我願意」！

第 5 天 ｜ 完全倚靠神

服從是要你完全倚靠神藉著你來作工。

認識又遵行神的旨意其中的另一項調整就是**完全倚靠神**，讓祂藉著你來完成祂想要做的工作。耶穌以葡萄樹及枝子比喻我們和祂的關係，祂說：「離了我，你們就不能作甚麼」（約翰福音15：5）。你既是神的僕人，就必須與祂保持密切的關係，以便祂透過你來完成祂的工作。你必須單單倚靠神。

作出調整，就是要你不再以**自己**的才能、恩賜、愛惡、和目標去**做神的工作**；而是完全倚靠**神**，以及倚靠祂的安排和資源，這是一項**重大**的調整！絕不容易辦得到。

➡️ **根據本單元學習過的課文內容完成以下填充題：**

1. 你不能一方面停留於 _____，同時又與神 _____。
2. 服從常常會使到 ____ 和你身邊的人都要 _____。
3. 服從是要你 _____ 神透過你來作工。

翻開本單元第2天「服從之前需要調整」核對答案。

閱讀以下的經文，並留意爲甚麼你必須倚靠神來完成祂的旨意，然後回答跟著的問題。

> **約翰福音15：5** —— 我是葡萄樹，你們是枝子。常在我裡面的，我也常在他裡面，這人就多結果子；因爲離了我，你們就不能作甚麼。
>
> **哥林多前書15：10** —— 然而，我今日成了何等人，是蒙神的恩才成的，並且祂所賜我的恩不是徒然的。我比眾使徒格外勞苦；這原不是我，乃是神的恩與我同在。
>
> **加拉太書2：20** —— 我已經與基督同釘十字架，現在活著的不再是我，乃是基督在我裡面活著；並且我如今在肉身活著，是因信神的兒子而活；祂是愛我，爲我捨己。
>
> **以賽亞書14：24** —— 萬軍之耶和華起誓說：「我怎樣思想，必照樣成就；我怎樣定意，必照樣成立。」
>
> **以賽亞書41：10** —— 你不要害怕，因爲我與你同在；不要驚惶，因爲我是你的神。我必堅固你，我必幫助你；我必用我公義的右手扶持你。
>
> **以賽亞書46：9-11** —— 我是神，再沒有能比我的……我的籌算必立定；凡我所喜悅的，我必成就……我已說出，也必成就；我已謀定，也必作成。

➡️ **你爲甚麼要完全倚靠神透過你來工作？**

_____

_____

_____

_____

　　如果神不在你裡面動工，你根本無法結出天國的果子。因爲你是與基督同釘十字架，祂會住在你裡面，使你藉著祂的恩典去完成祂的旨意。神定意要做的事，祂保證會成就。祂就是那位會成就祂自己所定旨意的神。若是你倚靠神以外的事物，在神國的工作中你會必敗無疑。

公共汽車傳福音的比喻

　　有一個教會向神求問說：「神啊，你想怎樣藉著我們去接觸我們的社區和建立一個大教會呢？」神就帶領他們開始一項藉公共汽車做福音工作，爲當地的男女老幼提供交通工具，接載他們到教會去。他們照著神的吩咐去做，他們的教會便逐漸增長成爲一間大教會。

從全國各地來的人開始問：「你們怎麼會增長得這麼快？」於是他們便沾沾自喜，還寫了一本書，介紹怎樣利用公共汽車做福音工作。於是成千上萬的教會也開始買汽車去接觸附近的社區，以為這是令教會增長的秘訣。不久之後，許多教會都把他們的巨型汽車賣掉，他們說：「這種方法對我們並不奏效。」

*奏效的絕不是**方法**，而是**祂**！*

方法從來不奏效！方法絕不是成就神旨意的秘訣，秘訣在於你和那有位格的神之間的關係。你如果想知道神要你怎樣接觸區內的人、怎樣建立新教會、或解決其他問題，你只管問**祂**。當祂告訴了你，而你卻發現沒有其他任何一間教會能夠同樣用得上這方法的時候，你也不必驚訝。為甚麼？因為神要你認識祂。假如你依照別人的做法去安排、倚賴一種方法、或只強調一套計劃，你會逐漸忘記倚靠神，放棄與神的關係，去崇尚一種方法或計劃。那就是靈性的不貞。

➤ **思想以下問題，選出你的做法。**

1. 你通常會怎樣找出方法，去完成神為你生命或教會所定的旨意？在以下選出你的做法（可以不止一項）。

   ☐ a. 到書局或圖書館找一本關於這問題的好書 —— 是在這方面學有所成的知名人士撰寫的。

   ☐ b. 找教會內的成功人士談一談。

   ☐ c. 聯絡一些教會機構，詢問是否設有那方面的活動或課程，用以解決問題。

   ☐ d. 撥出時間禱告讀經，求神引領我（或我們）按祂的方法去做。

2. 尋求神的旨意時，以下哪一項對你是最重要的？

   ☐ a. 神要在我目前的處境中做些甚麼？

   ☐ b. 一個成功的方法。

   ☐ c. 在我目前的處境中最有用的活動或課程。

   ☐ d. 其他人或其他教會如何將神的工作做得成功？

好書、成功的方法、具創意的活動或課程、以及他人的成功例子，都不能取代你與神之間的關係。這一切絕不能奏效，但神卻能夠。離了祂，你便不能作甚麼。集中注意於神以外的方法，將之視為問題的答案，只會令你和教會無法看到神在動工，阻礙你和教會認識神。這是今天許多人的極大不幸，願神救我們脫離那阻礙。

惟有神才有權告訴你做些甚麼。

那是否說，神絕不會帶領你發展一種有組織的課程或引領你跟從某種方法呢？不是的。然而惟有神才有權告訴你做些甚麼。你不可採取主動決定自己將要做些甚麼。你必須安靜等候神，直至祂告訴你為止。

等候耶和華

➤ **請閱讀以下經文，並將每則經文中含有「等候」意思的字句圈出來。**

詩篇5：3 —— 耶和華啊！求祢在清晨聽我的聲音；我要一早向祢陳明，並且迫切等候。（聖經新譯本）

詩篇33：20 —— 我們的心向來等候耶和華；祂是我們的幫助，我們的盾牌。

詩篇37：34 —— 你當等候耶和華，遵守祂的道，祂就抬舉你，使你承受地土。

詩篇38：15 ── 耶和華啊，我仰望祢！主我的神啊，祢必應允我！

以賽亞書40：31 ── 但那等候耶和華的，必從新得力。他們必如鷹展翅上騰；他們奔跑卻不困倦，行走也不疲乏。

➤ **為甚麼你要等候耶和華，直至聽到祂將方向指示你？**

你也許認為等候是被動的、是虛渡光陰。其實等候神一點不怠惰。當你等候祂的時候，你會熱切地禱告想要認識祂，祂的旨意、和方法；還有，你會留意四周客觀環境的變化，又求神藉著啓示，向你解釋祂所安排的前景。你也會和其他信徒分享，尋求神正在對他們說些甚麼。等候神的時候，你會積極地祈求、尋找、叩門（太7：7-8）。在等候的時候，你要繼續進行神上一次吩咐你的事情。在等候當中，你儘可安心把事情的後果卸給神來負責 ── 責任本就屬於神。

然後，當神給你具體的指引時，祂透過你用數天或數週所做的，比較你自己用幾年的辛勞所能完成的更多。等候神時常都是值得的。祂的時間和方法時常都是最準確的。你必須倚靠祂來指引你用祂的方法又在祂所定的時間，來完成祂的計劃或旨意。

你們祈求，就給你們；尋找，就尋見；叩門，就給你們開門。因為凡祈求的，就得著；尋找的，就尋見；叩門的，就給他開門。

── 馬太福音7：7-8

聖靈常常會幫助你成就天父的旨意

聖靈絕不會誤解天父為你生命所定的旨意。天父有一項計劃要藉著你的生命去完成。為免你忽略祂的旨意，祂就把聖靈放在你心裡。聖靈的工作就是引領你按著天父的旨意去做，並且使你能夠遵行神的旨意。認識和有力量去完成祂的計劃，是完全倚靠神。這就是你與祂的關係那麼重要的原因。所以你必須等候，直至你聽到祂說出祂的目的和方法。

耶穌是我們的榜樣，祂就是向來都清楚知道神的旨意又常常遵行的那一位。每一樣神定意要藉著祂去做的事情，主耶穌都即時去做。祂成功的秘訣是甚麼？是祂常與天父有正確的聯繫！你若常按祂為你所命定的跟祂保持關係──就是把祂的兒子，祂的聖靈賜給你，以及祂自己在你生命中顯現── 那麼你絕不會有不知道神的旨意的時候，也不會沒有力量去實現祂的旨意。

在耶穌身上，你可以看到一個與神常處於相愛關係中的生命，是恆常活出這種關係。祂是一個完美的榜樣。相信你和我都會認為，要達至這境界，道路還很漫長。不錯！但是基督已將祂絕對服從的生命活現在你眼前，使你能明白並遵行祂的旨意。我們需要調整我們的生命去適應神，並藉著完全倚靠祂，恆常活出這種關係。祂絕對能夠將你的生命放在祂的計劃中，並使你有力量去實踐。

➤ **你怎樣描述你與神關係的性質？質素如何？是否無可指責？**

_____

_____

如有需要，你認為神要你作出甚麼調整，使你與祂回復穩定和緊密的關係呢？

_____

_____

在禱告上作調整與付代價

每逢教會面對從神來的指示，我便經歷到禱告生活出現危機。在那些時刻我比平時學到更多禱告的功課。有些事情只有藉著禱告才可辦妥，神時常等候著我們的祈求，而我的危機是：我是否願意繼續禱告，直至神將事情辦妥？馬可福音11：24是關於禱告的應許，這則經文一直挑戰著我去關注信心與禱告的關係。

➤ **請再閱讀馬可福音11：24，然後用你自己的文字寫出這段應許。**

_____

_____

凡你們禱告祈求的，無論是甚麼，只要信是得著的，就必得著。

——馬可福音11：24

這則經文有時用來教導「要甚麼，求甚麼」的神學思想 —— 你自行決定需要甚麼，並在禱告中提出來，向神祈求，你就得著。這是一種自我中心的神學思想。請記住，只有神才可以採取主動，神會賜給你一種成就祂美意的願望（腓2：13），聖靈會引領你照著神的心意禱告（羅8：26-28）。以神為中心的方法能夠讓神帶領你按著祂的旨意（奉耶穌的名和身分）禱告。你要相信祂會領你禱告，要相信祂會成就祂自己的旨意。你只管繼續用信心禱告，等候事情成就。

禱告將會是代價高昂

當神與你相遇，你會面對信仰的危機，那可能需要你在生命中作出重大的調整。你要學習如何禱告。對你來說，禱告的代價將會極高，神可能要你半夜起來禱告，你可能需要撥出許多的時間禱告，你可能需要禱告至深夜，甚或要徹夜禱告。要成為一個禱告的人，你便需要在生命中作出重大的調整去適應神。

帶領身邊的人禱告也需付上代價。大多數教會都沒有學會禱告。據我所知，最大未經使用的資源就是屬靈偉人的禱告。你若幫助你的教會成為禱告的教會，你便會得到豐富收穫的經歷。

➤ **你的教會在社區內是否已成為人所認識的「禱告之家」？你的教會是不是一間禱告的教會？以下的情況，哪一項是你教會的實情？**

☐ 1. 許多人都認識我們的教會是一間禱告的教會。

☐ 2. 我們的教會將要成為一間禱告的教會，但道路仍很漫長。

☐ 3. 我們的教會間中禱告，但果效不大。我們需要努力成為一個禱告的教會。

☐ 4. 老實說，我們的教會其實不甚清楚如何禱告，我們需要努力建立禱告的教會。

你有甚麼證據支持以上問題的答案？

_____

_____

如有需要的話，你認為教會在禱告方面，神想透過你做些甚麼呢？

_____

_____

> **每個教會都需要成為禱告的教會！**

➤ **重溫今天的功課。禱告求神幫你找出一兩句神期望你明白、學習、或付諸實踐的課文內容或經文，並回答以下問題：**

在今天研讀的課文中，哪些字句或經文對你最有意義？

將這些字句或經文改寫為你回應神的祈禱。

神期望你做甚麼來回應今天所學習的？

溫習背誦的金句，以便在本週的小組學習時間向其他學員背誦。

本課撮要

- 服從是需要完全倚靠神透過你來作工。
- 奏效的絕不是「方法」，而是「祂」！
- 成就神旨意，秘訣在於我和那位有位格的神之間的關係。
- 神藉著我在數天或數週所做的，會比較我自己在幾年辛勞所完成的更多。等候神時常都是值得的。
- 熱切禱告將會是其中一樣我最需要去做的事。
- 我的教會需要成為一個禱告的教會！

註：

1. David & Naomi Shibley, *The Smoke of a Thousand Villages*,（Nashville：Thomas Nelson Publishers, 1989），11.

2. Elisabeth Elliot, *Shadow of the Almighty. The Life and Testament of Jim Elliot*（New York：Harper & Brothers Publishers, 1958），247.

3. Franklin Graham with Jeanette Lockerbie, *Bob Pierece, This One Thing I Do*,（Waco, Texas：Word Books, 1983），220.

4. Shibley, *Thousand Villages*, 11.

5. Shibley, *Thousand Villages*, 98.

6. J. Hudson Taylor, *A Retrospect*,（Philadelphia：The China Inland Mission, n.d.）39-40.

單元九 | 藉著服從體驗神

服從帶來日後的祝福

我們的教會初時很細小,主日學人數只有四十五人,但我們卻要支持三間福音堂又為他們提供職員,後來我們還要在文尼吐巴支持一間位於溫尼伯的福音堂。這教會距離薩斯克頓市有五百一十哩,到那裡牧會的人來回必須駕駛一千零二十哩的路程。最初驟看起來,我們這一小撮人不可能承擔得起這艱巨的工作。

我與會友分享,解釋有一群敬虔的信徒聚會已有兩年多,他們希望開始設立一所屬美南浸信會信仰模式的教會,而我們似乎是最有可能做他們的支持教會了。我們必須清楚知道這項工作是不是神的工作,抑或是祂將祂的工作啟示給我們?祂是否邀請我們參與祂的工作?後來教會都同意這是神的工作,我們必須順從祂。大家都贊成支持這新的分堂,然後大家就祈求神給我們指示,並求祂給我們力量和資源去應付。

我多次驅車前往溫尼伯向那裡的人講道。這福音堂比我們其他任何分堂更早得到神的供應,神給他們一位牧師和一筆薪酬!可是我們因服從得來的賞賜並非到此為止。友愛浸信會後來竟然成為九間分堂的母會,並且成立了一個由這些教會組成的聯會。

我們的長子理燦完成神學院課程後,溫尼伯的教會便邀請他做該教會的牧師。這是他第一次牧會!我們的次子多馬亦蒙神呼召在該教會任職,負責領導音樂、教育、和青少年的工作。沒想到我的一點點順從(起初看似不可能),卻為我的家庭日後帶來這麼多的祝福。

本週背誦金句

耶穌回答說:「人若愛我,就必遵守我的道;
我父也必愛他,並且我們要到他那裡去,與他同住。」
—— 約翰福音14:23

第1天 服從（上）

當你服從神，讓祂藉著你來完成祂的工作，你就能從經歷中認識祂。

　　神一直在我們的世界裡作工，現今祂也正在你所在之處作工。神通常都採取主動去到你那裡，把祂正進行的工作或祂準備要做的工作向你啓示。每逢祂向你有所啓示，這就會成爲祂對你的邀請，要你與祂同工。

　　與神同工，就需要將生命作出重大的調整，這樣祂才可以透過你去完成祂的工作。假如你已經知道神所說的和祂將要做的是甚麼，而你又已經作出了生命的調整，那麼你還有一件事要回應神：

> 若要經歷祂在你裡面作工和藉你來作工，你就必須服從祂。
> 當你服從祂，祂便會藉你完成祂的工作，
> 而你就能從經歷中認識祂。

　　這一單元我們將集中研讀七項實況的最後一項——當你服從神，讓祂藉著你來作工，你便可以從經歷中認識祂。

➤ 爲了方便重溫過去的功課，試利用以下的提示，用你自己的文字將七項實況寫下來。

1. 工作——＿＿＿＿＿＿＿＿＿＿＿＿＿＿＿＿＿＿＿＿
＿＿＿＿＿＿＿＿＿＿＿＿＿＿＿＿＿＿＿＿＿＿＿＿

2. 愛的關係——＿＿＿＿＿＿＿＿＿＿＿＿＿＿＿＿＿
＿＿＿＿＿＿＿＿＿＿＿＿＿＿＿＿＿＿＿＿＿＿＿＿

3. 邀請——＿＿＿＿＿＿＿＿＿＿＿＿＿＿＿＿＿＿＿＿

4. 說話——＿＿＿＿＿＿＿＿＿＿＿＿＿＿＿＿＿＿＿＿

5. 危機——＿＿＿＿＿＿＿＿＿＿＿＿＿＿＿＿＿＿＿＿
＿＿＿＿＿＿＿＿＿＿＿＿＿＿＿＿＿＿＿＿＿＿＿＿

6. 調整——＿＿＿＿＿＿＿＿＿＿＿＿＿＿＿＿＿＿＿＿
＿＿＿＿＿＿＿＿＿＿＿＿＿＿＿＿＿＿＿＿＿＿＿＿

7. 服從——＿＿＿＿＿＿＿＿＿＿＿＿＿＿＿＿＿＿＿＿
＿＿＿＿＿＿＿＿＿＿＿＿＿＿＿＿＿＿＿＿＿＿＿＿

翻開課本封底內頁核對答案。

以下是七項實況中的三項行動，請按照跟從神的旨意就會產生的行動，試將這些行動編上次序號碼：1=第一　2=第二　3=第三

＿＿＿　A. 你可以從經歷中認識神。

＿＿＿　B. 你服從祂。

＿＿＿　C. 祂透過你完成祂的工作。

神採取主動邀請你參與祂的工作之後，你就相信祂，並將你的生命調整去適應

祂。惟有這樣你才進到服從的地步。你必須首先服從祂，然後祂才會透過你完成祂的工作。當神透過你的生命去完成只有祂方能完成的工作，你便可以從經歷中深深地認識神。所以，上面問題的答案是A-3、B-1、C-2，本課將會在神的工作這問題上，更全面地探討這三方面內容。

你服從祂

單元四的第3天課文已講解了愛與服從之間的關係。服從或聽從就是你愛神的外在流露（約翰福音14：15，24）。以下用重溫的方法學習前面功課的一些內容：

你們若愛我，就必遵守我的命令。⋯⋯不愛我的人就不遵守我的道。
—— 約翰福音14：15，24

- 服從是你愛神的外在表現。
- 服從祂和愛祂的獎賞，是祂會將祂自己向你啓示。
- 如果你在服從方面出現問題，那顯示你對祂的愛也出現問題。
- 神是愛，祂的旨意都是最好的。
- 神是全知，祂的指示都是正確的。
- 神是全能，祂能使你有力量遵行祂的旨意。
- 你若愛神，就會服從祂！

➤ 過去數週，你在愛神和服從神的態度上有沒有因爲前面的學習而改變呢？如果有的話，試略述神因你對祂的愛和服從做了些甚麼？

_____

_____

本單元要背誦的金句是關於愛和服從，試把經文記在心裡，然後默寫出來。

_____

_____

凡遵行我天父旨意的人，就是我的弟兄姊妹和母親了。
—— 馬太福音12：50
⋯⋯沒有行爲的信心是死的。
—— 雅各書2：20

耶穌說過，與祂關係密切的人（弟兄、姊妹、母親），就是那些遵行天父旨意的人（馬太福音12：50）。祂清楚說出，從一個人的服從態度，便可看出他與神之間的相愛關係（約翰福音14：15-21）。

在雅各寫給信徒的書信中，他用了很長的篇幅來指出，沒有服從的行動這信心是死的，或者是沒有生命的。門徒服從耶穌，因而看見了、也經歷了神的大能在他們中間運行。如果他們沒有將信心付諸行動和遵行神的旨意，他們便不會經歷到祂大能的作爲。

邁向眞理的關鍵步驟

無論如何，服從是邁向眞理的關鍵步驟，你所**做**的會：

- 顯示你對祂的信心如何。
- 決定你會否經歷祂大能的作爲在你裡面運行和藉你彰顯。
- 決定你會否更深入地認識祂。

➤ 閱讀以下經文，試將經文中「認識」一詞圈出來，並在「遵守」一詞的下面畫線，以及用方格將「愛」字勾出來。

約翰一書2：3-6—— 我們若遵守祂的誡命，就曉得是認識祂。人若說我認識祂，卻不遵守祂的誡命，便是說謊話的，眞理也不在他心裡了。凡遵守主道的，愛神的心在他裡面實

在是完全的。從此我們知道我們是在主裡面。人若說他住在
主裡面，就該自己照主所行的去行。

1. 你怎曉得自己已在耶穌基督裡認識神？

   _____

2. 有哪一樣清楚的指標，顯示出一個人並不認識神？

   _____

3. 一個服從（即遵守）神話語的人，神會在他的生命中做些甚麼？

   _____

試在下面選擇正確的詞語，填在以下的句子內，作為重溫單元四的內容。

強迫　　有力量　　正確的　　真實的　　最好的

4. 因為神是愛，祂的旨意都是 _____ 。

5. 因為神是全知，祂的指示都是 _____ 。

6. 因為神是全能，祂能使我 _____ 去遵行祂的旨意。

研讀過邁向真理的關鍵步驟，此刻你要決定是否服從神。除非你相信又信靠
祂，否則你不可能服從祂；除非你愛祂，否則你不可能相信又信靠祂；除非你認識
祂，否則你不可能愛祂。

耶穌的每一條「新」命令都是要求信徒進一步認識祂和了解祂。聖靈教你認識
耶穌，使你可以信靠和順從祂，因而令你可以進一步經歷祂，使你在祂裡面成長。
正如約翰一書2：3-6所說，你若是認識祂，就會服從祂。你若是不服從祂，那就表示
你不認識祂。

耶穌曾用另一種方式說明這道理，祂說過：「凡稱呼我『主啊，主啊』的人，
不能都進天國；惟獨遵行我天父旨意的人，才能進去。當那日必有許多人對我說：
『主啊，主啊，我們不是奉祢的名傳道，奉祢的名趕鬼，奉祢的名行許多異能
麼？』我就明明的告訴他們說：『我從來不認識你們，你們這些作惡的人，離開我
去吧！』」（太7：21-23）。遵行（即服從）神旨意著實非常重要。

問題4-6的答案：4-最好的；5-正確的；6-有力量

服從的重要性

*如果祂向你發出指示，你就要
立刻順從。*

如果你知道神愛你，你就不應再質疑祂的指示，祂的指示時常都是正確又最好
的。如果祂將指示給你，你就不要只去觀察、討論、或爭辯，而是去服從。

➤ **請閱讀以下經文，將「聽從」一詞圈出來，然後回答下面的問題。**

申命記28：1，8 —— 你若留意聽從耶和華你神的話，謹守遵行
祂的一切誡命，就是我今日所吩咐你的，祂必使你超乎天下
萬民之上……在你倉房裡，並你手所辦的一切事上，耶和華
所命的福必臨到你。

申命記28：15，20 —— 你若不聽從耶和華你神的話，不謹守
遵行祂的一切誡命律例，就是我今日所吩咐你的……耶和華
因你行惡離棄祂，必在你手裡所辦的一切事上，使咒詛、擾
亂、責罰臨到你，直到你被毀滅，速速的滅亡。

服從或聽從有多重要？_____

_____

_____

試根據以下各段經文列出服從的好處。

耶利米書7：23 —— 你們當聽從我的話，我就作你們的神，你們也作我的子民。你們行我所吩咐的一切道，就可以得福。

服從的好處：_____

路加福音6：46-49 —— 你們為甚麼稱呼我「主啊，主啊」，卻不遵我的話行呢？凡到我這裡來，聽見我的話就去行的，我要告訴你們他像甚麼人：他像一個人蓋房子，深深的挖地，把根基安在磐石上；到發大水的時候，水沖那房子，房子總不能搖動，因為根基立在磐石上。惟有聽見不去行的，就像一個人在土地上蓋房子，沒有根基；水一沖，隨即倒塌了，並且那房子壞的很大。

服從的好處：_____

約翰福音7：16-17 —— 耶穌說：「我的教訓不是我自己的，乃是那差我來者的。人若立志遵著祂的旨意行，就必曉得這教訓或是出於神，或是我憑著自己說的。」

服從的好處：_____

神祝福那些服從祂的人（申28：1-14）。服從的好處往往是超乎我們的想像，其中包括：可以作神的子民（耶7：23）；當人生的大風浪臨到時可以有穩固的根基，不致動搖（路6：46-49）；並且可以認識屬靈的真理（約7：16-17）。

不服從後果嚴重　　　背叛神與服從神剛好對立。不服從就是嚴重抗拒神的旨意。申命記28：15-68就說明了不服從的代價。（有關服從與不服從的後果，可參看申30及32章。）

➤ 你覺得神會怎樣描寫你服從的程度呢？

_____

你是否知道有甚麼（事情）是神要你去做，而你卻沒有做的呢？

_____

請將以下經文作為你自己一生的禱告：

> 耶和華啊，求祢將祢的律例指教我，
> 我必遵守到底！
> 求祢賜我悟性，我便遵守祢的律法，
> 且要一心遵守。
> 求祢叫我遵行祢的命令，
> 因為這是我所喜樂的。
>
> —— 詩篇119：33-35

➧ 重溫今天的功課。禱告求神幫你找出一兩句祂期望你明白、學習、或付諸實踐的課文內容或經文，並回答以下問題：

在今天研讀的課文中，哪些字句或經文對你最有意義？

_____

_____

將這些字句或經文改寫爲你回應神的祈禱。

_____

_____

神期望你做甚麼來回應今天所學習的？

_____

_____

本課撮要

• 當我服從神，讓祂藉著我來完成祂的工作，我就能從經歷中認識祂。
• 如果我愛神，就必會服從祂。
• 服從是我愛神的外在表現。
• 沒有服從的行動這信心是死的。
• 服從是我邁向眞理的關鍵步驟。
• 神祝福那些服從祂的人。

第 2 天

服從（下）

服從就是與神保持愉快無間的團契。

神的僕人是常常照祂的指示做事。僕人是沒有想服從或不想服從的選擇。選擇不服從也就是背叛或悖逆，會帶來嚴重的後果。

甚麼是服從

現今許多人都很自我中心，只想做自己的事情。他們總不會停下來思想一下服從在他們生命中的意義。耶穌說過一個關於服從的比喻：

> 一個人有兩個兒子。他來對大兒子說：「我兒，你今天到葡萄園裡去作工。」他回答說：「我不去」，以後自己懊悔，就去了。又來對小兒子也是這樣說。他回答說：「父啊，我去」，他卻不去。
>
> —— 馬太福音21：28-30

➧ 哪一個兒子遵行父親的旨意呢？請把答案圈出來：　大兒子　小兒子

以下哪一項是服從的解釋？

☐　1.　口裡說你會遵行命令。

☐　2.　切實遵行命令。

在每天結束功課時，你都要回答這條問題：「神期望你做甚麼來回應今天所學習的？」請回頭看看你在每課所寫下的答案。有些回答可能是你立志的長期目標，就請你緊記這些立志。在你重溫各回應之前，先向神禱告，求祂幫你全面察看自己服從與不服從的情況，然後檢討你自己每天對該條問題的回應。用頭腦回答以下兩條問題，作為你對過去每天回應的反省。

1.　我是否相信神清楚帶領我，對於所學習的作出這樣的回應？

2.　直至目前為止，我是否已做妥一切神要我去做的？

除非你已做完你的溫習，否則暫時不要繼續以下的學習。

現在，請回答以下問題。如果你沒有答案，可跳到再下面一題。

A.　你已服從了哪一條命令或指示？

_____

B.　有哪一項長期的指示是你剛開始去遵從的？

_____

C.　有哪一個回應可能是**你**自己的想法，而**不是**神的指示呢？

_____

D.　有哪一條命令是你沒有遵從的？

_____

E.　以下是評分尺。0代表完全不服從，10代表完全服從（只有耶穌才取得10分！）自你修讀本課程以來，**神**對你一生的服從態度會作何評價呢？試在合理的位置畫上 X。

完全　　　　0－1－2－3－4－5－6－7－8－9－10　　　　完全
不服從　　　　　　　　　　　　　　　　　　　　　　　　服從

F.　你何以認為祂會將你算作這等級？

_____

_____

G.　如果你得分的等級偏向不服從，你認為問題的根源是甚麼？

_____

_____

如果成績不理想，請勿氣餒。神會利用這一次的檢討，幫助你回頭轉向祂，使你進到一種對神是出於愛而服從的關係中。在愛的關係裡，神樂於把你由目前的境況遷到祂期望你達到的地步。從此，你就能體會祂所賜予的一切喜樂。

遵行你所認識的神的旨意

有些人很想神委派任務給他們，甚至誓言不論神要他們做甚麼，他們都願意照著做。但是當神察看他們的生活，就發現他們並沒有做妥祂所吩咐的事情。

➤ **你認為神會否委派新任務給一個不肯服從的僕人？**

會☐　　不會☐　　不知道☐

當神向你頒佈十誡，你是否都遵行？耶穌說要愛你的仇敵，你是否正照著做？

耶穌吩咐你的教會要不分種族，訓練所有信徒成爲門徒，你們是否都照著所知道的教訓實行？神要你按聖經教導與弟兄姊妹合一，你是否做到了？

神的命令　　神不是把命令頒給你去挑選，讓你遵守你想遵守的，其他的一律拋諸腦後。其實神很想你因著與祂相愛的關係，而遵守**所有**的命令。只要祂看到你有些微服從和忠心，祂便會對你加添信任。聖靈每天都會引導你來服從神期望你遵守的明確吩咐。

第二次機會

經常都有人問我：「如果一個人不服從神的旨意，祂會再給他第二次機會嗎？」

約拿　　➡ **請讀約拿書1：1-17，並回答以下問題：**

1. 神吩咐約拿做甚麼？（1：2）_____

2. 約拿如何回應？（1：3）_____

3. 後來神對約拿又有甚麼回應？（1：4-17）_____

_____

再閱讀約拿書2：9-3：10，並回答以下問題：

4. 神給約拿第二次機會，約拿如何回應？（3：3）

_____

5. 約拿順從了神，神藉著他成就了甚麼事？（3：4-10）

_____

神往往會給第二次機會。　　我很感安慰，原來神會給我們第二次機會。神有一個計劃去呼籲尼尼微人悔改。祂叫約拿參與他的工作，約拿沒有順從，因爲他對這「異教敵人」早有成見，他甚至巴不得看著神毀滅那城。不順從神的後果是非常嚴重的；約拿結果要經受許多痛苦；他給拋進驚濤駭浪的海中，又在一條大魚的濕滑魚腹中渡過三日三夜，他承認自己的悖逆並且悔改，然後神就給他第二次機會。

第二次約拿順從了（雖然很不情願）。他在城裡第一天只宣講了一句信息，但神卻用這信息叫十二萬人悔改。約拿對神說：「我知道祢是有恩典、有憐憫的神，不輕易發怒，有豐盛的慈愛，並且後悔不降所說的災」（拿4：2）。神對約拿和尼尼微人的回應，使他深深明白，神多麼顧惜世上的眾人，多麼希望他們悔改。

神不會放棄你　　許多屬靈偉人都曾被罪和不順從所破壞，可是神並沒有放棄他們。倘若神只容許人犯錯一次；這樣，摩西就不可能會有後期的改變，他曾犯過數次錯誤（例如出2：11-15）；亞伯拉罕憑極大的信心踏出第一步，但他後來卻走進了埃及，並且幾乎破壞神的計劃——還不止一次（例如創12：10-20）；大衛也曾失敗過（例如撒下11章）；彼得也一樣（例如太26：69-75）；掃羅（保羅）初時甚至追捕基督徒，以爲這是「服侍神」（徒9：1-2）。

不服從的代價高昂

不過，神對不服從的人絕不寬容。從經文中你便看到，約拿因爲不順從幾乎送掉性命；摩西殺死埃及人，結果流落曠野四十年；大衛與拔示巴犯罪的代價，是兒子失去生命；保羅早年的事奉生涯困難重重，都因爲他的不順從所致；許多人都不

敢接近他，因爲大家都聽聞他曾迫害基督徒。

神有心建立你的品格。

神存心要建立你的品格。所以祂有時會容許你犯錯，但不會讓你越軌太遠，才帶你回頭。在你與神的關係中，祂或許會讓你作出一個錯誤的決定，但聖靈會使你知道這不是神的旨意，祂會帶你重回正軌。祂會清楚表明祂的心意。當祂糾正你和教導你的時候，有時甚至會利用你不順從的事實來互相效力（即互相發揮作用），使這成爲益處（羅8：28）。

拿答和亞比戶的不順從

雖然神會饒恕和經常給予第二次機會，但你不可對不順從的後果掉以輕心；有時祂會不給予第二次的機會。亞倫的兩個兒子拿答和亞比戶就是因爲不順從而獻上不聖潔的凡火，神就把他們擊殺（利10章）。

摩西偷取神的榮耀

摩西在以色列人面前偷取神的榮耀，他擊打磐石，說：「你們這些背叛的人聽我說：『我（譯註：「我」原文作「我們」）爲你們使水從這磐石中流出來麼？』」（民20：10）留意經文中的「我們」，叫磐石流出水來的其實是神。當時摩西是奪去了神的榮耀，而神也拒絕拿走他不順從的後果。結果摩西無法與以色列人一起進入應許地。

➡ **是非題：**

____ 1. 神從來不會給予第二次機會。

____ 2. 當神寬恕我們不順從的過犯時，他也會拿走不順從所帶來的一切後果。

____ 3. 神常常能夠利用我們不順從的事實，讓各事故互相發揮作用而成爲愛祂的人的益處。

____ 4. 神存心要建立你的品格。

____ 5. 不順從的代價可以是非常嚴重的。

____ 6. 神並非常常都拿走罪的後果。

神愛你，祂想要把最好的給你，所以祂把命令和指示頒下。祂的命令不是要限制你或束縛你，而是將你釋放出來，使你經歷最有意義的人生。是非題的答案是：1和2都是「非」，其他的都是「是」。

順從意即與神保持愉快無間的團契。約翰‧森美斯（John H. Sammis）撰寫的一首聖詩正描述了我們與神之間的順從關係和團契：

信靠順服

我與救主同行，在主福音光中，

何等榮耀照亮我路程！

只要聽主命令，主必與我同行，

信靠順服者主必同行。

除非我將一切奉獻救主腳前，

否則難知主慈愛豐滿；

因主一切恩惠，一切喜樂、榮美，

信靠順服者才獲全備。

故願在主腳前，享主恩誼甘甜，

願行天路跟隨主身邊；

祂吩咐即聽命，祂差遣就遵行，

信靠順服者總不憂驚。

信靠順服，此外並無別路，
若要得主裡喜樂，惟有信靠順服。

確認

給摩西印證的記號　　每當聽到神的呼召，我們都很想得到一個印證的記號：「主啊，向我證明這是祢的旨意，那我才去跟從。」摩西站在燒著的荊棘前，接受神邀請他去與祂同工。神告訴摩西，他會得到一個印證的記號，以表明是神差遣他。祂對摩西說：「你將百姓從埃及領出來之後，你們必在這山上事奉我；這就是我打發你去的證據」（出3：12）。這句話可以這樣說：「摩西，你順從我吧！我會藉著你去拯救以色列人，然後你們便知道我是你們的拯救者，你們就會站在這山上敬拜我。」神要摩西**順從之後**才給摩西確認，是祂差遣他，而不是在他順從之前就給他憑據。這種情況在聖經中經常出現，神要我們順從之後才給予確認。

　　神是愛。你當信靠祂和相信祂，既然你愛祂，就該順從祂，然後你可以與祂團契，深深的認識祂。當你得到祂的確認，對於你那將會是一個快樂無比的時刻！

➤ **重溫今天的功課。禱告求神幫你找出一兩句祂期望你明白、學習、或付諸實踐的課文內容或經文，並回答以下問題：**

在今天研讀的課文中，哪些字句或經文對你最有意義？

_____

_____

將這些字句或經文改寫為你回應神的祈禱。

_____

_____

神期望你做甚麼來回應今天所學習的？

_____

_____

本課撮要

- 服從是遵行神的吩咐。
- 我應該遵行我所認識的神的旨意。
- 神每逢看到我有些微服從和忠心，祂便會對我更加信任。
- 神往往會給予第二次機會。
- 神有時不會給予第二次的機會。
- 不服從的代價高昂。
- 神很想建立我的品格。
- 神要我們順從之後才給予確認。

第3天　神藉著你作工

如果神藉著你做了一件只有祂方能完成的特殊工作，你也會蒙受祝福。

當你順從神，祂就會藉著你來完成祂定意要做的事。當神透過你的生命去做一些只有祂方能承擔的工作，你就會對祂有更深入的認識。但如果你不順從，你就會錯過一生中最令人興奮的經驗。

當神決意要藉著你去做一些事情，而這項任務艱巨到只有神才可以承擔的，這往往是因為神想要向你和你身邊的人啟示祂自己。倘若你憑著自己的力量能夠完成這工作，眾人便無法認識神。可是，如果神藉著你來完成惟有祂方能完成的工作，你和你身邊的人就會認識祂。

今天的功課與你在單元七所研習的有關。只有神才可以做的工作常會產生信心的危機。你必須相信，神就是那位說有就有的神，正如祂所說的那樣，同時祂能夠也一定會完成祂自己決意要做的事。假如你服從祂，就必須讓祂去做祂所說過的。雖然祂是來完成任務的那一位，不過祂是藉著你來進行的。

➤ **以下是從單元七撮取的一些內容，請找出哪幾句對你最有意義？**

☐ 假如神邀請你參與祂的工作，那些工作通常都是艱巨到只有祂方能完成。

☐ 假如神呼召你參與只有祂方能成就的工作，你必須要有信心。

☐ 當你面對信心的危機，你下一步的反應便顯示你對神的信心所在。

☐ 信心要建立在一位有位格的神身上。

☐ 信心是相信神必會實現祂所應許的或祂說過會去做的。

☐ 當神向你說話，祂是向你啟示祂將會去做的事，而不是要你去為祂做甚麼。

☐ 如果你對呼召你的神有信心，你便會順從祂，而祂也會完成祂決意要做的事情。

☐ 順從是顯示你對神的信心。

☐ 只要有信心，你便會放膽順從祂，因為你知道祂會完成祂決意要做的事情。

請簡述一件神所做而帶給你生命意義的事情。那件事是與只有神方能承擔的艱巨工作、信心、及／或與順從方面有關的。

_____

_____

_____

摩西順從，神便去成就

摩西順從

摩西惟有在做出順從的行動之後，才開始體會神各方面的性情。因著對神的順從，他才開始認識神。從摩西的生命中，我們就能看見這種常見的、神向人說話的模式 —— 當摩西服從，神便成就祂旨意已決的事情。

➤ **閱讀以下經文，並回答各問題：**

出埃及記7：1-6

1. 神吩咐摩西做甚麼？（7：2）_____

2. 神說祂會做甚麼？（7：4）_____
   _____

3. 當摩西順從神，而神也實踐祂曾說過的，那結果會是甚麼呢？
   _____

出埃及記8：16-19

4. 神吩咐摩西和亞倫做甚麼？（8：16）_____

5. 摩西和亞倫作出怎樣的反應？（8：17）_____

6. 是誰將塵土變成虱子？　摩西和亞倫☐　　還是神☐？（8：19）

神工作的一貫方式　　我們從摩西的生命中看到這種一貫方式：

- 神要釋放以色列人，祂邀請摩西來參與祂的工作。
- 神吩咐摩西要做甚麼。
- 摩西服從了。
- 神成就了祂決意要做的事。
- 摩西和他身邊的人對神有更清楚、更深入的認識。

當以色列人面對著紅海，而埃及軍兵又在後面趕來，神叫摩西向海舉起他的杖。摩西順從了祂，神便將海分開，以色列人於是經過乾地（出14：1-25）。最後米利暗帶領群眾唱歌讚美耶和華，述說他們對神的重新認識。

後來以色列人沒有水喝，乾渴非常，於是抱怨摩西。神就吩咐摩西用杖擊打磐石，摩西順從了，神便命令水從磐石流出來（出17：1-7）。我們看見這種方式一次又一次在摩西的人生中出現。

➤ **根據神藉著摩西工作的一貫方式，將以下的字句重新編排，由1至5填上正確的次序。**

____ A. 摩西和他身邊的人對神有更清楚、更深入的認識。

____ B. 摩西服從了。

____ C. 神吩咐摩西要做甚麼。

____ D. 神成就了祂決意要做的事。

____ E. 神要釋放以色列人，祂邀請摩西來參與祂的工作。

挪亞順從神，神便保存了他一家，並使地上的生命再次繁衍；亞伯拉罕順從神，神便給他一個兒子又使他建立大國；大衛順從神，神便立他為王；以利亞順從神，神便降火燒盡燔祭。這些信心偉人順從神，神便藉著他們成就祂的工作，使他們從親身的經歷中認識祂。當摩西順從神，他就從經歷中認識神。神藉著摩西而工作的一貫方式按正確次序應該是：E、C、B、D、A。

門徒順從，神去成就

差遣七十名門徒　　路加記錄了耶穌的門徒曾跟隨這同樣的一貫方式去工作的一次美好經歷。耶穌邀請了七十個人與祂一起參與天父的工作。他們順從了耶穌，便經歷了神藉著他們而成就了一些只有神才辦得到的事。

➤ **請閱讀路加福音10：1-24，並回答以下問題。**

1. 耶穌吩咐那七十個信徒做甚麼？

在10：2＿＿＿＿＿＿＿＿＿＿＿＿＿＿＿＿＿＿

在10：5，7＿＿＿＿＿＿＿＿＿＿＿＿＿＿＿＿

＿＿＿＿＿＿＿＿＿＿＿＿＿＿＿＿＿＿＿＿＿

在10：8＿＿＿＿＿＿＿＿＿＿＿＿＿＿＿＿＿＿

在10：9＿＿＿＿＿＿＿＿＿＿＿＿＿＿＿＿＿＿

2. 對於主人與僕人、耶穌與七十信徒之間的關係，第16節有甚麼指示？

＿＿＿＿＿＿＿＿＿＿＿＿＿＿＿＿＿＿＿＿＿

＿＿＿＿＿＿＿＿＿＿＿＿＿＿＿＿＿＿＿＿＿

3. 那七十個人對他們的經歷有甚麼感覺？（10：17）

＿＿＿＿＿＿＿＿＿＿＿＿＿＿＿＿＿＿＿＿＿

4. 你認為那七十個人因為這次經歷會對神有甚麼認識？

＿＿＿＿＿＿＿＿＿＿＿＿＿＿＿＿＿＿＿＿＿

耶穌給這些信徒一些明確的指引，他們都照著行了，並且經歷到神藉著他們治病、趕鬼。耶穌對他們說，他們得到的救恩應比鬼魔被降服一事更令人歡欣（10：20）。耶穌又讚美天父向這些信徒顯現自己（10：21-22），後來耶穌轉過身來對門徒說：「看見你們所看見的，那眼睛就有福了。我告訴你們，從前有許多先知和君王要看你們所看的，卻沒有看見，要聽你們所聽的，卻沒有聽見。」（10：23-24）

這些門徒是有福的。

這些門徒是有福的，因為他們特別被神揀選參與祂的工作。他們所看見、聽見以及所體會到的，即使是先知、君王也沒有經歷過，他們是有福的！

你也可以經歷這份歡欣。

假如神藉著你去完成只有祂才能成就的特別工作，你也可以享受到這種福氣。你會因為認識祂，而帶給你生命許多的歡樂。當你身邊的人看見你這種經歷，他們也會想知道如何同樣親歷神。你該作好準備，將神指給他們看。

➡ **最近神有藉著你完成甚麼事情，使你感到歡欣嗎？**

有☐　　無☐　　如有的話，試略述這段經歷。

＿＿＿＿＿＿＿＿＿＿＿＿＿＿＿＿＿＿＿＿＿

＿＿＿＿＿＿＿＿＿＿＿＿＿＿＿＿＿＿＿＿＿

如果你肯順從，神便會藉著你成就一些奇妙大事；但你要十分小心，你對神的見證是應該用來榮耀神的，有時你會因為內心的驕傲而說出這些經歷，叫人覺得你與別不同，這是經常出現的試探。你想要述說神的奇妙作為，就當避免內心的驕傲，因此：

「誇口的，當指著主誇口。」（林前1：31）

➡ **重溫今天的功課。禱告求神幫你找出一兩句祂期望你明白、學習、或付諸實踐的課文內容或經文，並回答以下問題：**

在今天研讀的課文中，哪些字句或經文對你最有意義？

＿＿＿＿＿＿＿＿＿＿＿＿＿＿＿＿＿＿＿＿＿

＿＿＿＿＿＿＿＿＿＿＿＿＿＿＿＿＿＿＿＿＿

將這些字句或經文改寫為你回應神的祈禱。

＿＿＿＿＿＿＿＿＿＿＿＿＿＿＿＿＿＿＿＿＿

＿＿＿＿＿＿＿＿＿＿＿＿＿＿＿＿＿＿＿＿＿

神期望你做甚麼來回應今天所學習的？

_____

_____

背誦或默寫需要背誦的金句。

> ### 本課撮要
> - 當我順從神，祂就會藉著我來完成祂決意要做的事。
> - 神想向我和我身邊的人啓示祂自己。
> - 如果神藉著我來做一件只有祂方能完成的特別工作，我必會因此蒙受祝福。
> - 我要十分小心，任何述說神作為的見證都應該只用來榮耀神。
> - 「誇口的，當指著主誇口。」（林前1：31）

第4天 │ 你會認識神

神會用祂的作為向祂的子民啓示祂自己。

神會利用祂的作為向祂的子民啓示祂自己。當神藉著你成就祂的旨意，你便可以從經歷中認識祂；同時，當神滿足你生活上某一項的需要，你也會從這經歷中認識祂。在單元四我們已研讀過神在聖經中出現的名字，這些名字顯示了祂如何向人類啓示祂自己。

➤ **請翻開單元四第1天「藉經歷認識神」及「神的名字」，重溫這兩段內容。神如何向我們啓示祂自己？我們怎樣認識神？**

_____

_____

聖經中指出，當神藉著順從祂的人或民族去成就一些事情，他們便會重新對神有更深入的認識（士6：24；詩23：1；耶23：6；出31：13可找到更多例子）。神向摩西啓示祂自己的名字：「**我是自有永有**」（出3：14），後來神「道成了肉身，住在我們中間」（約1：14），耶穌便這樣向門徒描述自己：

耶穌是……

> 我就是生命的糧。（約翰福音6：35）
>
> 我是世界的光。（約翰福音8：12）
>
> 我就是門。（約翰福音10：9）
>
> 我是好牧人。（約翰福音10：11）
>
> 我就是復活，就是生命。（約翰福音11：25）（現代中文譯本）
>
> 我就是道路、真理、生命。（約翰福音14：6）
>
> 我是真葡萄樹。（約翰福音15：1）

耶穌用**我是**或**我就是**（I AM）來描述自己，跟舊約的「自有永有」（I AM）一

樣（神在燒著的荆棘中向摩西說的名字）。要認識和經歷以上耶穌所說的屬性，你就必須「相信祂」（對祂有信心）。例如，祂對你說：「我就是道路。」你能否經歷到祂就是生命中的「道路」，那全在乎你下一步對祂有甚麼行動。假如你相信祂，願意爲祂將生命調校，並且順從祂後來的吩咐，你便可以知道和經歷到祂就是「道路」。神就是這樣每天向你啓示的。

➡ **翻開本書附錄甲，在這許多描述神的名字當中，哪些是你親身體驗過的？請在以下列出。**

_____

_____

_____

_____

_____

在此刻，哪一個名字對你來說是最寶貴或最有意義的呢？

爲著神過去向你所作的啓示，利用今天餘下的時間向祂禱告感恩。你可利用單元四第2天「敬拜神」的資料作爲指引，幫自己敬拜神。

禱告感恩之後，試寫下你在這課程期間如何從經歷中認識神。

_____

_____

_____

_____

第5天

問題解答

> 神絕不會將任務交給我而不給我能力去應付。

我們在此停一停，看看有關這單元主題的一些問題，許多人都向我提出過這些問題；說不定你也有同樣的疑問。

問：爲甚麼神在我生命中的作爲似乎做得如此緩慢？

耶穌與門徒相處了三年之後，說：「我還有好些事要告訴你們，但你們現在擔當不了。只等眞理的聖靈來了，祂要引導你們明白一切的眞理；因爲祂不是憑自己說的，乃是把祂所聽見的都說出來，並要把將來的事告訴你們」（約翰福音16：12-13）。耶穌還有許多事要教導門徒，但他們當時還沒有準備好去接受。不過，耶穌知道聖靈會來繼續引導門徒，按著神所定的時間幫他們明白眞理。

你或許會問：「神啊，可否幫我快一點成熟？」

神會回答說：「我已按著你的承受能力以最快速度在你生命中動工，當有一天

你準備好了，我自會將新的眞理放進你的生命裡。」

➡ 反省以下問題：

- 神引導我去做的一切，我是否正作出回應？
- 我有否對我所認識的神的旨意全都順從？
- 我是否眞的相信祂愛我，並且相信祂所作的是最好和最正確的？
- 我是否願意耐心等候祂所定的時間，並且對於知道當時要做的每一樣事都順從？

有時神在一些人的成長過程中作工得特別緩慢，你認爲原因在哪裡？

_____

給神足夠的時間　　小草朝生暮死，無需很長的成長時間；橡樹壽逾百年，需要經歷長久的時間才可以長成。神是從永恆的角度來考慮我們的生命；所以我們必須給祂足夠的時間，按著祂的旨意去塑造我們。祂給我們的任務愈重，需要的時間就愈長。

➡ 你是否願意給神足夠的時間來裝備你，好叫你能夠承擔祂交給你的任務或工作？如果願意，寫下你的禱告。

_____

_____

_____

問：爲甚麼神不給我重大的任務或工作？

神或會對你說：「你要求我讓你參與偉大的事工，但我只期望你明白如何相信我。目前我還不能把任務交給你。」神必須把你生命的根基建立好，然後才裝備你去承擔較大的任務。

你會否這樣對神說：「主啊，祢要是給我偉大的任務，我定會傾盡全力服侍你。」

神或會回答說：「我眞的想給你這類任務，可惜不能。如果我把任務交給你，你必定無法處理，因你還沒準備好。」

你做得到嗎？　　你又或會爭辯說：「主啊，我可以。我可以應付得來。請給我機會試試看。」但你還記得門徒中有些人也以爲自己可以承擔起較大的任務嗎？

信靠祂　　在耶穌被釘十架的前一晚，彼得說：「主啊，我就是同祢下監，同祢受死，也是甘心！」但耶穌回答說：「彼得，我告訴你，今日雞還沒有叫，你要三次說不認得我」（**路加福音22：33-34**）。祂不是也同樣了解你將來的情況嗎？請相信祂，不必強求神給你一些你自以爲承擔得起的工作。那只會導致你崩潰。

其實神比你更想將天國的事工完成，因此祂自會推動你去承擔一些祂知道你已準備好去負責的工作。

➡ 如果神還沒有將你希望去負責的任務交託你，你認爲應該怎麼辦？

_____

讓神來引導你朝向祂。僕人不會吩咐主人把他想要做的工作交託他。僕人只會靜候主人的差派。因此，你要耐心等候。但等候神並不表示你可以投閒置散；你要讓神利用這等候的時間來塑造你、磨練你的品格，潔淨你的生命，使你成爲潔淨的器皿供祂使用。

神委託的每一件工作都是重要
的工作。

聖靈既然禁止他們在亞細亞講
道，他們就經過弗呂家、加拉
太一帶地方。到了每西亞的邊
界，他們想要往庇推尼去，耶
穌的靈卻不許。他們就越過每
西亞，下到特羅亞去。在夜間
有異象現與保羅。有一個馬其
頓人站著求他說：「請你過到
馬其頓來幫助我們。」保羅既
看見這異象，我們隨即想要往
馬其頓去，以為神召我們傳福
音給那裡的人聽。

　　── 使徒行傳16：6-10

重新去明白神的心意

　　如果你順從神，祂便會裝備你去承擔適合你的工作或任務，而這宇宙創造者所委託的每一件工作都是重要的工作。你不要以人的標準來衡量工作的重要性和價值。

問：假如我順從了神，但「門」仍然關閉，那是出了甚麼問題？

　　倘若你感到神呼召你去承擔一件工作，或要去某一地方，或接受一項任務，而你也準備就緒，但卻事事棘手；在這種情況下，許多人都會說：「我猜這不是神的旨意。」

　　每當神呼召你進入祂的關係裡，你就要十分小心解釋所謂處境，避免結論下得太快。有時神推動我們朝某一方向走，把祂將要做的事告訴我們，我們往往會迅速跳進自己的結論去，自己去解釋祂正要做的，因為我們的結論聽起來似乎很合理，我們便按著自己的理解去做了，最後就得不出甚麼成果。我們常常有這種傾向，放下與神的關係，用自己的雙手去處理面對的事情。你千萬不要這樣做。

　　每當神呼召你或給予你指示的時候，祂的呼召多半都不是祂想要你去替祂做的事；祂只是想告訴你，祂打算在你現有的處境裡作工。比方說，神告訴保羅，祂要透過他去接觸外邦人；那是說，神打算自己去接觸外邦人，而不是保羅。當保羅準備向某一地點進發，聖靈卻阻止他（徒16：6-10）。他於是轉往另一方向，聖靈又阻止他。到底神的最初計劃是甚麼？不是接觸外邦人嗎？保羅出了甚麼問題？他嘗試摸索該做的事情，但機會之「門」卻關閉著。門真的關起了嗎？不，神只是想說：「保羅，聽我說。你去特羅亞，留在那裡，直至我告訴你該往哪裡走。」

　　到了特羅亞，保羅看見了異象，神召他往馬其頓去幫助那裡的人，到底發生了甚麼事情？原來神的計劃是要將福音帶往西面的希臘和羅馬，祂要在腓立比工作，並要保羅與祂同工。

　　倘若你開始跟從神，而客觀環境*似乎*是機會之門關閉了；那麼，你便應當回到神面前，重新去明白祂的心意。當然，最理想的就是在感到神呼召的一刻開始，就清楚知道神的心意。許多時候祂都不是呼召你去承擔工作，而是加深你和祂的關係；藉著這關係，祂會藉著你的生命去為祂做些事情。假如你已開始一些計劃，卻一切都受阻，那麼就請你回到神面前，重新去明白祂的心意。不要否定神講過的說話，而是要去明白祂在說甚麼。

➤ 以下一段文字是述說一對曾感到神呼召他們去參與學生工作的夫婦。如果你朝著你覺得是神所帶領的方向走，但客觀環境卻顯出「門是關閉的」，你便要注意那吩咐你去做甚麼的指示了。試將吩咐標示出來，我已標示了其中一項作為例子。

　　我與一對很難得的夫婦交談，他們說神邀請他們到薩斯克頓市來參與學生工作，他們開始為負起傳教士任務作準備，但國外傳道部卻對他們說：「不可以。」

　　他們因此說：「我們定是弄錯了。」我勸他們不要太快下結論，不如回去再想想當初神呼召的時候，神對他們說過甚麼。他們因為沒有一件事能夠如想像那樣順利進行，所以就把神的計劃全部推翻。

　　我請他們回去，重新去明白神曾呼召他們做甚麼，神是否呼召他們去宣教？祂

是否呼召他們參與學生工作？祂是否叫他們到加拿大去？他們感到神確實叫他們到加拿大從事學生工作。

於是我對他們說：「請保留著這份感動，因爲其中一扇門關閉了，但並不表示工作就此告吹，要繼續留意，看這位呼召你們的神如何履行祂所說過的。神說過的，必會成全，你們要謹愼，別讓客觀的環境事實推翻神的說話。」

神心中可能另有打算，祂可能要給他們別的經濟支持。或者祂需要更多時間裝備他們，使他們承擔得起這任務。我們要讓神在祂自己所定的時間成就祂的事工。與此同時，你該就你所認識的範圍，繼續工作，靜候祂下一個指示出現。

➡ **假如客觀環境似乎機會之門關閉了，使神的旨意無法成就，你會怎麼辦？**

_____

_____

_____

當事情似乎並不順利……

倘若你順從了神，事情卻似乎並不順利，便該：

* 重新去明白神的心意，看看你是否對祂的話語加了自己的「修訂」。
* 記住神所說過的。
* 讓神在祂自己所定的時間成就祂的事工。
* 就你所認識的範圍，繼續工作。
* 然後靜候神，直至祂給你下一個指示爲止。

> **既然在你和祂的關係上神是主動作工，祂自會確保工作能夠完成。**

神一項最偉大的工作就是令祂的子民調校自己去對準祂。祂需要時間來塑造我們，直至我們眞正成爲祂所期望我們成爲的模樣。假設你從神的話語和禱告中感到祂要做一些偉大的事情，而四周的客觀事實也似乎印證了祂在動工，而且教會或其他信徒也支持你；但六個月後你仍然看不到有甚麼偉大事情成就。在這種情況下，你千萬不要消極沮喪，倒要留意看看神是否在你和你周圍的人身上動工，祂是否在裝備你去承擔祂的工作。答案在於你與神之間的關係。

問：我怎能知道我所領受的話語是來自神，或是出於我自己的一些自私動機，抑或是來自撒但？

許多人不厭其煩，努力學習如何辨別撒但的詭計，我卻不這樣做。我認爲無需把焦點放在撒但那裡，因牠已經被打敗。只有那位帶領我、現今藉著我正實現祂的旨意的，才是勝利者。撒但若要破壞神藉著我完成的工作，那就除非我相信撒但而不相信神。撒但經常會蒙蔽你，但最終都不能阻撓神定意要做的。

➡ **請閱讀以下敍述，看看能否在你的屬靈生活中付諸實踐。**

騎警與僞鈔

加拿大皇家騎警隊訓練警員從事打擊僞鈔工作時，他們從不給受訓的警員看僞鈔。他們知道眞正的十元面鈔只有一種，因此，他們仔細研究眞鈔票的每一細節，凡是與眞鈔不符的，都是僞造。

僞鈔的出現形式多得你無法想像，加拿大騎警不會研究僞鈔如何仿眞，他們只研究眞品，凡與眞品不符的都是僞造的。

➡ 每當有一種指示的意識在你面前出現，你可能會問：「這是從而神來，抑或是從撒但來的？」你如何裝備自己，可以清楚知道信息是從神而來的？

_____

_____

_____

耶穌引述最近從神領受的話語。

你應該如何面對跟撒但進行的屬靈爭戰？答案是仔細認識神的方法；凡是與神的方法不符的，你就不用理會；這就是耶穌面對試探的態度。基本上耶穌只平靜的說：「撒但，我清楚你所說的，但這並不是神上次向我說的話，聖經說……」（參太4：1-11）耶穌從不與牠爭辯，也不去分析，牠只遵照神最近一次所說的話去行，直至神告訴牠下一步的指示。

問：神是否已爲我的生命定下一個永恆計劃？

神爲你與他的關係定了計劃。

神是否在今生已爲你定下在永恆的計劃，然後讓你自己決定怎樣去完成？其實神的計劃是要建立你和他的關係。我們經常感到非常困惑，希望神告訴我們，他是否要我們作個基督徒商人，抑或樂隊指揮、宗教教育人員、傳道人、或傳教士？我們想知道他要我們留在祖國事奉，還是要我們往日本、或是加拿大去？神通常都不會派給你一次完成的任務，然後就把你留在那裡過一生。誠然，你可能被安置在某工作崗位上一段相當長的時間，但神是任務逐日交給你的。

他是呼召你與他建立以他爲主的關係。以致你願意接受他選擇的事情。如果你認他是主，他會引領你接受你從沒想過的事情；倘若你不尊他爲主，便會將自己困鎖在某一工作或事工上，錯失神要藉著你去完成的事情。我聽過有些人這樣說：「神要我成爲……所以其他事情都不可能是他的旨意。」或說：「我的屬靈恩賜是……所以神不會給我這事奉。」

神絕不會一方面將任務交給我，而同時又不給我能力去應付。所謂屬靈恩賜，是你完成神事工的一種超自然能力，不要只一味用你的才幹、能力、和興趣來決定神的旨意。我聽過許多人這樣說：「我真的很喜歡這工作，所以，這必定是神的旨意。」這種回應方式太自我中心，你須以神爲中心，他是主，你該作這樣的回應：

> *主啊，祢的國度需要我做的任何事情，我必定做。無論何處祢要我去我必去。無論甚麼環境，我都願意跟隨。倘若祢要藉著我去滿足世人某一項需要，我是祢的僕人，無論祢要求的是甚麼，我都必定遵行。*

➡ 倘若教會內有一名少年人來到你跟前，要你輔導，說：「我想神或許在呼召我去做傳道人，你可否告訴我，我該怎樣才知道自己是否應該做個牧師、傳教士、或宗教教育人員呢？我希望能謹慎處理，以免錯失神爲我生命所定下的計劃。」
你會怎樣回答他？試將你回答的要點列出來。

_____

_____

你會否指出神的計劃是建立他和祂的關係,而不單單跟這少年人說明工作的內容?你會否幫他明白,他需要每天都順服於基督的主權?我相信你會幫助他以神為中心,幫他用這種態度去認識神的旨意和行在其中。

➡️ **重溫今天的功課。**禱告求神幫你找出一兩句祂期望你明白、學習、或付諸實踐的課文內容或經文,並回答以下問題:

在今天研讀的課文中,哪些字句或經文對你最有意義?

_____

_____

將這些字句或經文改寫為你回應神的祈禱。

_____

_____

神期望你做甚麼來回應今天所學習的?

_____

_____

溫習你要背誦的金句,以便在本週的小組學習時間內向其他學員背誦。

本課撮要

- 我願意給祂足夠的時間,讓祂按著祂自己的旨意來塑造我。
- 宇宙創造者所託付的每一件任務都是重要的任務。
- 神呼召我與祂建立關係。
- 我不能脫離與神的關係,自行處理眼前的事情。
- 讓神在祂自己所定的時間成就祂的事工。
- 徹底認識神的方法;凡是與神的方法不符的,我就知道不是從祂而來的,而且不予理會。
- 神絕不會將任務交給我而不給我能力去應付。

單元十

神的旨意與教會

畢伊華是我們的膝蓋

前面我也曾提過畢伊華，她是一名已退休的寡婦，住在農莊裡，她是我所認識的其中一名最了不起的禱告勇士。既然我們教會是基督的身體，伊華便是膝蓋。神把她放在這身體裡做有力的禱告勇士。

每逢有新信徒，我都會叫他們到伊華那裡去，讓她告訴他們如何禱告。她造就了許多禱告勇士。有一次我們在大學校園裡推動福音工作，對於校園的工作，伊華不知道自己在這事奉上怎樣發揮作用，有誰可以幫助她在基督身體裡參與這項新的福音事工呢？結果我們的校園傳道人來幫她，他與伊華分享如何為校園禱告。她在基督的身體裡仍舊擔當以往的角色，她只需單單學習如何為校園作「膝蓋」（禱告的人）。我們對校園的學生說：「每逢你打算向其他人作見證，或是在事奉的工作上有甚麼特別任務，就去告訴伊華吧，她會為你禱告。」

一位名叫榮恩的學生對伊華說：「下星期二我向德格作見證，你可以為我禱告嗎？」伊華答應了。榮恩作見證的那一個中午，伊華放下所有事務，禱告了整個中午，每次學生有甚麼工作，她都這樣禱告。雖然接觸校園的是「手」，但整個身體都配合得天衣無縫，每一部分都按著神的分配施展功能，使「手」發揮很好的功效。

三個月後，在一次呼召中，有一名青年人走到通道上，他相信了神。我對會眾說：「這就是德格，他剛成為基督徒。」我向伊華那邊望去，她感動得流起淚來，她從沒見過德格，但卻為他禱告了三個月。

是誰成功將德格領到主面前呢？是整個身體！

本週背誦金句　　*我們這許多人，在基督裡成為一身，互相聯絡作肢體。*
　　　　　　　　　—— 羅馬書12：5

第1天 | 教會

當教會讓神的同在和作為都彰顯出來，就會把監視著基督徒的世界都吸引到祂那裡去。

　　教會需要教導會友如何與神同行，知道如何聆聽祂的聲音，曉得分辨一些唯獨祂才能成就的事。我身為牧師，自然是責無旁貸地要負起教導的責任。在牧會的第一年，我試過有時用點時間去找出在我就任之前神曾經做了些甚麼；然後又花點時間去帶領人進入與神建立的關係中，以致他們明白教會是甚麼，以及教會如何發揮作用。

　　從聖經中可以看到，神會將異象賜給蒙祂呼召的領袖，又賜他們能力去帶領百姓。這些領袖便帶領百姓。這些人必須要與神同行，並且對於神在百姓中間正做些甚麼有敏銳感覺。使徒行傳第6章便描述了這種情況。

　　或許今天基督教面對的最大挑戰，是教會要怎樣與神同行，才可以令世界因著他們的見證認識神。倘若教會讓神的同在和作為都彰顯出來，一個監視著基督徒的世界就會被吸引到祂那裡去。你們教會怎樣才可成為這一種教會呢？首先教會必須知道，在與神和與其他教會的關係上，自己的身分是甚麼。

1. 教會是基督所創的。基督使用聖靈引導的牧師和領袖（弗4：11-13）來建造祂的教會（太16：18），並按著祂的心意把各成員安排妥當（林前12：18）。因此，不論是屬靈領袖或是會友，都應尊重由神安置於教會內的每一牧者和成員。

2. 教會是活著的基督身體，且有許多肢體（林前12：27）。教會並不是一座建築物或一個機構。它是由一群人建立起來的活生生的身體。

3. 教會惟獨以基督作為身體的頭（弗1：22；4：15-16），教會的一切都由祂作主。

4. 一個教會的會友，乃是單指同一教會內的其他成員（弗4：11-16；林前12章）。所有成員都要互相倚賴，彼此需要對方。

5. 教會乃是與基督一起承擔使命，在這世界裡實現天父的救贖計劃（太28：18-20；林後5：17-20），「我們是與神同工的。」（林前3：9）

➤ 以下每組句子中，有一句是以人為中心，另一句則以神為中心，試找出以神為中心的句子。

☐ 1a. 一個有效率的教會是由強而有力的領導、信徒的積極參與、以及良好的組織所構成。

☐ b. 基督建立祂的教會是藉著聖靈加力的牧師、屬靈領袖、以及基督身體的各成員。

☐ 2a. 耶穌基督賦予教會生命，教會就是基督活著的身體。

☐ b. 教會是一群人經過妥善組織，而成為當地社區內的一個機構。

☐ 3a. 每個教會都需要一個財務部和理事會。

☐ b. 基督是教會的頭。

☐ 4a. 當教會的會友聚集在一起，大家常會經歷到神在這身體裡藉著其他會友的生命所顯的作為。

☐　　b.　會眾的出席是表示支持教會的一種重要方式。

☐　5a.　教會應時常留意神在甚麼地方動工，並且在祂的救贖使命上投入參與。

☐　　b.　教會應訂立有價值而且可以達到的目標，而會友就獻出最好的以求達到這些目標。

以神爲中心的句子包括1b、2a、3b、4a和5a。神藉著牧師、其他屬靈領袖、和教會內的眾人成就祂的旨意。以上有些描述都是許多教會的情況，顯示我們經常都以人爲中心從事宗教活動，並且過分誇獎人的才華和能力。其實在天國的事工上，只有神才是實至名歸，得祂完全的榮耀。

爲人比做事更重要

教會好比我們每一個人，往往只有興趣知道神給他們甚麼工作，而不是神要他們作個怎樣的信徒。其實，作個討神喜悅的信徒，遠比爲神做點甚麼工作更重要。不錯，神希望教會順從祂，做祂所吩咐的工作；然而，祂卻不喜歡教會爲了完成工作，而不惜違反祂的命令。有時教會因爲有些人主張進行某項事工，另一些人反對，因而彼此在仇恨中分裂。在這種情況下，你能想像神的感受嗎？

➡ **對下列的問題，你認爲是對還是錯？試將答案圈出來。**

1.　神只要教會完成祂差派的事工，儘管會帶來嚴重的分裂。

　　　對　或　錯

2.　神期望祂的子民活出愛的見證，甚於其他一切。

　　　對　或　錯

3.　只要是神的工作，教會可以用不道德或不法的途徑去進行。

　　　對　或　錯

對於一些人來說，這些是難解的問題。許多人以爲可以不擇手段地爲神完成工作，他們不惜違反聖經的原則，去完成他們所謂的聖工。神只喜歡祂的子民保持聖潔、清白、純全。祂只喜歡教會保持合一——「免得身上分門別類」（林前12：25）；祂只喜歡我們彼此相愛，使世人因此而認出我們是祂的門徒（約13：35）。神有能力藉著祂的子民用符合祂一切命令和跟祂本性一致的方法，去完成祂的工作。

> 1. 神期望祂的子民保持聖潔、清白和純全。
> 2. 神期望祂的子民表現出合一。
> 3. 神期望祂的子民彼此相愛。

➡ **以下每段經文分別是與上述三句中的一句意思相配的，請閱讀這些經文後，在橫線上寫出所配對的句子。**

A.　「……也爲那些因他們的話信我的人祈求，使他們都合而爲一。正如祢父在我裡面，我在祢裡面，使他們也在我們裡面，叫世人可以信祢差了我來……使他們完完全全的合而爲一，叫世人知道祢差了我來……」（約翰福音17：20-21，23）

B. 「我們應當彼此相愛。這就是你們從起初所聽見的命令……我們相愛，不要只在言語和舌頭上，總要在行為和誠實上……神的命令就是叫我們信祂兒子耶穌基督的名，且照祂所賜給我們的命令彼此相愛。」（約壹3：11，18，23）

_____

C. 「就不要效法從前蒙昧無知的時候那放縱私慾的樣子。那召你們的既是聖潔，你們在一切所行的事上也要聖潔。因為經上記著說：『你們要聖潔，因為我是聖潔的。』」（彼前1：14-16）

_____

D. 「凡所行的，都不要發怨言，起爭論，使你們無可指摘，誠實無偽，在這彎曲悖謬的世代作成神無瑕疵的兒女。你們顯在這世代中，好像明光照耀，將生命的道表明出來……」（腓2：14-16）

_____

E. 「用和平彼此聯絡，竭力保守聖靈所賜合而為一的心。」（弗4：3）

_____

你會怎樣評估你的教會對於這些命令，忠實遵行的程度？你的教會是否聖潔、誠實無偽、合一、和彼此相愛？

_____

答案是：A-2；B-3；C-1；D-1；E-2。

以教會身分來認識並遵行神的旨意

過去有關信徒的個人學習也同樣可應用於教會身上，例如：

- 神常常在教會之內和教會周圍動工。
- 神常常追求與教會之間有一種持續的相愛關係，那關係是真實又個人的。
- 神邀請每個教會來參與祂的工作。
- 每當教會看到神動工，那即表示神邀請他們來參與祂正在進行的工作。
- 神常常藉著聖靈，透過聖經、禱告、客觀的環境事物、以及教會講話。
- 每逢神邀請教會來參與只有神方能完成的工作時，教會就會面對信心的危機或難關，在這種情況下，所需要的是信心和行動。
- 教會必須作出重大的調整，才可參與神的工作。
- 教會必須完全倚靠神，才可完成天國的事工。
- 教會離開了神，便沒法進行天國的事工。
- 當教會服從神，神便會藉著他們成就奇妙的事情，而教會就可以從經歷中認識神。

教會的功能有如一個身體——一個由許多屬靈領袖和成員組成的個體。

像以上列出的各項道理，可繼續列出許許多多。只是教會認識神的旨意與信徒個人認識神的旨意，方法卻有點不同。教會是基督的身體。身體的功能有如一個由許多屬靈領袖和分子組成的個體。大家互相依靠，彼此互為需要。所有領袖和會友都需要倚靠其他人方能完全認識神的旨意。每個分子在身體內都有特定的角色（加

6：1-5），每名領袖都有責任去裝備身體的各分子（弗4：11-13），牧師須爲這身體也對這身體負責。

火車軌的比喻

假設眼睛對身體說：「我們走上路軌吧！上面很暢通，看不到有火車。」於是你開始步上路軌。

然後耳朵就對身體說：「我聽到汽笛聲從另一方向傳來。」

眼睛卻不服地說：「我在路軌上甚麼也看不見，繼續走吧。」身體只聽從眼睛的說話，繼續向前走。

不久耳朵又說：「汽笛聲愈來愈響，愈來愈近了！」

後來腳也說：「我感到火車駛近的震盪，我們還是離開路軌吧！」

➡ 假如這是你的身體，你會怎麼辦？請在以下各項反應中選出你的反應。

☐ 1. 我會盡快離開路軌。

☐ 2. 我會徵詢身體所有各分子的意見，以少數服從多數的方式決定。

☐ 3. 我會不理彼此的衝突，希望不了了之。

☐ 4. 我會相信眼睛，繼續向前走，因爲我的眼睛從沒使我失望。

聽起來好像是很愚蠢的問題，神給我們的身體各種不同的感覺和部分，當每部分常常都做妥自己分內的工作，整個身體便可以運作正常。幸好我們的身體不會按少數服從多數的投票方式行事，也不會漠視所存在的衝突感覺，或只聽從其中一種感覺而不理會其他的。若照那種方式生活必定會極度危險。

因爲教會是基督的身體；所以，當屬靈領袖和會友能夠彼此分享，他們覺得神要他們成爲一個怎樣的教會，以及神想要他們做甚麼，這個教會便是有最好的功能。教會需要藉著屬靈領袖和會友去聆聽神的整套計劃，然後方能滿有信心向前行，一同成就神的旨意。

➡ **請簡要寫出教會認識神的旨意與信徒個人認識神的旨意，兩者所用的方法有甚麼不同。**

_____

_____

_____

你對於教會怎樣認識神的旨意這課題，有甚麼要詢問的呢？

_____

_____

_____

本單元的背誦金句集中於教會是一個身體這說法。試將金句寫在下面的橫線上，並開始背誦，然後溫習背過的其他金句。

_____

_____

每逢神要將祂的旨意向教會顯明，祂就會先向一個或多個信徒說話。由於牧師有從神而來的呼召和任務，所以在教會裡往往都是他先聽到神的聲音。當然神也會向身體的其他肢體說話的。牧師的職分是要向教會作見證說出他感覺到神正說甚

麼，其他會友可能也表達出他們覺得神正說話，整個身體就向基督（教會的頭）尋求指引。祂會指引身體的各分子徹底明白祂的旨意。

你或想知道如何在教會內實踐這道理。一個五十人的教會與一個五千人的教會實行時或會有點不同，但最重要的問題不在於使用的方法，而在於與這有位格的神建立關係。基督是教會的頭，祂知道每一位會友可以單獨與祂同工，從而明白祂的旨意。早期的耶路撒冷教會有超過三千會友，基督也能用使徒作為屬靈領袖去帶領，祂就藉著這三千人作成祂的工作。

在薩斯克頓市，當神感動教會的會友，又向他們顯明祂的旨意時，我以牧師的身分帶領他們與身體的其他肢體分享，讓每人都有機會去跟別人分享；並且鼓勵他們去分享和回應神的指引。於是分享和回應不單只在敬拜的程序裡進行（通常都是在主日崇拜結束的時候），也在祈禱會、工作小組會議、事務部會議、主日學、家庭查經聚會、和個人的交談裡進行。結果，有許多人致電教會的辦公室，分享靈修時神對他們所說的話，有些人則分享他們在工作中或學校裡的經歷；於是整個教會都親身、實際體會到在他們中間基督的臨在。

➤ **教會會眾可以在甚麼時候與人分享，說出他們覺得神想要他們成為一個怎樣的教會，和神想要他們做甚麼？除了上文提出的，也請寫下你個人的意見。**

_____

_____

_____

你的教會有沒有給予會友時間，讓他們有機會分享神對他們所說的話，他們感覺到神想你的教會成為一個怎樣的教會，和神想教會做些甚麼？

有☐　　沒有☐

分享神在你身上的作為，或可幫助其他人也藉一種很有意義的方法遇見神。例如，如果有人受感動，在主日崇拜中表示願意奉獻給主，我便會請這人向其他人分享他的體會，有時這些見證會激勵其他人以類似的方式作出回應。

➤ **重溫今天的功課。禱告求神幫你找出一兩句祂期望你明白、學習、或付諸實踐的課文內容或經文，並回答以下問題：**

在今天研讀的課文中，哪些字句或經文對你最有意義？

_____

_____

將這些字句或經文改寫為你回應神的祈禱。

_____

_____

神期望你做甚麼來回應今天所學習的？

_____

_____

本課撮要

- 當教會讓神將祂的同在和作爲彰顯出來，這個監視著基督徒的世界都會被吸引到祂面前。
- 教會是基督與許多肢體組成的一個活著的身體。
- 教會與基督一起承擔使命，在這世界裡實現天父的救贖計劃。
- 神想要祂的子民成爲聖潔和純全。
- 神要祂的子民表現出合一。
- 神期望祂的子民彼此相愛。
- 沒有一個單獨的個人，看得見神爲某一地方教會所定旨意的全面。
- 教會必須透過聖經、禱告、以及客觀的環境事物、來聆聽神的整個計劃。
- 分享神在我自己身上的作爲，可能會幫助某些人也藉一種有意義的方法遇見神。

第2天　整個身體去洞察神的旨意

當整個身體都明白基督（身體的頭）對他們所講的説話，教會就會認識神的旨意。

教會認識神的旨意跟信徒個人認識神的旨意並非都用同樣的方法。教會認識神的旨意，是在整個身體都明白基督（身體的頭）對他們所講説話的時候。

個人認識神的旨意，是藉著個人與神之間親密的相愛關係。聖靈往往是藉著聖經、禱告、客觀的環境事物、以及教會將神自己、祂的目的、和方法啓示出來。

➡ 重溫單元六「神向人説話（下）」全部五天的作業，試將作業中最有意義的字句或經文寫下來。

_____

_____

個人如何可以認識神的旨意？

_____

_____

目前你們教會對於要成爲一個怎樣的教會和要做甚麼，怎樣作出決定？

_____

_____

以色列民

耶和華在西乃的曠野吩咐摩西說：「以色列人應當在所定的日期守逾越節……」於是摩西吩咐以色列人守逾越節。他們

在新約的五旬節（聖靈降臨節）之前，聖靈並不住在神所有子民的生命中，祂只臨到個別按神的旨意而被揀選的人身上。在舊約中，神是藉著一些領袖向祂的子民說話。那些領袖就是先知、祭司、以及帝王等。比方說，神會藉著摩西向以色列民說話，而摩西就會告訴以色列民去做甚麼，然後以色列人（在大多數的情況下）便遵照摩西所說的去做（參看民9：1-5的例子）。

就……守逾越節。凡耶和華所吩咐摩西的，以色列人都照樣行了。

——民數記9：1-5

教會

身體的頭會按自己的時間表使教會信服。

➤ **在舊約時代以色列人如何認識神的旨意？**

_____

_____

到了五旬節，聖靈降臨在教會身上，神就住在每個信徒之內，祂創造了「身體」——地方教會——於是每個信徒都需要對方。在基督的身體裡，所有信徒都可直接親近祂；神又可以向身體內每個分子說話，祂更能透過整個身體做祂的工作，又在這身體內顯明祂的旨意。

在新約時代，使徒也靠著聖靈帶領教會。神使信眾和領袖在互相倚靠的關係下，一起侍奉神和作決定。新約記載了好些例子，說明信徒在基督作主的情況下共同作出一些決定：

* 揀選填補猶大空缺的人 —— 徒1：12-26
* 揀選七人處理供給的事 —— 徒6：1-7
* 彼得為外邦人的悔改作見證 —— 徒11：1-18
* 差遣巴拿巴與掃羅 —— 徒13：1-3
* 耶路撒冷大會 —— 徒15：1-35

請留意這些例子，信徒透過幾種不同的方法共同訂出一個決策。例如，在耶路撒冷大會，他們解決了一項教條與實際生活上的重要問題，彼得和雅各起來說話之後，「眾人都……聽巴拿巴和保羅述說……」（徒15：12），「使徒和長老並全教會定意……」（徒15：22），「因為聖靈和我們定意……」（徒15：28）。

任何信徒接收到神對教會所說的話時，就應與身體分享。分享過神所說的話語後，整個身體就該一起來到神面前禱告，尋求洞悉祂對身體的旨意。神會在祂所定的時間內，向身體肯定祂說過的話。**個別信徒**的意見倒不很重要，但神的旨意卻非常重要。認識神對整個身體的旨意並沒有甚麼不二法門。既然牧師、教會的其他領袖、以及所有信徒都分別與神有獨特的關係；所以，結果就是全教會都得到屬靈的指引。當教會這屬靈身體內的屬靈領袖、和各成員都能夠得到基督的指引而發揮正當的功能，那麼整個身體便可以認識、成就神的旨意。

➤ **教會是一個身體，所有領袖和信徒都可直接親近神。教會應按照以下哪一方式去親近神，以致明白祂的旨意呢？請用「✓」放在方格內表明你的選擇。**

☐ 1. 教會應以牧師作為神與教會之間的中保，神只需向牧師說明祂的旨意，然後由牧師告訴會眾。

☐ 2. 教會的各成員都該就教會應成為甚麼樣式和做甚麼事發表意見，然後互相辯論，以求得到正確的意見。然後大家用投票方式，取決於大多數。

☐ 3. 牧師、領袖、和其他會友應禱告，祈求神的引領，並分享神給他們每個人的啟示。然後各領袖和會友都要仰望身體的頭（基督）繼續禱告，直至基督使他們確信，各人所得的啟示都是祂的旨意。

☐ 4. 其他方法：_____

當整個身體都明白基督想要他們做甚麼，這時教會便可以認識神的旨意。以教會來說，認識神的旨意可能會牽涉許多人，而不僅是一個人。不錯，神的確常常會向教會的領袖說出祂想要作的事，然後由該領袖向教會見證他所感覺到的神的旨

意，他不必說服教會或證明這就是神的旨意，也無需要求會眾毫無疑問地跟從他的做法。反之，他要鼓勵整個身體去到基督面前，向身體的頭（基督）尋求印證，身體的頭自會按自己的時間表使教會確實相信，然後整個身體便跟從基督——身體的頭。這就是我們為甚麼必須學習以基督為教會的頭，去發揮像一個身體那樣的功能。

為了開設福音堂，教會因此決定買地建堂。牧師帶領教會根據地產經紀的承諾去買地。在買賣成交後地產經紀卻沒有履行他的承諾，以致教會面對很多問題。一群人陷於財政困難，並且大家逐漸變成十分氣餒。最後，牧師就招聚教會會眾，將一切有關的談判和目前的情況告訴眾人。其中有兩名會友起來說：「牧師，我們都知道那地產經紀是不誠實的，以前我們有些業務交易也被他騙過。我們當初不敢起來反對你們的計劃，因為那看來好像我們正敵擋神。」幸好神滿有恩典，問題很快便解決了。不過，由此可見，教會需要發揮像身體一樣的功能，讓每個分子都有機會自由跟別人分享他們對神旨意的領受。

➤ 教會怎樣可以認識神的旨意？試作簡要説明。

_____

_____

_____

_____

教會的決策

當神將指引賜給我們在薩斯克頓市的教會時，祂往往是藉著其他信徒多過我。他們多半是身體內的成員，他們清楚感受到神的引領後，便向整個身體分享。我們要為會眾提供機會，讓他們分享神要如何帶領我們。我們的目的不是要知道誰贊成、誰反對，在我們的事務會議裡，我們從來都不這樣投票決定：「你們多少人贊成？多少人反對？」這是個很差勁的問題，每次提出這問題，都容易引致教會分裂。

正確的問題應該是：「根據所有的資料，以及大家的禱告，你們中間有多少人清楚感到神帶領我們朝這方向走？」這是很不同的問題。它不是要問大家的意見，而是邀請他們根據他們從神說話的領受，然後進行投票。對於一些重要的事項，我們絕不在討論的時候進行投票，免得個人的看法抑壓了他們對神的領悟。我們會在討論過後，用時間去禱告，尋求基督的心意。

假如有百分之五十五的人都投票說：「不錯，我們感到神清楚引領我們朝這方向走。」另外的百分之四十五則說：「我們並不感到神正清楚引領我們朝這方向走。」那我們該怎麼辦？在這情況下，我們決不向前行。作為教會的牧師，我認為這情況顯示了兩件事情：(1)神似乎引領我們朝這方向走；(2)現在並非適當的時機，因為身體的頭尚未帶領所有人都有共識向這方向走。雖然我們確實覺得神是帶領我們這樣走，因為百分之五十五的人都領受到這信息；但我們亦知道目前不是適當的時候，因為百分之四十五的人尚未清楚知道祂的意思。我們惟有再禱告、工作、和觀察，讓頭帶領身體明白祂要藉著我們做甚麼。神是整件事的負責人，祂會帶領我們心意合一（羅15：5-6；林前1：10）。我們相信祂會這樣。

當教會不能發揮像一個身體那樣的功能，就會有許多問題產生。

正確的問題應該是：「你們多少人清楚感到神帶領我們朝這方向走？」

弟兄們，我藉我們主耶穌基督的名勸你們都說一樣的話。你們中間也不可分黨，只要一心一意，彼此相合。

——哥林多前書1：10

許多人都問我：「難道你要等到所有票數都一致爲止？」不是，我知道有些人由於沒有與神親近團契，因而聽不到他的聲音，另外也因爲有些人故意硬著心，不聽神的話。不過，我們通常都會一直等待，直至大家接近一致爲止。

我不會因餘下一些人不表贊同而生氣或失望。他們不贊同，是顯示了他們與神的關係可能出了問題。身爲牧師，我會用我的生命伴著他們一起走，留意神會否藉著我去幫助他們回到與神有正常的團契。我常常要爲這些情況向神禱告，並且對於主給予我的引領我只有作出回應。

▶ **回答以下問題，在左欄寫下簡單的答案。**

1.
2.
3.
4.

1. 你是否相信神很想整個身體對於他爲身體所定的旨意都心意合一？
2. 你是否相信神能夠引領他的子民明白他的旨意？
3. 你是否相信神有能力幫助**你們的**教會達到這一種合一？
4. 你是否願意等候神，讓他有足夠時間去調整身體的各分子來符合他的旨意？

或許這是另一個使你處於信心危機的問題，求神幫助你渡過這次的危機。神能否帶領整個教會對於他的旨意有同一的感覺？他當然能夠：

> 但願賜忍耐安慰的神，叫你們彼此同心，效法基督耶穌，一心一口榮耀神我們主耶穌基督的父！
>
> ——羅馬書15：5-6

▶ **透過以上兩節經文神對你說出了甚麼？**

_____

_____

_____

_____

神所定的時間

我們必須等候神所定的時間。

我們有時會因爲錯過了神所定的時間，而失去他給我們的美好指示。教會不單要知道神期望他們做甚麼，更要知道神要他們在甚麼時候去做，我們必須等候直至神所定的時間來到。我們必須像身體那樣一起等候他，直至他將我們調整到適應他自己。這往往會使人發展出一種在主裡滿有信心的忍耐，以及肢體間彼此出於愛心的信任。

眞正的動機

我從未嘗試要求人支持某一機構、某一項事工、或某一個人。我只鼓勵他們去問神想要他們做甚麼？如果他們知道神的心意，那麼他們惟一的選擇就是忠實地服從。那種服從的心意通常都可以藉著一個教會機構、一項教會事工、或教會的合作事奉表達出來。

▶ **以下哪一項最能推動神的子民忠實地服從神的旨意？**

☐ 1. 如果他們正處於與神親密相愛的關係中，就請他們找出甚麼是神的心意。當他清楚說出了，他們便應當順從他。

□ 2. 請他們支持由自己宗派推行的一項事工。

□ 3. 請他們支持教會內一名具影響力的領袖。

□ 4. 請他們參與一個工作委員會的事奉。

□ 5. 告訴他們：「神向我說了這些話。」叫他們同意接納你的看法。

聖靈才是基督徒真正的推動者。

過去我事奉的教會有許多傳統規條，我不斷的教導又教導，直至我們的共同教導者 —— 神的靈 —— 來到，帶領我們成為心意合一。那時我們才將自己釋放出來，讓神有足夠的時間改變我們。我認為我作牧師的責任，是帶領信徒與耶穌基督有這樣的關係，就是當祂說話的時候他們會清楚明白祂所說的。然後要求他們順從神，而不是去追隨一些節目、具影響力的領袖、工作委員會、或是我自己。神的聖靈才是基督徒的真正推動者。

當時我們的會務會議已成為教會生活裡其中一個最興奮的時刻。大家知道在會議內可以清楚看到神的指引和工作。大家都希望來參加會務會議，因為每當知道神向我們教會啟示祂的旨意和方法時，大家都會興奮莫名。

教會是一個以基督為首的身體。神的靈引領每一個信徒。祂住在我們裡面可以隨時教導我們，幫助我們。我經常讓教會會眾來驗證我所理解的神的旨意 —— 我這樣做不是因為我認為人有這驗證能力，而是因為我知道教會是一個身體。

我可以相信神會引領身體內的各肢體。

每逢我感到神要教會做一些事情，我便會以牧師的身分邀請教會這個大家庭來與我一起進行工作。假如大家都是與神同行，我便可以相信神會引領我們。這一點無論對牧者或是教會的其他成員都是千真萬確的。如果眾人與神沒有正常的交往聯繫，我就只好倚靠神引導我去幫助他們成為祂想要他們成為的那種人。神不會放棄祂的子民，所以我也不該放棄他們。

我可以相信神會引領我們聯會內各教會。

我是幾個西差會的主席，我帶領在我們聯會內的多間教會以這種方式（方法）運作。我花了許多時間幫助教會的牧師明白如何按這途徑行事。當時我們教會所進行的不是我的課程計劃，而是神的工作。能否在整個聯會內的各個地方教會都以這方式運作？答案是能夠的，如果你願意幫助他們知道如何以那種方式與神同行。

➤ **對於你教會辦事決策的方式，神正在對你說甚麼？**

_____

_____

➤ **重溫今天的功課。禱告求神幫你找出一兩句祂期望你明白、學習、或付諸實踐的課文內容或經文，並回答以下問題：**

在今天研讀的課文中，哪些字句或經文對你最有意義？

_____

_____

將這些字句或經文改寫為你回應神的祈禱。

_____

_____

神期望你做甚麼來回應今天所學習的？

_____

_____

> ### 本課撮要
>
> - 當整個身體都明白基督 —— 身體的頭 —— 對他們所說的，教會就會認識神的旨意。
> - 每個信徒都可以直接親近神。
> - 個別信徒的意見並不重要，神的旨意才是十分重要。
> - 教會必須學習以基督做教會的頭去發揮像身體那樣的作用。
> - 教會必須等候直至神所定的時間來到。

第 3 天

教會必須學習發揮作為基督身體的功能。

基督的身體（上）

羅馬書12章：基督的身體

保羅寫信給在羅馬的教會，並給予會友一些教導，說到基督的身體應當過彼此息息相關的生活。教會需要學習發揮作為基督身體的功能。保羅這些教訓對於你與教會之間的關係定會大有幫助。

➡ **請翻到聖經羅馬書第12章，閱讀以下經文，並回答有關的問題。**

1. 12：1-2：保羅向身體內各肢體推薦了兩樣甚麼，以致整個身體能夠洞悉神的旨意？並請完成以下兩個句子。

   將身體獻上，當作 ＿＿＿＿＿＿＿＿＿＿ 。

   不要效法 ＿＿＿＿＿＿＿＿＿ ，只要 ＿＿＿＿＿＿＿＿＿ 而變化。

2. 12：3，10，16：你可以有甚麼具體的行動，以避免驕傲所帶來的問題？

   ＿＿＿＿＿＿＿＿＿＿＿＿＿＿＿＿＿＿＿＿＿＿＿＿＿＿＿＿＿＿＿＿＿

   ＿＿＿＿＿＿＿＿＿＿＿＿＿＿＿＿＿＿＿＿＿＿＿＿＿＿＿＿＿＿＿＿＿

   ＿＿＿＿＿＿＿＿＿＿＿＿＿＿＿＿＿＿＿＿＿＿＿＿＿＿＿＿＿＿＿＿＿

3. 12：4-6：「……肢體也不都是一樣的用處。我們這許多人，在基督裡成為一身，互相聯絡作肢體，也是如此。按我們所得的恩賜，各有不同……」
   為甚麼身體內的其他肢體對你很重要？

   ＿＿＿＿＿＿＿＿＿＿＿＿＿＿＿＿＿＿＿＿＿＿＿＿＿＿＿＿＿＿＿＿＿

   ＿＿＿＿＿＿＿＿＿＿＿＿＿＿＿＿＿＿＿＿＿＿＿＿＿＿＿＿＿＿＿＿＿

12：5是本週的背誦金句，試將該節經文寫下來，並開始背誦記憶。

＿＿＿＿＿＿＿＿＿＿＿＿＿＿＿＿＿＿＿＿＿＿＿＿＿＿＿＿＿＿＿＿＿＿＿

＿＿＿＿＿＿＿＿＿＿＿＿＿＿＿＿＿＿＿＿＿＿＿＿＿＿＿＿＿＿＿＿＿＿＿

＿＿＿＿＿＿＿＿＿＿＿＿＿＿＿＿＿＿＿＿＿＿＿＿＿＿＿＿＿＿＿＿＿＿＿

4. 12：9-21：這數節經文所提出的多項教導，哪些是你教會的肢體需要勤加操練的？（例如，你或許會這樣回答：「我們需要更多學習將自己所擁有

的跟有缺乏的信徒分享。」）選出對你教會有用的教導。

- ☐ 愛人不虛假
- ☐ 厭棄邪惡
- ☐ 持守良善
- ☐ 彼此親愛
- ☐ 互相敬重
- ☐ 以火熱的心事奉主
- ☐ 在盼望中常存喜樂
- ☐ 在患難中存忍耐
- ☐ 恆切禱告
- ☐ 幫補有缺乏的信徒
- ☐ 殷勤待客

- ☐ 祝福迫害你的人
- ☐ 與喜樂的人同樂
- ☐ 與哀哭的人同哭
- ☐ 彼此同心
- ☐ 不心驕氣傲，不自以為聰明
- ☐ 俯就卑微的人
- ☐ 不以惡報惡
- ☐ 做美好的事
- ☐ 不為自己復仇
- ☐ 以善勝惡

如要「察驗何為神……的旨意」（12：2），就須將身體獻上，當作活祭，以及心意更新。志氣高大，只會令身體帶來許多麻煩，所以應該要對自己看得合乎中道，還要恭敬人，彼此推讓，以及彼此同心，並且俯就卑微的人。教會內的肢體應該要遵行12：9-21內的一切教導，不過要聲明一點，遵行這些教導是需要付上很大代價的！

➡ **神可能很想你們教會採取甚麼更像基督身體的行動？請稍停片刻禱告求神將特殊途徑指示你們。**

聖靈裝備每個肢體，使他們在身體內各按各職

聖靈是上帝所賜的。

哥林多前書12章前半部講及聖靈賜能力給各肢體，第7節說：「聖靈顯在各人身上，是叫人得益處」（林前12：7）。聖靈是上帝所賜的（徒2：38），聖靈向各肢體顯現（就如：看得見、清楚顯現、讓人認識、顯露出來），目的是叫身體得益處。

➡ **根據哥林多前書12：7，為以下問題選出正確的答案。**

1. 聖靈向誰顯現？

   - ☐ a. 只向少數非常屬靈的信徒顯現。
   - ☐ b. 只向教會領袖顯現。
   - ☐ c. 向每一個信徒顯現。

2. 為甚麼聖靈向信徒顯現？

   - ☐ a. 為使個別信徒得福。
   - ☐ b. 為使個別信徒受注意。
   - ☐ c. 為使整個身體都因祂的工作而得益。

對以上兩條問題你是否都選了答案c？做得很好！教會 —— 基督的身體 —— 內的**所有**成員，上帝都賜了聖靈在他們身上。聖靈給予每個人的經歷都是為了整個身體的好處，而不是為了肢體自己。這正解釋了為甚麼我們都與別人互為需要。如果沒有一個健康又具功能的身體，教會便會失去神為教會提供的許多好處。

在舊約時代，神是為了某項任務而賜聖靈給人。

在舊約中，人類對聖靈的工作只有很膚淺的了解。在舊約時代，神的靈只臨到一些人物，為的是幫助他們完成神交給他們的任務。摩西的任務是作個行政管理的

人，因此神便叫聖靈賜他管理的才能。

神給予每位士師一項任務後，神的靈便臨到他們每個人，賜給他能力去完成所接受的任務。當大衛還是個牧童的時候，神便呼召他作王。他從沒作過王，又怎能夠成為以色列人的王呢？神的靈便臨到他身上，使他能夠成為一個君王。以西結被呼召作先知，但他怎會有可能做一個先知呢？聖經說神的靈降在他身上，使他去做出每一樣神吩咐他的事情（結2-3章）。

舊約中的模式　　在舊約中我們看到如下的模式：

1. 神將任務交給一個人。
2. 神將聖靈賜給那人，裝備他去負起那任務。
3. 聖靈顯現的證據，就是這人藉著聖靈的超自然力量，能有效地完成任務。

比撒列與亞何利亞伯　　造會幕的工匠便是很好的例子。關於如何建造會幕（出25-31章），神給予摩西非常詳細的指示。祂要會幕完全符合祂給予摩西的指示，於是神說：「猶大支派中，戶珥的孫子、烏利的兒子比撒列，我已經題他的名召他。我也以我的靈充滿了他，使他有智慧，有聰明，有知識，能作各樣的工……我分派……亞何利亞伯與他同工。凡心裡有智慧的，我更使他們有智慧，能作我一切所吩咐的」（出31：2-3，6）。摩西怎曉得神的靈臨到那些人呢？他留心觀察他們做工作。當他們能夠完成神委派給他們的任務，摩西便曉得神的靈的確臨到他們身上了。

綜觀全部舊約，神的靈經常臨到某些人身上，使這個別的人能夠完成那神聖的任務。神並沒有賜給個人甚麼東西，祂本身就是一份禮物。聖靈顯出祂的同在是藉著裝備他們每個人，使他們在神指派他的位置上發揮功用。

➡ **在舊約中聖靈工作的模式是甚麼？利用以下提示回答問題，如有需要可翻看上文內容。**

任務：＿＿＿＿＿＿＿＿＿＿＿＿＿＿＿＿＿＿＿＿
＿＿＿＿＿＿＿＿＿＿＿＿＿＿＿＿＿＿＿＿
禮物或賜予：＿＿＿＿＿＿＿＿＿＿＿＿＿＿＿＿
＿＿＿＿＿＿＿＿＿＿＿＿＿＿＿＿＿＿＿＿
證明：＿＿＿＿＿＿＿＿＿＿＿＿＿＿＿＿＿＿＿
＿＿＿＿＿＿＿＿＿＿＿＿＿＿＿＿＿＿＿＿

屬靈恩賜　　教會的肢體每想到屬靈恩賜，總以為神會給他們甚麼**東西**，例如行政管理的能力。然而，神不會給你東西，祂只將祂自己賜給你，這禮物就是一位有位格的神。聖靈將**祂**的行政管理能力充滿你，因而祂的能力變成你的能力，倘若你看到這些屬靈恩賜發揮出來，那就表示聖靈的顯現 —— 你看到聖靈以祂的能力、才幹去裝備一個人並使到這一個人能夠去完成神的工作。

乃是住在我裡面的父作祂自己的事。

—— 約翰福音14：10

聖靈顯在各人身上，是叫人得益處。

—— 哥林多前書12：7

➡ **閱讀在左欄的約翰福音14：10及哥林多前書12：7，以下哪一項對屬靈恩賜的定義解釋得較好？**

☐ 1. 屬靈的恩賜就是聖靈在一個人生命中或藉一個人的生命做工作時所顯現的能力，是為了使基督的身體普遍得益。

☐ 2. 所謂屬靈恩賜，是神賦予人的一種特別能力，使他能夠完成神派給教會的任務。

耶穌說：「乃是住在我裡面的父作祂自己的事」（約14：10）。甚至在耶穌進

行祂的奇妙工作時，天父就在那時顯現出來，天父住在耶穌裡面，並且藉著耶穌成就祂的旨意。上面第一項定義的焦點在於神自己，以及祂藉著我們所完成的工作；第二項則較集中於我所得到的，以致我能為神或為教會做點事情。請記住，耶穌說過：「離了我，你們就不能作甚麼」（約15：5）。屬靈恩賜是神透過你去完成工作時所顯現的能力。

哥林多前書12章：基督的身體

哥林多前書12章前半部談及聖靈以不同的方式顯現，祂將自己向每一個信徒顯現。這章書的後半部則談論基督的身體。

➡ 閱讀以下所列的要點，然後閱讀哥林多前書12：11-31。又試為每句要點找出最少一節經文作為支持。你只需填上經文的經節號數。

第 ＿＿＿＿＿＿ 節　1.　聖靈按自己的意思分派工作，又使到每個屬靈領袖及信徒都能完成神的工作。

第 ＿＿＿＿＿＿ 節　2.　身體是由許多肢體組成的單獨個體。

第 ＿＿＿＿＿＿ 節　3.　身體的肢體不可以自行決定自己在身體上的角色。

第 ＿＿＿＿＿＿ 節　4.　神隨己意將屬靈領袖和信徒安排在身體不同的位置。

第 ＿＿＿＿＿＿ 節　5.　非擁有神賜給身體的全部屬靈領袖和信徒，身體就不完整。

第 ＿＿＿＿＿＿ 節　6.　身體上的各肢體是彼此互相需要。

第 ＿＿＿＿＿＿ 節　7.　身體應當是合而為一的，是不可分裂的。

第 ＿＿＿＿＿＿ 節　8.　身體上的各肢體應互相關懷。

第 ＿＿＿＿＿＿ 節　9.　為了整個身體的好處，身體上的屬靈領袖及信徒就從神領受不同的任務。

對以上要點你找到認同的經文可能比我的少，或是與我的不同，但我且將可能的答案列出來：1：第11節；2：第12-14節；3：第15-17節；4：第18節；5：第17-20節；6：第21-24節；7：第25節；8：第25-26節；9：第28-30節。

➡ 重溫今天的功課。禱告求神幫你找出一兩句祂期望你明白、學習、或付諸實踐的課文內容或經文，並回答以下問題：

在今天研讀的課文中，哪些字句或經文對你最有意義？

＿＿

＿＿

將這些字句或經文改寫為你回應神的祈禱。

＿＿

＿＿

神期望你做甚麼來回應今天所學習的？

＿＿

＿＿

＿＿

本課撮要

- 聖靈是上帝所賜的。
- 神的靈臨在往往是來裝備我去完成神的聖工。
- 屬靈恩賜就是聖靈在一個人生命中或藉著一個人的生命做工作時所顯現的能力，爲了使基督的身體普遍得益。
- 聖靈按自己意思分派工作，又使屬靈領袖及信徒能夠去完成神的工作。
- 神隨己意將屬靈領袖和信徒安排在身體不同的位置。
- 非擁有神賜給身體的全部屬靈領袖和信徒，身體就不完整。
- 身體的各肢體應要互相關懷。
- 爲了整個身體的好處，身體上的屬靈領袖及信徒都從神領受了不同的任務。

第4天 基督的身體（下）

我若能聆聽各肢體在教會生活中的經歷，便可以明白神對教會的旨意。

　　保羅寫信給哥林多教會，那是信徒的一個當地身體（教會）。保羅在信中說：「你們就是基督的身子，並且各自作肢體」（林前12：27）。這就好比你肉身的身體，要擁有各部分才可以過著正常健康的生活。教會同樣需要每一個會友，這樣大家才可以過著正常健康的教會生活。沒有一個會友可以對另一個會友說：「我不需要你。」脫離了教會（身體）內的其他成員，你就不能體會到神爲你預備的豐盛生命。假如其中一名成員正失去或者沒有發揮神給他的功能，那麼身體的其他部分也會錯失神爲教會預備的豐盛生命。

　　神照祂所喜悅的將肢體安放在身體的不同位置。如果神使某人作「眼睛」，聖靈便會賜給他看的能力；假如神使一個人做「耳」，聖靈便會賜給她聽的能力；假如神使一個人做「手」，聖靈便賜給他有作爲「手」那樣的功能。新約講論基督身體的時候，指出聖靈的工作就是使一個人在神所安排的身體位置上，對所負任務，發揮功用。不是每一個人都作使徒、先知、或教師的，但每人都有神所賦予的作用。神把他或她安放在身體內，在那裡發揮作用，於是整個身體一起發揮應有的功能。

▶ 以下的一些言論可能是你經常在教會內聽到的。這些言論可能反映出教會作爲基督的身體的一項不正確觀點。每當你聽到有會友提出左方的言論時，你可用右方的聖經原則去幫助這些人，讓他們認識到神如何企圖使教會發揮功能。你可以引用不止一項原則。將這些原則的號碼分別寫在左方言論的旁邊。倘若有些言論是你同意的，請在旁邊寫上「同意」；假如你對這些言論有很大的疑問，請將你的問題寫在課本的頁邊，留待小組學習時提出來討論。

言論	聖經原則

____ A.「我想我們應該整理一下教會的會友名錄，將所有不再出席任何聚會的人除名。」

1. 聖靈按自己意思分派工作，並給予信徒能力去完成神的工作。

____ B.「阿標因犯法而惹上官非，現正被監禁，但這與我無關。」

2. 身體是由許多肢體組成的單獨個體。

____ C.「我想我該被選爲執事會主席，我畢竟在這教會已做了四十二年忠實的會友。」

3. 身體的肢體不可以自行決定自己在身體上的角色。

____ D.「假如不讓我做主日學教師，我就不再到這教會聚會了。」

4. 神隨己意將肢體安放在身體不同的位置。

____ E.「雖然教會其他人都認爲是神帶領他們來要求我擔當這職務，但我不管。我從沒當過……我知道我做不到。我沒有這方面的才能。」

5. 非擁有神安排給身體的所有肢體，身體就不完整。

____ F.「倘若那十家人不能跟佔大比數的一群人的意見一致，情況就會很僵。因我們教會向來主張少數服從多數。他們既然不喜歡我們所做的，他們可以到別的教會去嘛。」

6. 身體上的各肢體都是彼此互相需要。

7. 身體都應合而爲一，是不可分開的。

8. 身體的各肢體應互相關懷。

____ G.「既然神已向我啓示了祂對我們教會的旨意，所以你們都該聽從我。凡不贊同我的，就是不屬靈，違背神的旨意。」

9. 爲了整個身體的好處，身體上的各肢體都已從神領受了不同的任務。

　　我相信以上的言論可能反映出，在教會作爲基督的身體這方面的一種不正確認識。我會使用的一些原則是：A-5及6；B-8；C-3及4；D-1及3；E-1；F-7；G-2、5及6。你檢討教會的功能時，最少要記住三點：

神對基督身體的關心

1. 耶穌是身體的頭，所以身體應該以基督爲中心。
2. 神非常重視身體保持合一和同心。
3. 身體要有哥林多前書第13章所描述的愛，各肢體應該彼此相愛，正如愛自己一樣。

➤ 試在以上三項要點中，圈出一些重要的字，以幫助你緊記這三項要點。閱讀以下各項回應，如果有些說話能幫助你在基督的身體裡正確地發揮作用的，就在這些說話下面畫上橫線。倘有其他疑問，請將你的問題寫在課本的頁邊，留待小組學習時討論。

教會需要神已賜給身體的所有肢體。

A. 「我想我們應該整理一下教會的會友名錄，將所有不再出席任何聚會的人除名。」教會首先要問的是：這些人都是基督身體的肢體嗎？意思是說，他們都是基督徒嗎？假如神按著自己的意思把他們安排在你的教會裡（林前12：18），你是否有資格把他們除名？教會需要神已賜給身體的所有肢體（第5及6項原則）。教會應該禱告，求神指示教會知道，如何幫助這些任性的信徒重建團契生活。

一個肢體受苦，所有其他的肢體也一同受苦。

B. 「阿標因犯法而惹上官非，現正被監禁，但這與我無關。」一個肢體受苦，所有其他的肢體也一同受苦（林前12：26），即使所受的苦是罪的結果；因基督身體內的各肢體要彼此相愛，乃是神所賜的命令。要了解愛在身體內會如何反應，請參閱哥林多前書第13章。請表明你關心身體上的各肢體（第8項原則）。

➡ 你是否記得將一些有助你在基督身體裡正確地發揮功能的説話標示出來呢？請真的去做。我會在今天的課程後半部要你重新溫習。

我們的功用並不是由我們自己決定的。

C. 「我想我該被選為執事會主席，我畢竟在這教會已做了四十二年忠心的會友。」這可能是一種自我中心的欲望。我們按著神的差遣去服侍教會（第3及4項原則），我們的功用並不是由我們自己決定的。假如神使你有特定的能力才幹去事奉，身體的頭（基督）自會帶領其餘的肢體知道的。你會相信祂是常常藉著身體那樣做嗎？

是神作決定一個肢體該在身體哪一部分發揮功用。

D. 「假如不讓我做主日學教師，我就不再到這教會聚會了。」教會要敏感於其他肢體所領會到神對他們的帶領。第1及3項原則都強調，神才是那一位該作決定某肢體在身體哪一部分發揮功能，你要相信祂會讓身體知道的。一個為教會選出領導階層的提名委員會必須在洞察神旨意方面恆切禱告。信徒本身和教會都必須小心尋求神的心意，並相信祂會將祂的旨意清楚顯明。

你做不到，但聖靈會給予你能力去完成神差派的任務。

E. 「雖然教會其他人都認為是神帶領他們來要求我擔當這職務，但我不管。我從沒當過⋯⋯我知道我做不到。我沒有這方面的才能。」我們在教會常面對著一個問題，就是我們很少看見神在工作。我們只看見人。我則嘗試觀察神在祂子民身上做工作。第1項原則指出，聖靈會使人有能力去完成神差派的工作。單單因為有些工作是你以前從沒幹過，或者因為你認為自己沒有足夠的才幹來應付，就以為神不會派你承擔這些工作；當神在燒著的荊棘中呼召摩西，摩西就曾提出一些像這樣的否定。你要認真思索教會從神領會到的旨意。接受教會對神的領會，並相信神會正確地引導你。

對神作出回應和事奉。

要甘心樂意回應主，全心全意事奉祂。則教會生活這一環可能成為最興奮的生活環節之一，在那裡有神的作為。不要敷衍塞責。要本著為主而作的去作。

「街頭霸王」

教導一群流氓少年能否成為從神接受的特殊工作？我在加州一所教會開始少年人的教導工作後不久，有二十三名穿著皮外套的男童走進教會的後院，他們全都不是基督徒。神要將我放在一群隨時會傷害人的少年人中間。但後來在三個月內那二十三名男童中竟有二十二人認識基督。他們改變了的生命就將一個名為「街頭霸王」(The Untouchables)的童黨瓦解了。他們所住的貧民區是個罪惡黑點。當神帶領這二十二名男童在基督裡得救後，那裡的犯罪率竟戲劇性一般驟降。

倘若你願意讓神將你放在教會中任何位置，祂就能在教會生活的任何地方將祂自己顯明。求神臨格於教會生活的任何位置和地方。你可以成為使教會徹底改變的催化劑。

➡️ 在A至E項的言論中，有哪些你曾標示出的字句可助你在基督的身體裡發揮更大作用？

_____

_____

_____

_____

神最看重的是教會合一。

我……祈求，使他們都合而為一。正如祢父在我裡面，我在祢裡面，使他們也在我們裡面，叫世人可以信祢差了我來。

——約翰福音17：20-21

F. 「倘若那十家人不能跟佔大比數的一群人的意見一致，情況就會很僵。因我們教會向來主張少數服從多數。他們既然不喜歡我們所做的，他們可以到別的教會去嘛。」教會的功能應該由頭（耶穌基督）來掌管。但我們卻常常以少數服從多數的原則解決問題。原因是我們沒耐性等待，等待身體的頭完全說服其他肢體都服從祂的旨意為止。假如我們寧願犧牲身體的合一，遵照大多數人的意願行事，那麼我們便嚴重違背哥林多前書12：25的教導（第7項原則）。在約翰福音17章，耶穌不是為教會的合一禱告，使世界可以從而相信祂嗎？我們也應該有同樣的心志，務使教會合一。我們應該給予耶穌（身體的頭）足夠時間去說服其他肢體。當整個身體都明白祂的旨意，那就是繼續前進的適當時間了！每個肢體在神眼中都是寶貴的。

G. 「既然神已向我啟示了祂對我們教會的旨意，所以你們都該聽從我。凡不贊同我的，就是不屬靈，違背神的旨意。」此處可應用第2、5和6項原則，眼睛開始看見，它便會有一種傾向去說：「手啊，怎麼你看不見我所見的呢？你不屬靈。」

然後那可憐的手便會說：「我無法看見，因為我是一隻手。」

那眼睛已經忘記了身體不是由一個而是由許多肢體構成的（林前12：14）。神的靈將自己向每一個人顯現，為甚麼？為了整體的好處。眼睛看得見，不是為了眼睛的好處，它要為整個身體提供視力，視力不是為眼睛而設的，所以它只能說：「感謝神給我有看的恩賜，我希望所有其他肢體也有這恩賜。」視力是為整個身體而設的。其他肢體是靠眼睛告訴他們看見甚麼。

正如我第一天所講述的火車軌比喻，眼睛很少會看見神對教會所定旨意的全圖。身體上的所有肢體要表達自己的領受，然後教會將所有肢體的領受集合起來，便可完整看清神的旨意。沒有單獨的個人能知道神對教會的全部旨意。當教會領袖聽到各肢體表達了他們在這身體內生活的經歷後，才會明白神對教會的旨意。

身為牧師，我會誠懇分享自己從神而得的領受，但我絕不會斷言自己已完全知道神對教會的旨意。我通常都是分享過後，便諦聽其他肢體的反應。在許多情況下，我發現惟有將我的領會與其他人的領會放在一起，才會明白現在神的旨意。我們任何人都不可能明白神的全部旨意。另外有些時候，我明白到一點：「主要我們開始有些調整，但目前仍不是開始工作的適當時機。」當神將大家變得合一，我們便知道那就是適當的時機了。我從神所領會到的不一定是錯，但並不完整，我需要聆聽其他肢體的意見，以便全面了解神對我所講的說話。

當你聽到全個身體表達了他們在這個身體內生活的經歷後，你就明白神對這教會的旨意。

➡️ 重溫你在前面資料內標示出來的字句。然後回答以下問題：

1. 有甚麼問題是你希望在小組學習的時候提出來討論的？

_____

2. 你認為神想要你的教會，在發揮好像身體一樣的功能上，要有甚麼改變？試述其中一項改變。

_____

3. 你認為在基督的身體（教會）裡，神想你有甚麼改變，以改善你和其他肢體的關係？試述其中一項改變。

_____

➡️ **重溫今天的功課。禱告求神幫找出一兩句祂期望你明白、學習、或付諸實踐的課文內容或經文，並回答以下問題：**

在今天研讀的課文中，哪些字句或經文對你最有意義？

_____

_____

將這些字句或經文改寫為你回應神的祈禱。

_____

_____

神期望你做甚麼來回應今天所學習的？

_____

_____

實際引用或默寫本週的背誦金句。

本課撮要

- 耶穌是身體的頭。
- 神最看重的是身體保持合一。
- 身體要有像神那樣的愛。
- 是神作決定，我該在身體哪一部分發揮功能。
- 當我去聽全體表達了他們在這身體內生活的經歷以後，我就知道神對這教會的旨意。
- 每個肢體在神眼中都是寶貴的。

第5天 | 在身體裡的生活

與神保持正確的關係，遠比教會堂址、財政預算、活動節目、辦事方法、人事管理、會友人數多寡或其他任何事物更重要。

假如你和教會都願意讓神教導你們如何有效地活得像一個身體，你們便會體會到一種以往從沒經歷過的愛和合一的清泉在教會湧起。有果效的教會生活是以信徒個人與神之間那親密相愛關係作開始。倘若肢體全都能夠以耶穌基督作教會的頭，有果效的教會生活便可持續下去。與神保持正確的關係，遠比教會堂址、財政預算、活動節目、辦事方法、人事管理、會友人數多寡或其他任何事物更重要。

聖經提供了許多教導，幫助教會肢體之間保持正確的關係。

➡️ 閱讀以下經文，然後在每則經文下面簡略寫出你的看法，或神爲教會內肢體之間的關係所定的旨意。你可以在聖經裡查閱這些經文的上下文。

羅馬書14：1，12-13 —— 信心軟弱的，你們要接納，但不要辯論所疑惑的事……我們各人必要將自己的事，在神面前説明。所以，我們不可再彼此論斷，寧可定意誰也不給弟兄放下絆腳跌人之物。

神的旨意：_____

哥林多前書10：24 —— 無論何人，不要求自己的益處，乃要求別人的益處。

神的旨意：_____

以弗所書4：25 —— 所以你們要棄絕謊言，各人與鄰舍説實話，因爲我們是互相爲肢體。

神的旨意：_____

以弗所書4：29 —— 污穢的言語一句不可出口，只要隨事説造就人的好話，叫聽見的人得益處。

神的旨意：_____

以弗所書4：31-32 —— 一切苦毒、惱恨、忿怒、嚷鬧、毀謗，並一切的惡毒，都當從你們中間除掉；並要以恩慈相待，存憐憫的心，彼此饒恕，正如神在基督裡饒恕了你們一樣。

神的旨意：_____

以弗所書5：19-20 —— 當用詩章、頌詞、靈歌，彼此對説，口唱心和的讚美主。凡事要奉我們主耶穌基督的名，常常感謝父神。

神的旨意：_____

以弗所書5：21 —— 又當存敬畏基督的心，彼此順服。

神的旨意：_____

歌羅西書3：13-14 —— 倘若這人與那人有嫌隙，總要彼此包容，彼此饒恕；主怎樣饒恕了你們，你們也要怎樣饒恕人。在這一切之外，要存著愛心，愛心就是聯絡全德的。

神的旨意：_____

當你閱讀新約聖經的時候，就會發現其中有許多教導都明確的說出神的子民該

如何與其他人相處。這些聖經教導並不是只用來研讀、背誦、討論、或辯論，而是要幫你明白怎樣親歷在基督裡的豐盛生命。假如你對這些教導的應用有疑問，就請將你的疑問帶到神面前。祂的靈能夠幫你明白屬靈的眞理。

在你的經文研習中應當找到以下的教導：

- 對於信心軟弱或不成熟的人，要有耐性，且要接納他們。
- 關於富爭議的問題，不要過早對他人下判斷。
- 不要自私自利。即使自己要付出代價，也該尋求他人的益處。
- 所講的說話全都要絕對眞誠。
- 不要批判別人，也不要用說話詆毀他人。要多鼓勵他人，造就別人。說話時要留意他人的需要。
- 要彼此寬恕，正如基督寬恕你一樣。你和別人之間不可存有苦毒。要去除忿怒、彼此的爭鬥、和毀謗。不要故意傷害他人（不論在肉身、情緒、或靈性上）。
- 鼓勵他人與你一起敬拜神，彼此口唱心和。
- 天天放下自我，彼此順服。正如存敬畏的心順服爲我們捨己死在十架上的基督一樣。
- 即使受惡待或冒犯，也要互相忍耐，正如神饒恕我們最大的過犯一樣。要彼此相愛。

這一課由於篇幅有限，我未能分享所有的體會。當你完成今天的課文後，或許會說：「我希望布克比能告訴我怎樣處理這種情況。」在這裡我有一個好消息給你！你無需靠我。那位神帶領信心浸信會像基督身體一樣發揮作用的神，祂就是臨到你教會的同一位神。基督會臨在，而且惟有祂才是你教會的頭。你無需倚靠我的方法，你需要的，是基督特別配合你們需要而給予的教導，這些才是最佳的指示。

對你教會的最佳指示

我且利用餘下的篇幅分享一些題目，那可能是神要你或你教會使用的。

在身體內的盟約關係

哥林多前書12：7，18指出，神按自己的意思將肢體加添在身體上，目的是爲整個身體的好處。每次神將一個肢體放在我們的教會，我們都有理由爲此歡欣。每當有人成爲我們教會的會友，我們就立刻告訴他基督身體到底是甚麼意思。身爲牧師，我會帶領會眾與這人建立一種盟約（即一種神聖的誓約或協議）的關係。雖然每次我都會因他們個別經歷的差異而有不同的處理，但盟約的內容通常都大同小異：

我會邀請加入我們教會的信徒簡單分享他的個人見證，然後請他回答以下問題：

- 你是否願意在會眾面前承認耶穌基督爲你的救主和生命的主？
- 你是否已經受浸、甘心跟從神？（或：你是否渴望受浸、跟從神？）
- 你是否清楚相信神將你加入這個基督的身體？（或：請說明你爲何知道神要將你加入這個身體？）

神使你加入我們的教會並非偶然。

隨後我會說：「神使你加入我們的教會並非偶然。假如神要使你加入這身體，祂是期望藉著你來幫助我們變得更加完全。」

- 你願否讓神藉著你使這身體變得更加完全？
- 你願否將生命敞開，讓這身體牧養你，幫你變得更加完全？

當這人經過這些問題的考問後，我會轉向會眾，問他們：

- 聽過這些見證後，你們是否相信神將這個人加給我們這身體？
- 你們願否將生命敞開，讓神藉著這人在你們身上作工？
- 你們願否讓神藉著你們每一個人，幫助這人成為完全照神的旨意所定的樣式？

然後我會提醒教會，說：「沒有人知道此人以後的日子如何，神把他加給我們教會，可能是因祂知道他需要我們的牧養。你們願否與他立約，讓神透過你們，幫助他成為神所期望的樣式？你們若願意，就請站起來，為著神把他加給我們這身體，大家一起感謝祂。因為神把這人加給我們教會。所以祂會動工，使我們更能成為祂希望的樣式。」

守約

我們非常重視這誓約的關係。過去曾有一名少女因為加入了異教，她要求我除去她的會籍，我對她說：「我們辦不到，因我們和你已訂下神聖的盟約，我們相信你現在的決定是錯誤的。雖然你這一方背約，但我們卻要堅守我們那一方的誓約。我們這個教會家庭仍然愛你，會為你禱告。倘若有一天你發覺需要我們，我們會在這裡等你。」

大概六至九個月之後，她回來了，她明白自己受了騙，她說：「我多麼感激你們仍然愛我，沒有放棄我。」這就是基督的身體，身體關心每個肢體，使所有肢體在愛、在基督裡變得更加完全。

▶ 翻開聖經，再次閱讀哥林多前書12章，這一次為你的教會求神向你說話，使你知道教會如何在作為基督的身體這方面發揮更大功能。又為你與基督身體的關係，求祂向你說話。試將神藉著經文向你所說的話寫下來。

對教會：＿＿＿＿＿＿＿＿＿＿＿＿＿＿＿＿＿＿＿

＿＿＿＿＿＿＿＿＿＿＿＿＿＿＿＿＿＿＿＿＿＿＿

＿＿＿＿＿＿＿＿＿＿＿＿＿＿＿＿＿＿＿＿＿＿＿

對我：＿＿＿＿＿＿＿＿＿＿＿＿＿＿＿＿＿＿＿＿＿

＿＿＿＿＿＿＿＿＿＿＿＿＿＿＿＿＿＿＿＿＿＿＿

＿＿＿＿＿＿＿＿＿＿＿＿＿＿＿＿＿＿＿＿＿＿＿

另類提議：倘若你想繼續讓神透過聖經向你說話，就請再閱讀羅馬書12章，求神向你說話，使你知道你和你教會如何方能發揮像基督的身體應當發揮的功能。用另一張紙記下你覺得是神向你說的話語。

神裝備教會，以配合任務

假如我要當舉重選手，我會操練自己的身體，以便舉重時更加得心應手。假如我要當短跑選手，我也要特別操練自己的身體。倘若我想將一份工作做好，我也得操練身體，以配合這份工作。

神幫助地方教會成為基督的身體，祂將肢體加給身體，並訓練他們去與神分派給教會的事工配合。祂建立地方教會的時候，會賜給他們能力，使他們能夠回應祂的委任，而神也因此能透過教會成就事工。

學生福音工作

讓我來舉例說明。在薩斯克頓市早期的日子，我們教會大約只有十五至二十

人。當時我們又感受到，神很想使用我們在全加拿大的各城各鄉設立教會。於是我們禱告，並感到神要透過我們接觸一所大學的學生。我們愈來愈相信，如果我們能夠努力在這大學裡見證神，神定會拯救裡面許多的學生。此外，如果我們努力幫他們投入教會生活，相信神定會呼召他們做牧師、教會職員、和加拿大各地的傳教士。

當時我們面對兩個很大的困難：第一，我們當中沒有一個大學生，第二，我們不曉得如何接觸校園裡的學生。然而，神給我們的任務就在眼前。於是我們開始禱告，等候神動工，幫助這身體成為能夠勝任校園事工的教會。結果，首批接受我施浸的人當中，有一名是在大學任教的教授，另外還有他的女兒。之後，神便帶領其他學生來到我們教會，身體亦漸漸增長起來。

簡禮博　　神引領我們認識簡禮博（Robert Cannon），他是德州一所大學的浸會學生會監督，他感覺到神正呼召他來加拿大從事學生工作。但我們卻沒有金錢差遣他或支付他的薪酬，而禮博卻來到這裡，神也給予供應。禮博來到的時候，我說：「禮博，你來到這裡幫助我們教會，使教會能夠為基督承擔校園的福音工作，顯然校園的福音事工已差派給我們的教會。」請讀以弗所書4:11-13。

➡ **你會跟從我們的做法嗎？是誰承擔校園的福音事工？試圈出答案。**

簡禮博　　　我們的教會

這任務是從何而來的？

_____

禮博最初的工作是甚麼？請從以下選出答案：

☐　　1.　　在大學校園開始從事基督徒學生組織的工作。

☐　　2.　　在學生宿舍逐戶探訪，向學生作見證。

☐　　3.　　裝備教會，實踐在校園傳福音的使命。

神把禮博安排在我們當中來裝備教會，幫我們迎接校園的福音使命。

這任務是由神交給教會的，神把禮博安排在我們當中來裝備教會，幫我們迎接校園的福音使命。禮博指導大家如何為校園的需要禱告。他幫助大家曉得如何聯絡、接待那些遠離家鄉的學生，他訓練大家如何作見證，他幫助教會曉得如何照顧校園裡有需要的人。

結果起碼有五十名學生進了神學院，準備投身事奉，他們之中有許多人回來牧養教會。神建立教會，將任務交給教會，然後裝備它，使祂能夠藉著各肢體完成任務。當教會忠心侍主，神就做祂告訴我們祂想要做的工作。

我經常留意神安排甚麼人來到我們教會。

神安排了醫療人員到來。

我知道神裝備教會是要教會與祂所委任的工作配合，因此我經常留意神安排甚麼人來到我們教會，有時我可以從中明白神要我們準備承擔甚麼工作。過去有一段時間，曾有數名從事醫療工作的人加入我們教會。我們於是開始禱告，希望明白神為甚麼把他安排在我們教會中，後來有一個任務臨到我們，那是接觸印第安人保護區的本土居民。這些醫療人員感到神的帶領，願意參與這工作，他們進入這些保護區，提供各式各樣的免費醫療服務。當地人排隊等候接受幫助的時候，教會的其他信徒便在那裡講道和作見證。後來診療所的門為我們開啟了，我們可以在那裡開設查經班，引領人歸主，並且為當地的印第安人設立教會。

> 留意神安排甚麼人來到你的教會。

➡ **想想你教會內的人，現在就向神禱告，求祂指引你和教會的其他人，幫你們認清祂已預備了甚麼任務給你們。**

禱告以後，有甚麼意念來到你的思想中？試寫下來。

_____

_____

繼續禱告求神引領。倘若你感覺到一種負擔，不妨將你的想法和感受與教會的其他肢體分享，他們或能幫你明白神的心意。

➡ **重溫今天的功課。禱告求神幫你找出一兩句祂期望你明白、學習、或付諸實踐的課文內容或經文，並回答以下問題：**

在今天研讀的課文中，哪些字句或經文對你最有意義？

_____

_____

將這些字句或經文改寫為你回應神的祈禱。

_____

_____

神期望你做甚麼來回應今天所學習的？

_____

_____

溫習背誦過的金句。

本課撮要

- 與神保持正確的關係，遠比教會堂址、財政預算、活動節目、辦事方法、人事管理、會友人數多寡或其他任何事物更重要。
- 神不會隨便把會友人數加給教會。
- 神造就教會去配合工作。
- 神建立教會，將任務交給它，又裝備它去完成任務。
- 我很留意神安排給我們教會的人。

單元十一

神國的子民

鮑永信（Vincent Paul）與印度人

我們在溫哥華的聯會決定要遵從神的一切帶領，向每個人傳福音。有一次我駕車經過溫哥華，看到一些印度人。該社區的印度人約有六萬，可是我們卻連一間印度人的教會也沒有；而當時在溫哥華的其他福音機構也沒有設立教會接觸這些印度人。

神把接觸印度人的負擔給了我，我開始與屬同一聯會的各教會分享，表示需要在印度人中間設立教會。在我們的所在地區，人們對印度人有很大偏見。這樣，有哪一個教會願意負責支持一間由一群受社區歧視的人組成的福音堂呢？那當然需要教會在思想上作出重大的調整。

我分享這需要，並請大家向神禱告，求祂指示我們，祂將如何藉著我們去接觸印度人。於是我們祈禱。然後靜觀其變，等候神如何展開祂的計劃。我們也在自己的生命中作出調整，去接受神的工作。我們想先把自己預備好，當神開始動工，我們便可立刻去配合祂。

就在那一年的仲夏，有一名牧師撥電話給我，說：「布克比，我們在溫哥華的暑期聖經班出現一種非常罕見的情況，班上有一大群……應該說，有三分之二是印度人。」

於是我與他分享最近禱告交託的事，我就問他說：「可否請你回去問一問你的教會，是否願意負責支持一間向印度人宣教的教會。」他真的那樣做了，他的教會也真的同意支持那間福音堂。然後我說：「讓我們來禱告，求神給我們一名受過訓練的印度人牧師。」當時我茫無頭緒，不知哪裡可以找到這一個人，但是，神卻知道！

兩個月後，我接到一個電話，對方是帶著很重口音的男子聲音說：「我叫做鮑永信，我和內子都在印度出生。我們在印度已建立了五所浸信會教會，我剛從肯德基州路易斯維爾市的南方浸信會神學院畢業。神感動我的心，叫我前來在溫哥華開始建立一間印度人的教會，你們有這個需要嗎？」鮑永信來了，神也為他收集了一切金錢上的支持。神真的太好了！

本週背誦金句　　*我們若在光明中行，如同神在光明中，就彼此相交，*
祂兒子耶穌的血也洗淨我們一切的罪。
——約翰一書1：7

第1天 | 對世界的使命

你不能一方面與基督保持關係，另一方面又不負起使命。

當你回應神的邀請，跟祂建立親密相愛的關係，神就會帶領你與祂合夥同工，使你加入一間本地教會，在你的社區內之基督身體中與其他人一起。基督既是教會的頭，祂必然會引領和藉著你們的教會，成就天父的旨意。

聖靈將你和其他的信徒連繫在一個地方教會內，當然也會將你與其他**所有**信徒連繫在一起。每個當地基督身體內的屬神子民，均是神國度的一部分，基督徒都是這國度的子民，基督自己在祂的國度之上是永遠的君王。祂「使我們成為國民，作祂父神的祭司」（啓1：6）。與身為君王的基督合作同工，你就成為在祂要使失喪的世界重新與神和好這使命上有分。與基督有關連就是有分於祂的使命。你不能一方面與基督保持關係，另一方面又不負起祂所負的使命。耶穌說：「父怎樣差遣了我，我也照樣差遣你們。」（約20：21）

神胸懷世界

「神愛世人，甚至將祂的獨生子賜給他們，叫一切信祂的，不至滅亡，反得永生」（約3：16）。神藉著聖靈造成基督最初的身體，放在馬利亞裡面，從此祂就成了肉身，住在我們中間（約1：4）。耶穌藉著祂的死亡和復活，為我們預備救恩。那次耶穌回到了天上，神就藉著聖靈造成基督的另一個新身體，這身體就是以往和現在神加給教會的信徒。

如今耶穌的作用就是做祂身體（地方教會）的頭，帶領身體完成天父的旨意。神設立每個教會作為基督的身體，以致祂能夠繼續祂在世上的救贖工作。基督既然是教會的頭，神就能利用身體在世界各地方完成祂的旨意。

➤ **在這裡停一停回答以下問題：**

- 基督在世的時候，他是否知道天父的旨意？　　知□　　不知□
- 基督曾否誤解天父的旨意？　　曾□　　不曾□
- 基督曾否不遵行神的旨意？　　曾□　　不曾□
- 倘若基督是一群會眾組成的地方教會的頭，祂會否誤解神要藉著這信徒組成的身體所達成的旨意？　　會□　　不會□
- 基督能否啓示祂身體的各分子怎樣在達成神的旨意上參與？
  能□　　不能□

每個教會內的會眾都是世界福音事工的戰略中心。

教會是有生命的組織，是以基督為頭的一個活著的身體。身體的每一部分都與基督、以及各部分之間互相有關係。神可以隨時進入祂的子民中間，透過教會的會眾去接觸世界。所以，每個教會裡的會眾都是世界福音事工的戰略中心，神會透過你去接觸這世界。你只需在你現今的處境中調整自己的生命去與神的作為配合。

寮國難民

我以前曾在溫哥華一間小型教會當暫代牧師。我履職前一個星期，有一個寮國難民家庭加入這教會，我知道神永不會隨便將人數加給教會的。神加給教會的人也就是我的事奉目標，我作為牧師的責任就是要看看神將這些人加給我們的教會，到底為了甚麼。我要看看神想透過我們教會在這些人的生命中做甚麼，也要看看神想

藉著他們在我們教會中做甚麼。

湯戀士

湯戀士（Thomas）這一位父親，他是在泰國的難民營內得救的。他的生命作了那麼輝煌的改變，以致他很想所有寮國人都認識基督。他走遍全個社區，希望找到自己的同胞，然後領他們信耶穌。第一個星期，湯戀士帶領了十五個成年人歸主，第二個星期，他又領了十一人歸主，他還哭起來，因他覺得自己對神不夠盡忠。

在我們教會第二次會務會議上我說：「我們需要開始一間寮國人的教會。」我分享我所知道的神當時進行的一切工作，我解釋說：「我相信是神帶領這些人信主的，所以我們要開始寮國人的福音工作。」然後我請教會決定神要我們如何回應。他們投票贊成開始設立一間寮國人的福音堂。

後來我說：「我們應該請湯戀士做牧師。」於是我將神在湯戀士生命中所作的告訴他們。神已賜給他一顆做牧者的心，他也有傳福音的負擔，並剛剛在本地一間浸信會神學院註冊入學接受訓練，去做神想藉著他而作的任何事情。教會後來也投票贊同湯戀士做這新福音堂的牧師。

兩個月後，湯戀士被邀往聖路易斯市出席一次為各小數民族的牧師而召開的會議，他問我他可否參加，我說：「當然可以。」

當時我知道神正在做一些特別的事情。

然後他又問：「我可否帶一些朋友和我一起去呢？」我不明白他的意思，直至他說出，他希望帶十八位朋友同行，他說：「布克比，你介意我回來時先去一去加拿大的各大城市嗎？我的同胞都分佈在這些城市，神要我去帶領他們的一些人歸主。如果神幫助我，我會為他們找到牧者，到時他們在加拿大各大城市都可以有教會。」於是我知道神正在做一些事情。

我對他說：「湯戀士，你儘管去吧！」他真的去了。那一年的聖誕節，寮國人在加拿大全國各地紛紛起來慶祝他們在基督裡面找到了新生命。

過了一些日子，我回去探望溫哥華的教會，並查問有關湯戀士的情況。原來寮國政府准許當地人設立教會，於是湯戀士便回了祖國傳道。他的家族裡已有一百三十三人信主，他設立了四間教會。他在寮國的教會與溫哥華的教會保持聯繫，且渴望著見到所有寮國人都相信主。

我們所見到的只是一個寮國難民，但神見到的是甚麼呢？祂見到的是一個民族和他們整個國家都歸向祂。當神藉著將新的會友放在你們的教會裡，來給予你們教會光榮，你便應求神顯明祂要作的事。說不定祂要藉你的教會接觸附近整個社區，或者甚至整個世界。

推動世界福音事工

➤ **閱讀使徒行傳8：26-39，然後回答以下問題。**

1.　是誰引領腓利來參與神正在埃提阿伯人身上所做的工作？（第26，29節）

　　_____

　　_____

2.　腓利最初對於他要做的工作知道有多少？（第26節）

　　_____

　　_____

　　_____

3. 腓利見到那埃提阿伯人，便開始留意看看天父正在做甚麼。你認為當時腓利看見神的作為是甚麼？（第27-28節）

_____

_____

4. 聖靈告訴腓利下一步做甚麼？（第29節）

_____

5. 腓利做了甚麼就發現神正在這人的生命中所作的？（第30節）

_____

6. 神藉著腓利在這埃提阿伯人的生命中做了些甚麼？（第35-39節）

_____

_____

7. 根據我們對這埃提阿伯人的認識（第27節），你認為這次相遇對福音的廣傳有甚麼影響？

_____

_____

答案：（1）主的使者——聖靈——引領腓利。（2）他只知要在由耶路撒冷往迦薩這條向南的路上走。（3）他看到一個敬畏神的人剛剛到過耶路撒冷做禮拜，由於這埃提阿伯人正在閱讀以賽亞書，腓利就知道這人正在尋求神，他看來對屬靈的事很感興趣。腓利知道只有神才能使一個人這樣歸向祂。（4）聖靈吩咐腓利走近那人的車，這時腓利才發現他需要做甚麼去配合神正在進行的工作。（5）腓利問了一條試探性質的問題。（6）神使用腓利說出有關耶穌基督的好消息，那埃提阿伯人相信了這福音的信息，便得救，並且受浸。（7）神顯然計劃將福音傳到埃提阿伯，祂揀選了一個在國內身居要職的人，並且使用腓利去領他歸信基督。腓利那一天的順從，就被神使用去實現天國的策略，將福音帶到非洲。

➡ **想一想你所在社區的群眾，有哪些人神會使用，藉此推動世界的福音事工呢？選出以下可能適用的人，並列出其他你認為有可能的人。**

☐ 本地學院或大學內的外國學生

☐ 本地公司內的一些外地員工

☐ 外國遊客

☐ 隨船抵埗的外國海員

☐ 一些一直與他本國有聯繫的外地人

☐ 往外國公幹的本地人

☐ 可能接受神呼召、準備投身福音事工的基督徒青年和學生

☐ 願意到外地做短期宣教工作的基督徒志願人士（例如自願參與傳福音、提供醫療服務、救災、農地開墾、教授英語等工作）

其他：_____

禱告求問神，祂是否要你接觸這些人。

當你肯調整自己的生命，成為神國的人，祂便能夠幫你參與世界各地的福音工作。祂正在世界各處動工，建立祂的國度。

由明尼阿波里斯市傳至中美和非洲。

當我正在明尼阿波里斯市／聖保羅市的會議上講到如何參與神的世界福音工作時，一名來自舊城區教會的牧師就說：「神也是這樣叫我履行牧師的責任。我們已開始尋找神有甚麼計劃，有些人從牙買加來到我們的教會，他們問：『你們會來我們的國家傳道嗎？我們多麼需要神。』我帶了一些人去到那邊，開始了三間教會。到了第二個月，又有一些人來到我們的教會，他們是來自另一個中美洲的國家，於是我們又到那國家去，並設立教會。如今我們正支持著三個在中美洲國家的福音堂。」

然後他微笑並且說：「上禮拜日有一個來自西非的加納人，我不知神有甚麼決定，但我們是隨時準備接受任命的！」

他們都意識到自己是神國度的子民。要經歷神，要認識和遵行祂的旨意，就要將你的生命放在與神的作為一致的位置，讓神的靈來指示你，為甚麼有些事情發生在你的教會中。將你的生命調整去適應祂，讓祂藉著你去吸引整個世界歸向祂。

那豈不可悲麼，如果我們都以自我為中心，只會走到神面前說：「神啊，求祢祝福我，祝福我的家，祝福我的教會。」

到時神說一些像以下的說話：「我已應允了你所求的一切，只是不按你期望的方式出現而已。我要你放下自我，背起十架跟隨我。我必會領你到我正在工作的地方，我會將你也包括在內，你就會成為我手中的器皿，於是我就可以接觸這世界。當我藉著你完成這些事，你便會真正經歷到我的祝福。」

➤ **重溫今天的功課**。禱告求神幫你找出一兩句祂期望你明白、學習、或付諸實踐的課文內容或經文，並回答以下問題：

在今天研讀的課文中，哪些字句或經文對你最有意義？

_____

_____

_____

將這些字句或經文改寫為你回應神的祈禱。

_____

_____

_____

神期望你做甚麼來回應今天所學習的？

_____

_____

本課撮要

- 我是神國的人，基督是君王。
- 既然與基督有關係，就在祂的使命上也有分。
- 每個教會內的會眾都是世界福音事工的戰略中心。
- 神隨時進到我們教會中間，透過我們去接觸這個世界。

第2天 | 天國的方法（上）

神國的原則與這世界的迥然不同。

每逢神透過聖靈向你說話的時候，祂是準備將祂自己、祂的旨意和**祂的方法**啓示出來，神國子民的職責就是以**神的方法**去完成祂的旨意，而不是用人的方法。神宣告說：「我的意念非同你們的意念；我的道路非同你們的道路。」祂又說：「天怎樣高過地，照樣，我的道路高過你們的道路；我的意念高過你們的意念。」（賽55：8-9）

神國的原則與這世界的迥然不同。耶穌說：「我的國不屬這世界；我的國若屬這世界，我的臣僕必要爭戰，使我不至於被交給猶太人。只是我的國不屬這世界」（約18：36）。神國的僕人不是按著這世界所期望的方法發揮功能的。保羅提醒歌羅西的基督徒說：「你們要謹慎，恐怕有人用他的理學和虛空的妄言，不照著基督，乃照人間的遺傳和世上的小學，就把你們擄去。」（西2：8）

➤ 遇到神邀請你參與祂的工作時，你會怎樣完成祂的旨意呢？在以下選出一種做法。

- ☐ 1. 用我選擇的任何方法。
- ☐ 2. 依照人的理性、人的原則、和人的傳統習慣。
- ☐ 3. 用我想出的最好的辦法，又用我自己的方式做出來。
- ☐ 4. 依照神的方法。

人爲的方法不能帶來永久的屬靈果效，神的旨意只能以神的方法來完成。在未來兩天的課文中，我期望你跟隨聖靈的引導回到聖經裡，讓祂將天國的一些基本眞理和天國的方法啓示出來。請記住，屬靈眞理並非只是一種用來思想、爭辯、或討論的概念。眞理是有位格的。當神將祂自己、祂的旨意、和**祂的方法**啓示出來，你便需要以服從的態度準備去回應祂。

天國的比喻

耶穌說了許多關於天國的比喻。（比喻是用來解釋屬靈眞理的生活實況故事。）耶穌嘗試去幫助門徒明白一些天國的特徵和天國的方法，雖然祂的一些比喻含有許多象徵的意義（例如麥子和稗子的比喻），但這些比喻大多數是教導一種基本意念。

➤ 閱讀以下關於天國的比喻，和回答隨後的問題。求聖靈給你屬靈的悟性，引領你行出天國的眞理。假如這裡所說的意思對於你和你的教會都不夠清楚，就請寫上「不清楚」。

麥子與稗子

閱讀馬太福音13：24-30，36-43麥子與稗子的比喻。

1. 根據耶穌的解釋（第37-43節），把左方的比喻項目之名稱與右方的解釋配對，用直線連起來。

比喻	天國
撒好種的人	魔鬼
好種	惡者之子
田地	天使
撒稗子的仇敵	人子
稗子	世界的末了
收割的時候	世界
收割的人	天國之子

2. 根據這比喻，哪兩種人將會出現於基督的國度，做它的成員？

_____

3. 這兩種人將來會被分開，甚麼時候分開？由誰來分開？

_____

4. 這比喻對你或你的教會有甚麼意義？

_____

　　教會會眾名單上的人並非全都屬於天國的，有些人看來有點像別的基督徒，但他們不一定就是基督徒。耶穌用這比喻指出，有些失喪和邪惡的人常會混在教會的真正信徒中間。不過，要留意的，神就是那位會以每個人與祂的關係作最後審判的，我們應盡自己的力量去幫助那些真正的信徒成長和結果子，神自會清除那些不信的人，這是祂的工作。對於那些不結果子的人，我們應該讓神藉著我們去幫助他們，得到他們最深切屬靈需要的滿足。神知道他們的需要是甚麼，並且知道怎樣去滿足那些需要。不過，有時候基督徒的管教也是需要的，是用以表達像神所具有的那一種愛。（太18：15-17；來12：6）

芥菜種　➡ **閱讀馬太福音13：31-32 —— 芥菜種的比喻**

　　1. 根據面積或體積大小而論，天國在開始時是怎樣的，結束時又是怎樣的？

_____

　　2. 這比喻對於你或你的教會有甚麼意義？

_____

_____

　　不管你是多麼渺小或微不足道，你都可從芥菜種的比喻中找到盼望。神會使用看來微不足道的東西，引發出一些事物成為巨大而有幫助。你認為神想你的家庭或你的教會有甚麼改變呢？你是否覺得自己力量單薄、人微言輕？不要氣餒！對於相信神和服從神的人，神能夠改變一切。你是否覺得自己的教會太微小，難勝大任？在人看來似乎不可能發生的，在神都能（太19：26），教會只要信任基督的主權，必能影響世界！

麵酵　➡ **閱讀馬太福音13：33 —— 麵酵的比喻**

　　1. 以下哪一項最能描述天國增長或擴張的情況？

　　　　☐　a.　天國如爆炸一般迅速地增長。

　　　　☐　b.　天國穩定而徹底地增長。

　　　　☐　c.　天國增長很少。

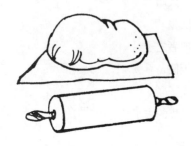

2. 這個比喻對你或你的教會有甚麼意義？

_____

_____

你是否很想看到教會或你自己的社區迅速轉變？不錯，迅速轉變是可以的。但在天國裡，增長往往像麵粉團內的酵母，酵母影響附近的麵團，再由這麵團影響附近其餘的麵團，不久之後，小小的酵母便能影響整塊麵團。你要對神有耐性和信心，神能夠利用你小小的影響力，在祂所定的時間，發揮長遠的功效。不要硬用自己的力量強行改變，你要相信神會透過你帶來改變。

隱藏的財寶與珠子

➡ 閱讀馬太福音13：44-46 —— 藏寶與珠子的比喻

1. 進入天國的福氣有多寶貴？_____

2. 一個聰明的人會願意做甚麼，以求能進入天國？

_____

3. 這比喻對你或你的教會有甚麼意義？

_____

_____

有分於天國的價值超乎任何你能想像的東西。耶穌說我們甚至值得放棄我們一切的所有，以求能進入天國。事實上，這也正是祂對我們的要求（路14：33）。你必須為祂放下自己和將一切降服於祂的主權之下，做祂的門徒 —— 所得的利益會大大值回付出的代價。

才幹

➡ 閱讀馬太福音25：14-30 —— 才幹（金錢）的比喻

1. 忠心的僕人好好管理主人交託的東西，所得到的報酬是甚麼？（第21，23節）

_____

2. 又惡又懶的僕人如何錯用主人託管的金錢？（第24-27節）

_____

3. 這比喻對你或你的教會有甚麼意義？

_____

_____

在按才幹受責任的比喻中說明一項非常重要的天國原則，（「才幹」一詞的英文為Talent，在耶穌時代，**金錢的單位**也叫Talent，中文譯作「他連得」）。當神為天國的緣故將資源、人、或事工交給你或你的教會去發展和使用，祂是期望你們盡上做忠心管家的責任。對於忠心的人，神會將更多更重大的事情委託他；耶穌將這道理總結如下：

> **你要是在不多的事上有忠心，神就會把許多的事派你管理。**

倘若你（或你教會）對於神交託你們去照管的事物不忠心，你就不要詫異神不再給你更多責任了。也不要詫異祂甚至把原先給你的也拿走。比方說，神將幾位新近決志信主的人加給你的教會，而教會卻任由他們自生自滅，這些新信者可能很失望和離開教會。或許你會聽過教會有這樣的說話：「我們帶領人們從前門進來，他

們卻從後門離開。」如果神將人數加給教會，教會卻失掉他們，那麼，教會就要好好查察看看教會對於神所交託的那些生命是否盡了管家的職分。

　　如果神停止或減少將信徒、資源、或任務託付給你或你的教會，那麼你們就應去到主面前，找出原因，去知道祂期望你和你的教會做甚麼，和成為怎樣的人，怎樣的教會。或許有些嚴重的缺點祂要你們改過的（路19：26）。

➡ **請將左方的天國原則與右方的比喻配對起來，並將正確的字母填在空格上。**

＿＿	1. 屬於神國度的東西值得我們放棄一切去爭取。	A. 麥子與稗子
＿＿	2. 在不多的事上有忠心的人，神要把許多的事派他管理。	B. 芥菜種
＿＿	3. 雖然有非基督徒加入我們的教會，但神知道哪一個屬於祂，祂在審判的時候會把基督徒與非基督徒分開。	C. 麵酵
＿＿	4. 微小的屬靈力量能夠慢慢增長，最後會影響到它的周圍。	D. 隱藏的財寶／珠子
＿＿	5. 凡由於天國的緣故而做的，則很微小的開始也能發展成偉大的事工。	E. 才幹

答案：1-D、2-E、3-A、4-C、5-B

➡ **重溫今天的功課。禱告求神幫你找出一兩句祂期望你明白、學習、或付諸實踐的課文內容或經文，並回答以下問題：**

在今天研讀的課文中，哪些字句或經文對你最有意義？

_____

將這些字句或經文改寫為你回應神的祈禱。

_____

_____

神期望你做甚麼來回應今天所學習的？

_____

_____

本課撮要

- 神使用一個相信祂和服從祂的人，能夠做任何祂想要做的事。
- 神能夠使用我微小的影響力，在祂所定的時間內，發揮深遠的影響。
- 天國值得我們付出一切去爭取。
- 如果我在不多的事上有忠心，神就會把許多事派我管理。

第 3 天　天國的方法（下）

耶穌的教訓充滿著在天國生活的原則。

以下是另外一些關於天國的比喻。在每個比喻下我都列出最少一項天國的原則。如果你有興趣，可仔細閱讀這些比喻（但並非強制性的）。

➡ **選讀兩個比喻，以便進一步了解天國的原則，圈出兩個你會閱讀的比喻。**

- **馬太福音13：47-50** —— **撒網的比喻** —— 神和天使會在審判的日子把惡人和義人分辨出來。

- **馬太福音18：23-25** —— **惡僕的比喻** —— 寬恕憐憫弟兄，就如神待你們一樣。

- **馬太福音20：1-16** —— **葡萄園工價的比喻** —— 神是慷慨的主宰，祂會對待那些剛剛悔改的人，猶如對待那些服侍祂多年的人一樣。

- **馬太福音25：1-13** —— **十個童女的比喻** —— 保持儆醒，隨時預備主耶穌再來。祂來的時候，你必須準備妥當。

- **馬太福音25：31-46** —— **綿羊與山羊的比喻** —— 真正屬於天國的人會因為愛神的緣故去愛同作基督徒的人，以恩慈的心去滿足他人的真正需要，從而將對神的愛表達出來。

- **馬可福音4：26-29** —— **種子默默生長的比喻** —— 單靠人為的力量並不能結出子粒，離了神，我們不能做甚麼。然而，我們卻有這種恩典，可以與神一起進行天國的工作，不過只有祂方能結出子粒來。

- **其他比喻**，有許多沒有明顯提及「天國」但卻與天國有關的比喻。這裡有些經文你或會感興趣：馬太福音7：1-6、馬太福音7：24-27、馬太福音9：16-17、馬太福音11：16-17、馬太福音12：43-45、馬太福音13：3-8，18-23、馬太福音21：28-30、馬太福音21：33-43、馬太福音24：32-35、馬可福音4：21-22、路加福音7：41-42、路加福音10：30-37、路加福音11：5-8、路加福音12：16-21、路加福音13：6-9、路加福音14：16-24、路加福音14：28-30、路加福音14：31、路加福音15：4-7、路加福音15：8-9、路加福音15：11-32、路加福音16：1-9、路加福音16：19-31、路加福音17：7-10、路加福音18：2-5。

➡ **讀完了你選讀的兩個比喻後，請回答以下問題：**

比喻一

1. 寫下選讀的比喻名稱和經節。

_____

2. 你覺得耶穌藉著在這比喻中所說的，嘗試教導你甚麼？

_____

_____

3. 你認為神期望這原則怎麼應用在你的生活上和應用於你的教會內？

_____

_____

比喻二

1. 寫下選讀的比喻名稱和經節。

_____

2. 你覺得耶穌藉著在這比喻中所說的，嘗試教導你甚麼？

_____

_____

3. 你認為神期望這原則怎麼應用在你的生活上和應用於你的教會內？

_____

_____

天國的原則

耶穌的教訓充滿著在祂的國度生活的原則。例如登山寶訓（太5-7章）便是很有價值的指引，使我們知道如何在罪惡的世界裡過正直的生活。

登山寶訓　➡ **請在你的聖經裡翻到馬太福音5-7章，你暫時無需閱讀整篇訓言，只需選出最少一項神可能要你應用在你今天生活上的正確生活原則。然後回答以下問題：**

1. 選讀的經節：_____

2. 試用自己的文字，說明經文中教訓的原則。

_____

_____

3. 神期望你將這原則怎樣應用在你今天的生活上？

_____

你可能有一天會讀完馬太福音5-7章一次，並且把生活上的正確原則列成一表，然後在《不再一樣》的學習小組內彼此分享，藉著基督身體的幫助，讓神指引你過著純全、信實的生活。

以下列出的一些其他的天國原則，那可能有助於你和你的教會更深體會「相交」(Koinonia)的道理。

➡ **請閱讀以下的聖經教訓。求神幫你找出祂期望你留意的原則，然後將這些原則的號數圈出來。如果神叫你留意的經文多過一處，你便圈出所有祂要你去更切實遵行的道理。**

1. 不要為生命憂慮，應先尋求天國的目的，神便會照顧你身體上的實際需要。（參太6：25-33）

2. 要在天國裡作最大的，就先要謙卑下來，像小孩一般。（參太18：1-4）

3. 天國裡的領導地位和高位不是建基於權力、影響力或地位之上。一位領袖想成為偉大，就必先服侍有需要的人；想要作首領，就必先作其他人的奴僕。（參太20：25-27）

4. 信徒或教會的目標是服侍他人，而不是受人服侍。（參太20：28）

5. 「凡自高的，必降為卑；自卑的，必升為高。」（參太23：12）

6. 倘若信徒（或是教會）只為救自己的靈命和生命而屯積財富，他將會失去這一切；倘若他（或教會）願意為他人付出自己，他將會得著神所預定的豐盛和富足。（參路9：24）

7. 對於一些具爭議性的問題，「我們不可再彼此論斷」，「我們務要追求和睦的事，與彼此建立德行的事。」所以，「無論……是甚麼別的事，叫弟兄跌倒，一概不作才好。」（參羅14：13-21）

8. 在基督的身體裡，要出於敬畏基督（身體的頭），而各人彼此順服。（參弗5：21）

9. 「不敵擋我們的，就是幫助我們的。」別要求其他信徒去「跟從」你，倒要待其他人如弟兄。（參可9：38-41）

➡ **用你自己的説話，寫出神要你留意的聖經原則。**

_____

_____

_____

爲使這原則正確地應用在你的生活上，神會要你在生活方式上作些甚麼改變？

_____

_____

_____

寫下本週的背誦金句：

_____

_____

➡ **重溫今天的功課。禱告求神幫你找出一兩句祂期望你明白、學習、或付諸實踐的課文內容或經文，並回答以下問題：**

在今天研讀的課文中，哪些字句或經文對你最有意義？

_____

_____

將這些字句或經文改寫爲你回應神的祈禱。

_____

_____

_____

神期望你做甚麼來回應今天所學習的？

_____

_____

_____

嘗試自己寫下今天課文的「本課撮要」。

本課撮要

- 1. _____

　　_____

- 2. _____

　　_____

第4天 | 相交（Koinonia）

倘若你與其他基督徒沒有團契相交，便顯示你與神沒有眞正的團契相交。

相交(Koinonia)：信徒與神、與其他肢體之間的最圓滿配搭合作和團契。

與永活的基督保持實在、個人的接觸！

在耶穌的教導和在祂的心中，教會是信徒之間有生命和有動力的團契。「團契」一詞的希臘文叫做「Koinonia」，中文一般譯作「相交」，這個用詞最能貼切形容教會的應有模式。在這最後兩個單元中，我們用「相交」Koinonia 這個字來解釋信徒與神以及與其他肢體之間的最圓滿配搭合作和團契。

➤ **試在以下的文字中找出能夠幫你明白 Koinonia 意思的字句：**

教會中的相交或親密的團契都是根據個別信徒在基督裡與神之間的個人相交而形成。惟有與永活的基督保持實在、個人的接觸，並且把祂視作生命的絕對主宰那樣對祂降伏，才可與神有相交契合。這裡所指的是一種親密的相愛關係。神渴望與你建立這種關係。

➤ **你會如何介定「相交」一詞的意思？** _____

_____

你會引用以下哪些文字形容你和神的關係呢？

☐ 有生氣	☐ 靠近的	☐ 冷淡的	☐ 疏遠的
☐ 成長的	☐ 親密的	☐ 個人的	☐ 實在的
☐ 遠離的	☐ 停滯的	☐ 不安的	☐ 活潑的

請閱讀約翰一書1：1-7，並圈出「相交」一詞，然後回答隨後的問題。

> 論到從起初原有的生命之道，就是我們所聽見、所看見、親眼看過、親手摸過的。（這生命已經顯現出來，我們也看見過，現在又作見證，將原與父同在、且顯現與我們那永遠的生命傳給你們。）我們將所看見、所聽見的傳給你們，使你們與我們相交。我們乃是與父並祂兒子耶穌基督相交的。我們將這些話寫給你們，使你們的喜樂充足。
>
> 神就是光，在祂毫無黑暗。這是我們從主所聽見、又報給你們的信息。我們若說是與神相交，卻仍在黑暗裡行，就是說謊話，不行眞理了。我們若在光明中行，如同神在光明中，就彼此相交，祂兒子耶穌的血也洗淨我們一切的罪。（約翰一書1：1-7）

1. 在第1-3節中，使徒約翰用了一些甚麼字句，顯示他與永活的主耶穌基督有一種個人、實在的關係？

_____

2. 使徒約翰爲甚麼要將他所看見、所聽見關於耶穌的事寫下來？（第3節）

_____

3. 信徒與神以及與其他肢體彼此相交有哪兩樣好處？（第4，7節）

_____

_____

4. 一個人若自認與神相交，但卻在黑暗和罪惡中行，那顯示了甚麼？（第6節）

_____

_____

5. 一個人若能在光明中行，如同神在光明中，那會怎麼樣？（第7節）

_____

_____

1-5題答案：（1）約翰說他看見、聽見、及摸過耶穌，他從親身的經歷中認識耶穌，他明白祂就是「永遠的生命」（第2節）。約翰也曾這樣記載耶穌的說話：「認識祢獨一的真神，並且認識祢所差來的耶穌基督，這就是永生」（約翰福音17：3）。永遠的生命，意思就是以實在和個人的途徑去經歷神，這就是相交。這種相交也就是與神契合或團契。（2）約翰傳講耶穌，目的是要使其他人相信祂，並因而與約翰及其他信徒相交。（3）當我們與神相交，同時其他信徒也與神並與我們相交，我們的喜樂便會充足，並且經歷到耶穌的血洗淨我們。（4）顯示這人是說謊者，他的一生都是虛偽的謊言。（5）一個人若在光明中行，如同神在光明中，他就可與其他信徒相交，並可經歷到他的罪得到赦免和洗淨。

信徒之間的相交契合

信徒的相交就是與神和與祂的愛子耶穌基督相交。這種相交是一種親密的合作配搭，分享一切我們與神之間的經歷。對我來說，「相交」是我與神的關係中那種最崇高之愛（agape）的最完全表達。當你生活在神這種愛的關係裡，你便會與其他信徒以同樣的愛相交。

> 你不可能一方面與神以及與祂的愛子相交，
> 而另一方面又與其他肢體沒有屬靈的團契。

使徒約翰首先指出一點：你與其他基督徒的關係正好反映你與神的關係，倘若你與其他基督徒（弟兄）沒有相交，便顯示你與神沒有真正的相交。

➤ 閱讀以下經文，將「弟兄」一詞圈出來，並在「愛」字下面畫線。

> 約翰一書2：9-11 —— 人若說自己在光明中，卻恨他的弟兄，他到如今還是在黑暗裡。愛弟兄的，就是住在光明中，在他並沒有絆跌的緣由。惟獨恨弟兄的，是在黑暗裡，且在黑暗裡行。
>
> 約翰一書3：10 —— 從此就顯出誰是神的兒女，誰是魔鬼的兒女。凡不行義的就不屬神，不愛弟兄的也是如此。
>
> 約翰一書3：14-15 —— 我們因為愛弟兄，就曉得是已經出死入生了。沒有愛心的，仍住在死中。凡恨他弟兄的，就是殺人的；你們曉得凡殺人的，沒有永生存在他裡面。
>
> 約翰一書3：16-17 —— 主為我們捨命，我們從此就知道何為

愛；我們也當爲弟兄捨命。凡有世上財物的，看見弟兄窮乏，卻塞住憐恤的心，愛神的心怎能存在他裡面呢？

約翰一書4：7-8 —— 親愛的弟兄啊，我們應當彼此相愛，因爲愛是從神來的。凡有愛心的，都是由神而生，並且認識神。沒有愛心的，就不認識神，因爲神就是愛。

約翰一書4：11-12 —— 神既是這樣愛我們，我們也當彼此相愛。從來沒有人見過神，我們若彼此相愛，神就住在我們裡面，愛祂的心在我們裡面得以完全了。

約翰一書4：20-21 —— 人若説「我愛神」，卻恨他的弟兄，就是説謊話的；不愛他所看見的弟兄，就不能愛沒有看見的神。愛神的，也當愛弟兄，這是我們從神所受的命令。

約翰一書5：1-2 —— 凡愛生他之神的，也必愛從神生的。我們若愛神，又遵守祂的誡命，從此就知道我們愛神的兒女。

你與神的關係如何反映了你與「弟兄」的關係？你與弟兄的關係如何又顯示了你一直與神的關係？

_____

_____

_____

你相信約翰一書所論述的道理是眞的嗎？_____

如果你與神的關係良好，你會怎樣對待身邊的弟兄姊妹呢？

_____

一個人倘若自稱是基督徒，自認愛耶穌，但卻惡待身邊的弟兄姊妹。對他們沒有恩慈，充滿仇恨，不斷與他們爭辯，在他人面前奚落他們，或是誹謗他們。在他們有需要時不給予幫助，那麼，根據約翰一書的指引，你認爲這人與神的關係是怎樣呢？試在下面選出你的答案（可多於一項），或在「其他」一欄上寫上你的看法。

☐　1.　我會相信這人的說話，相信他是眞正愛耶穌的基督徒。

☐　2.　我會懷疑這人是否眞的認識神和愛神。

☐　3.　我會認爲這人與神之間的關係存在嚴重的問題。

☐　4.　其他：_____

翻開哥林多前書第13章，根據第4-8節的描述，基督徒的愛是甚麼？不是甚麼？試將其中描述愛的字句寫在下面的橫線上，我已列出其中一個例子。

　　　　　愛是……　　　　　　　　　　　　愛是不……

恒久忍耐_____　　　_____

_____　　　_____

_____　　　_____

_____　　　_____

_____　　　_____

如果你愛神，你對弟兄姊妹的愛也自然會顯示出來。你會是恆久忍耐、有恩慈。不會嫉妒、自誇、張狂，不作害羞的事，不求自己益處，或是輕易發怒，不會對人斤斤計較。只喜歡真理和正義，不喜歡不義。你會包容保護、又相信弟兄姊妹。希望別人會得到最好的，你會在愛裡忍耐。惟有與神維持親密相愛的關係，才會生出像神那樣的愛。在約翰福音13：35中，耶穌說：

> 「你們若有彼此相愛的心，眾人因此就認出你們是我的門徒了。」

➡ 用一些時間禱告。求神向你顯明與祂相交（愛的關係）、與弟兄姊妹相交的真理。請記住，凡屬基督的人都是主內的弟兄姊妹。
對於你和其他基督徒的相交，神向你說了些甚麼？

_____

_____

對於你與神的相交，神向你說了些甚麼？

_____

_____

這兩種對你與其他信徒相交的評估，結論應該是一樣的。如果你認為你與神的關係良好，但與其他基督徒的關係卻惡劣；那麼，中間一定是出了問題。倘若你與神有親密的相交，那麼你與其他基督徒一定也能有親密的相交。

➡ 重溫今天的功課。禱告求神幫你找出一兩句祂期望你明白、學習、或付諸實踐的課文內容或經文，並回答以下問題：
在今天研讀的課文中，哪些字句或經文對你最有意義？

_____

_____

將這些字句或經文改寫為你回應神的祈禱。

_____

_____

_____

神期望你做甚麼來回應今天所學習的？

_____

_____

_____

本課撮要

- 教會是信徒之間一種有生命和有動力的團契相交。
- 「相交」是信徒與神以及與其他肢體之間的最圓滿合作配搭和團契。
- 你不可能一方面與神以及與祂的愛子相交，而另一方面又與其他肢體沒有屬靈的團契。

在天國裡的相交

若教會常與更闊的天國圈子有連繫，則教會裡的團契相交就會出現新的層面，新的可能性，和新的豐盛境界。

天國的子民是與這國度的其他分子和信徒互相有關係的。在薩斯克頓市信心浸信會事奉了十二年後，我就做了加拿大卑斯（B.C.）省（英屬哥倫比亞）一個有十一間教會和福音堂聯合組成的聯會所屬差傳機構的主席。我發覺帶領教會以基督為頭是一回事，帶領十一間教會同心合意，與神同行，那卻是另一回事。我必須面對一些嚴重的問題：

- 神會否向個別教會說話，然後帶領他們同心合意，走在一起，成為教會的聯會？
- 神說話的時候，教會會否回應祂？
- 教會與教會之間會否有**相交**，像教會內的信徒那樣彼此相交？
- 教會是否願意捨己，願意經歷神所提供的豐盛生命（路9：23-24）？
- 教會會否藉著與有需要的教會慷慨分享自己的資源，而表達出彼此有屬靈的相交？

我們所事奉的神，能將……祂也必……

—— 但以理書3：17

我要面對一項新的學習，就是相信「我們所事奉的神，能將……祂也必……」（但3：17）。神與祂子民同工的聖經原則是不變的。誠然，幫助多間教會學習與神以及與其他教會維持親密的**相交**確是需要許多時間。但我們的神是行奇事的神，我只不過是祂揀選用來工作的器皿而已。

雖然我們只是一個很小的群體，資源十分不足，但神卻在教會和整個聯會裡顯明祂自己的大能。在單元一的起首部分已提過我們在「86年世界博覽會」中的見證，神引領教會憑著信心前行。在本單元起首的部分也提及神透過我們聯會的教會，開始了印度人的福音工作。在四年間，我們聯會的教會數目和福音工場增加了一倍。學生福音工作初時由一名兼職的同工負責，後來卻增至由五名全時間事奉的同工負責。此外，表示感受到神的呼召、願意投身福音事工的，差不多有一百人。過去我們與其他教會曾一度緊張的關係，都已變成靈活的合作，彼此相交，一同推動外展工作。由於賦予教會能力的聖靈在教會中作工，神所做的，甚至超過我們的所想所求（弗3：20-21）。

➤ **以下一段記載是敘述在我們聯會內教會之間的關係。有些事情顯示了教會之間的肢體相交，請將這些事標示出來。**

我們憑著愛凡物公用。

聖靈為我們在薩斯克頓其萬省的聯會建立了一個獨特的**相交**合作。我們的教會分佈於全省各地，我們在省內發展了一個工作網絡，帶領全省歸向基督。我們好比新約時代的初期教會，以愛心實行凡物公用，教會內的資源並不屬於本身的會眾，教會只負責看管這些資源，教會內的一切都屬於天國。我們在薩斯克頓教會的資源，全都與其他教會共用。每逢一間教會發展學生事工，需要牧者，薩斯克頓的教會便要起來幫助他們。每當我們舉辦青少年夏令活動，我們便邀請其他沒有能力舉辦的小型教會參加。我們甚至要共用影印機和其他物資，每當其他教會在財政上有需要，我們會立刻通知會眾，然後收集奉獻。有一次我們甚至將會堂抵押，幫助一間福音堂建立他們自己的會址。

彼此分享使我們產生一種在我們各教會之間有深入相交契合的感覺。

這種分享使我們產生一種在我們各教會之間有深入**相交契合**的感覺。我們彼此相屬，互相需要對方。我們盡自己能力互相幫忙，協助有需要的教會。我們學習彼此相愛，安排時間聚在一起有團契和互相鼓勵。這正是基督國度應有的樣式。這個監視著基督徒的世界看見了應該不能不說：「看哪，他們彼此多麼相愛。」這種獨特的愛只能從神那裡得到。當人們看見這種很像神自己所擁有的那樣的愛，自然會被吸引到基督和教會去。

➤ 有甚麼事情顯示我們教會之間真的有肢體相交？

_____

_____

_____

_____

肢體之間的**相交合作**常存在於教會之間，是表現於彼此的關係上。我們在我們的使命上一起合作，帶領整個世界歸向基督；我們合力做一些一個教會無法獨力承擔的工作；分堂之間互相分享，滿足彼此的需要；我們願意花時間一起相聚，彼此相愛。

這種存在於教會之間相交契合能否推展到各省、各國的教會之間呢？當然能夠！這種屬神的相交合作能否同樣存在於不同宗派的教會之間，使他們共同合作而達成更遠大的天國目標呢？當然能夠！不過，凡是堅持己見的人都不能成功達到這種關係。只有神透過聖靈方能在祂的子民中間締造和維持這種**相交合作**。祂要成為掌管整個天國的君王、統治者、和主宰。當我們肯讓祂來管理，則各樣人為的障礙都會倒下來。

當我們讓基督來管理，人為的障礙就會倒塌。

當我們與神有**相交契合**，則同樣性質或質素的交往也會在我們與以下所列的個人或群體交往中反映出來：
- 自己教會內的弟兄姊妹
- 本地的其他教會
- 省內的其他教會
- 自己國家裡的其他教會
- 世界各地的其他教會
- 其他不同宗派的教會

➤ 根據你們教會與當地和世界各地教會、以及你們教會與不同宗派教會之間的關係，會讓這個一直監視著基督徒的世界看到哪一種的相交合作呢？

_____

_____

有甚麼事情顯示你的教會與其他教會或基督教機構沒有肢體相交的關係呢？（例如，有些教會的體育代表隊由於易怒、嫉妒、野蠻、粗暴，甚至充滿仇恨的表現因而聲名狼藉。這種情況反映了在彼此的團契相交方面出現問題。）

_____

_____

假如你的教會與其他教會或基督教機構出現**相交合作**方面的問題，那就顯示了

你們與神之間的那種較深入的**相交契合**可能出現了問題。我並非提議要將不同宗派之間的教義統一，但大家總該像弟兄姊妹那樣彼此相愛。倘若我們常將天國關係的圈子擴闊，則教會內的**團契相交**，定會出現新的層面、新的可能性和新的滿足。這種情況正與愛心所做的工作一模一樣。

愛的十種等級

我將愛心分作十個等級，假設你的愛心是在第二等級 —— 那就說，你只愛你的父母和愛那些疼愛你的家人、朋友。但假如神要令你能夠去愛最大的敵人，就如基督在馬太福音5：43-48中所吩咐的；如果你能處於第十級的水準去愛你的仇敵；那麼，你愛其他人的能力也會提升。假如你的愛心達到第十級，則每個你所愛的人都會得到更寬廣的愛，勝過你一向所能給予他們的。

➤ 檢討你的基督徒愛心，將以下字句對照一下你自己的情況：

　　☐　1.　我不愛任何人。

　　☐　2.　我愛我的家人。

　　☐　3.　我愛那些先愛我的人。

　　☐　4.　我也愛那些我知道他們會愛我的人。

　　☐　5.　神已幫助我去愛身邊那些暴躁和不友善的人。

　　☐　6.　神已教導我去愛在我的社區內那些不可愛、與我不同的人。

　　☐　7.　神已教導我去向那些公然活在罪中的人顯出愛心。

　　☐　8.　神已給了我恩典去愛我的仇敵。

我們通常都不會嘗試改善自己的愛心，叫自己去愛一些難於去愛的人。因為每次我們嘗試去愛「仇敵」，往往都帶來許多挫折感和憤怒，而不是一種新的愛，於是我們便會說：「主啊，請不要將憤怒帶到我的生命裡，我只希望生命裡有愛。」只要神使我們有能力去愛那些不可愛的人，我們的愛心便會加增。當我們願意學習更艱深的愛，我們愛別人的能力便會增長。

去愛一群無政府主義者

我在溫哥華的時候，我們的聯會曾作出承諾要去愛每一個人，和幫助所有溫哥華的人認識主。那就是耶穌在大使命中（太28：18-20）向我們發出的命令嗎？有一次神讓我結識一個朋友，他對那些無政府主義者有很大的愛心。那些無政府主義者是一群年輕人，他們憤世嫉俗，經常擾亂法紀。那位朋友對我說：「布克比，跟我來，到那些無政府主義者的餐館去，我要你聽一聽這群充滿怒氣和不滿的人，我想你去看一看神如何將福音帶給他們。」

那是一次很震撼的經歷。我在餐館內坐了三小時，聽他們充滿仇恨和不滿的牢騷。藉著聖靈的幫助，我決定全心全意和用我的生命去愛這些人。結果，我對於以後所遇見的基督徒都可以將愛心傾倒在他的身上了。而得到愛心的人都不知道我發生了甚麼事。就在神教導我去愛那些無政府主義者的時候，祂也帶給我更大的愛心能力。

➤ 神是否感動你去愛某一個人、或是某一群人、或是一些與你不同的人？求問神，如果神真的要你更進一步推展你的愛心，請將這些神要你去愛的人的名字寫出來。

教會之間的合作關係

新約時代的初期教會可說是彼此**唇齒相依**的。當然，每一間教會在主的面前都是獨立的，但他們同時又是互相需要對方。他們互相幫助，互相鼓勵，大家維持著一種合作的關係，從而更深切地經歷神。

➡ **請閱讀以下的記載，其中好些事件清楚顯示了新約時代初期教會之間的相交契合。試將這些事件標示出來，或寫在課本的頁邊，我已標示了其中一個例子。**

唇齒相依的教會

耶路撒冷的年輕教會：在五旬節那一天，約有三千人相信了基督。我們不知道節期過後到底還有多少信徒仍然留在耶路撒冷。但無論如何，耶路撒冷的教會一定增加了許多信徒。在早期，他們在殿裡或在個別信徒的家中有許多小組聚會，他們每天接受教導，彼此團契、擘餅、禱告。他們與其他有需要的信徒分享一切物資（徒2：42-47）。這些細小的教會彼此唇齒相依，因為有肢體相交，所以他們都是「一心一意」的（徒4：32）。

耶路撒冷與安提阿的教會分享：信徒在安提阿的希臘人中間開始結出福音的果子後，耶路撒冷的教會便差派巴拿巴前往視察，和幫助這些年輕的教會。巴拿巴看見神在那裡的作為，便請掃羅（保羅）前來幫忙。他們一起留在安提阿，教導這些初信的基督徒（徒11：19-26）。

安提阿分擔耶路撒冷的需要：有消息傳到安提阿的教會，說饑荒臨到猶太的弟兄姊妹。由於彼此要有相交合作的關係，「於是門徒定意照各人的力量捐錢，送去供給住在猶太的弟兄。他們就這樣行，把捐項託巴拿巴和掃羅送到眾長老那裡」（徒11：29-30）。這些教會並不是完全各自獨立的，因為他們一同都與基督有相交契合，所以他們也彼此相連。他們由於愛，彼此都必須關心對方的需要。

安提阿差派巴拿巴與掃羅：安提阿的教會是一個具有宣教心志的教會。他們願意這失喪的世界都知道基督的心腸。有一天，「他們事奉主、禁食的時候，聖靈說：『要為我分派巴拿巴和掃羅，去作我召他們所作的工。』於是禁食禱告，按手在他們頭上，就打發他們去了」（徒13：2-3）。安提阿教會白白受恩，得了這些屬靈的領袖，如今為了傳揚天國的福音，也將這些領袖白白差派出去。

神透過教會向巴拿巴與掃羅說話。

請注意，巴拿巴與掃羅（保羅）其實早已蒙召到外邦人那裡傳講福音。在幾年前掃羅已經悔改歸正，有神的呼召（徒9：1-19；加1：16-24）。只是在基督的身體裡，他們才知道在外宣教的適當時機。聖靈是透過教會向他們說話的。所以，請放膽信靠神，你的教會能幫助你認識神的旨意，認識進行天國事工的適當時機。

耶路撒冷幫助維持純正的教義：信徒中間對於救恩的理解出現分歧，於是保羅和巴拿巴便去到耶路撒冷提供諮詢意見。耶路撒冷的使徒、長老、和教會都起來幫助平息這些爭論，並在他們中間差派兩名信徒前往安提阿，指導那裡的外邦基督徒，鼓勵他們，堅立他們。

其他教會為天國的目標一同合作：在保羅的書信中，我們看到教會為了天國的緣故與其他基督徒一同合作。

- **羅馬基督徒**的信德鼓勵了其他地方的基督徒（羅1：8-12）。保羅打算接受羅馬教會的幫助，按計劃前往西班牙。（羅15：24）
- **馬其頓與亞該亞的教會**將捐項交給耶路撒冷的窮苦基督徒。（羅15：26-27）

- **腓立比教會**經常在金錢上支持保羅，使他能到其他城市傳福音和建立教會。
  （腓4：14-16）
- **歌羅西與老底嘉教會**共同領受神的僕人（以巴弗）和保羅的書信（西4：12-16）
  所帶來的好處。
- **帖撒羅尼迦教會**的信徒激勵了其他信徒，成了馬其頓與亞該亞信徒的榜樣。
  （帖前1：6-10）

➡ **以下哪一項最能描述新約時代教會的關係？**

　　☐　1.　教會各自為政，他們互不關心，也不需要與其他信徒建立關係。

　　☐　2.　教會唇齒相依，他們彼此關心，互相鼓勵和幫助。

你的教會可有甚麼例子因為與其他教會或機構互相合作，從而體會到肢體合作相交？

_____

_____

_____

更多經歷神

　　信徒離開了基督的身體 —— 一間地方教會 —— 便無法體驗神為他們預備的各方面經歷。基督徒在基督身體裡，一起傳福音，直到地極，方能更全面體會在神國度裡的生命。我們倘能與神家裡的其他人有**團契相交**，便能更多方面體驗神在我們的世界顯現作工。神已安排了各種渠道，藉此使你和你的教會為祂接觸世界。你必須讓祂清除任何障礙，使你能夠透過與其他人的**相交合作**，去經歷祂的一切安排。你要走到祂面前，靜候祂採取行動，祂會將方法、與你同工的人、和時間向你顯明。

➡ **填充題：**

　　新約初期的教會並非各自為政的。

　　他們是 _____ 的，他們需要與其他信徒相交，更全面地經歷神和祂所給予的團契相交。

➡ **重溫今天的功課。**禱告求神幫你找出一兩句祂期望你明白、學習、或付諸實踐的課文內容或經文，並回答以下問題：

　　在你今天研讀的課文中，哪些字句或經文對你最有意義？

_____

_____

　　將這些字句或經文改寫為你回應神的祈禱。

_____

_____

_____

　　神期望你做甚麼來回應今天所學習的？

_____

_____

_____

在下面默寫本週的背誦金句（約翰一書1：7）。

溫習背誦過的金句，以便在本週的小組學習時間內向其他學員背誦。

本課撮要

- 由於愛心，每個教會內的一切東西都屬大家所有。
- 教會一切的所有都屬於天國的。
- 如果教會之間有團契相交，那就會在他們的關係上表現出來。
- 當我們讓基督來管理，人為的障礙就會倒塌。
- 新約的初期教會可說是唇齒相依的。
- 教會倘能與神家裡的其他人有相交，便能更多方面體驗神的確在我們的世界裡動工。

單元十二 | 不斷與神相交

薩斯克頓的靈性覺醒

我曾到加拿大薩斯克頓市的信心浸信會，與他們探討前往牧會的可能性。我去是想清楚知道，神是否真的要我到那裡事奉。到了薩斯克頓，神藉著一位當地牧師向我說話。那位牧師說，去年甘鄧肯（Duncan Campbell）曾來過薩斯克頓。（甘鄧肯是神大大使用的僕人，他曾在蘇格蘭的赫布里底群島帶來了屬靈的覺醒。）鄧肯說，在事件發生之前一晚，神向他斷言復興的火焰將在這裡燒起，然後遍及整個加拿大。我聽了之後疑團頓釋。我一生中不少時間都在渴望見到靈性的覺醒臨到加拿大。當時我知道神在我的生命歷程中又放下了一個屬靈上的記號，用來指示我到薩斯克頓工作。於是我接受了神的呼召，來做信心浸信會的牧師。

我很想與市內其他宗派的牧師一同為靈性的覺醒禱告。禮拜二，我與一組牧者為這事禱告，禮拜四，我與另一組牧者禱告，我們如此禱告了一年半。有一天麥庇爾（Bill McCleod）撥電話給我，說：「布克比，我們的祈求實現了！」原來他們在過去一星期舉行的培靈會剛剛結束。他們中間有兩位弟兄都是教會的執事，過去六年來二人一直互不理睬，但在培靈會裡他們從禮堂這邊跑到那邊，互相擁抱痛哭起來，更新了他們的關係。來自神的深切感動橫掃這個教會的全體會眾。

培靈會繼續舉行，附近一帶許多基督徒也開始前來參加，擠塞到庇爾的教會超出容量，於是會眾便移往聖公會的教堂，那裡可容納七百人，但在一晚之內所有座位全都坐滿了。於是我們又移往可容九百人的宣道會教堂，兩天之後，同樣是擠滿了人，結果我們又改往可容一千五百人的聯合基督教會。培靈會每晚舉行，一連十一個星期，每晚到十至十一時才散會，因為前來親近神的人實在太多了。所以有些晚上我們在培靈會後再有聚會，這些聚會有時會一直到清晨四、五點才結束。從那時開始，靈性覺醒的復興火焰就在整個加拿大燃燒起來。

本週背誦金句　　*又要彼此相顧，激發愛心，勉勵行善。*

你們不可停止聚會，好像那些停止慣了的人，

倒要彼此勸勉，既知道那日子臨近，就更當如此。

—— 希伯來書10：24-25

第1天　神將破裂了的團契交情修補

對於我和我的教會，與神相交並不是一種由我們來決定的選擇。

只有神才可以引發真正的團契相交。

不論對於信徒個人或是教會，與神相交團契都不是一種由我們來決定的選擇。我們既然是「在基督裡」，是基督身體上的肢體，就必須與活著的基督有團契相交。這種與神之間的相愛關係、相交合作、團契共處，是我們認識神、認識祂的旨意、和能夠遵行祂的旨意最重要的關鍵。

不論是信徒個人或是教會，若要體驗新約時代的基督徒那種生命力，團契相交就不可或缺。與神以及與祂愛子耶穌基督的親密相交能夠引發我們與主內弟兄姊妹相交。只有神才可以引發出真正的肢體相交。當這種神聖的相交達至最高境界時，即使是極大分歧的人，也會被帶領到一起，歸入一個有生命活力的屬靈團契。

➥ **神能創立和維持人與人之間的團契，以下哪一種情況較能充分表現出神有這種能力呢？**

　　☐　1.　在種族背景、語言、教育、和經濟環境相似的人之間的神聖團契。

　　☐　2.　在背景、和社會地位不同的人之間的神聖團契。

當人為的障礙瓦解，有極大分歧的人能和平共處，世人就知道，有些事情只有神才可以做到。在神的國裡，「並不分猶太人、希利尼人，自主的、為奴的，或男或女，因為你們在基督耶穌裡都成為一了」（加3：28）。這種相交團契是由聖靈所創立和維持的。然而，與神以及與其他信徒的團契相交是可以受到威脅和破壞的。

與主內弟兄姊妹的團契交情破裂，往往是與神團契交情破裂的指標。

有時與主內弟兄姊妹的團契交情破裂，可能是由於別人的罪，或是自己與神的團契交情破裂所致。在這種情況下，你該為這犯罪的人禱告，並盡一切力量幫他向神回轉。

與主內弟兄姊妹的團契交情破裂，其實是與神破裂的指標。你該先反省自己與神的關係，你和他人的嫌隙往往是源於你與神的關係出了問題，而不是由你和他人的關係引起的。倘若你與神的關係是破裂的，你便不可能再與祂、或與其他主內弟兄姊妹繼續相交，所以你必須先讓神帶領你回到與祂有正常關係上。

罪往往會破壞你與神的團契相交

罪往往會分隔你與神之間的親密團契。聖經中有好些詞彙都與一般稱為「罪」的有關，例如「罪惡」、「過犯」、「不義」、「邪惡」等；做出以下任何一項，都是得罪神的：

* 神將祂的旨意向你顯明時，你不加理會。
* 背叛祂，拒絕跟從祂。
* 做出邪惡、殘暴、或不道德的行為。

神的面

當你犯罪得罪神，你與神的團契交情便會破裂。舊約經常以「神掩面」來象徵這種破裂的關係。人的面是包括了許多用來溝通的重要器官。**眼睛**用來看，**耳朵**用來聽，**嘴巴**用來說話。這位希伯來人的神雖然沒有實質的形體，但祂的「面」卻代表了祂的臨在、接納和認可。當神轉面不顧，也就表示了祂厭棄、否定、和不與人同在。

➡️ **試將以下經文中的「面」字圈出來。**

- 「我的怒氣漲溢，頃刻之間向你掩面……」（賽54：8）
- 「因他貪婪的罪孽，我就發怒擊打他；我向他掩面發怒……」（賽57：17）
- 「原來祢掩面不顧我們，使我們因罪孽消化。」（賽64：7）
- 「因他們的一切惡，我就掩面不顧這城。」（耶33：5）

在經文旁邊的橫線寫上神「面」上的有關器官，例如「眼」、「耳」或「口」。

____　1.　「我若心裡注重罪孽，主必不聽。」（詩66：18）

____　2.　「但你們的罪孽使你們與神隔絕；你們的罪惡使祂掩面不聽你們。」（賽59：2）

____　3.　「……我必命饑荒降在地上。人飢餓非因無餅，乾渴非因無水，乃因不聽耶和華的話。他們必飄流，從這海到那海，從北邊到東邊，往來奔跑，尋求耶和華的話，卻尋不著。」（摩8：11-12）

____　4.　「祢眼目清潔，不看邪僻，不看奸惡……」（哈1：13）

聖經中說神「掩面」，是甚麼意思？選出所有正確的答案。

☐　a.　神受驚。

☐　b.　神不肯與人同在。

☐　c.　神因為人的罪而厭棄人。

☐　d.　神因為人的邪惡不肯看他們、聽他們或與他們說話。

神為甚麼掩面？ _____

_____

_____

耶和華啊，祢忘記我要到幾時呢？要到永遠麼？祢掩面不顧我要到幾時呢？

—— 詩篇13：1

神掩面不是因為受驚，祂掩面是由於對罪發怒。神掩面是表示祂不肯與人同在、厭棄罪惡、不再看、不再聽或不再說話。在這種情況下，我們與神的團契相交便破裂。（前面的答案是：1-耳、2-耳、3-口、4-眼。）無怪詩人發出悲痛的呼喊說：「耶和華啊，祢忘記我要到幾時呢？要到永遠麼？祢掩面不顧我要到幾時呢？」（詩13：1）。所以，與神相交，是屬神兒女最寶貴的權利，而神掩面卻是最可怕的一種管教。

神的管教有時甚至是祂對我們的愛的一種表達，是為了要把我們牽引回來，與祂再有團契相交。個人與神的團契交情破裂這種經歷也會發生在群體之中 —— 例如家庭、教會、整個宗派或整個國家。

神為我們的罪過作出補救

感謝神祂為我們的罪過和與祂破裂了的團契交情，給了我們一個補救方法：

> 我們若認自己的罪，神是信實的，是公義的，必要赦免我們
> 的罪，洗淨我們一切的不義。（約翰一書1：9）

認罪

悔改

你**認罪**是表示你**同意**神的看法，視你所犯的過錯為可惡。認罪與悔改是連在一起的。當你為罪**懊悔**，你便**轉離**罪惡，**歸向神**。倘若你因為罪與神的團契交情破

裂，你就該同意祂對於你的罪的看法，並且轉離它。當你歸向神，祂就會赦免你和重建你與祂的關係。

➡ **你如果因為罪的緣故與神的團契交情破裂，你必須做些甚麼，使你的罪得到赦免？**

_____

沒有人能數算清楚自己有哪幾方面得罪神，而所有的罪都會使人與神的團契交情破裂。神為你的罪所作的補救方法，就是你同意祂的看法，轉離罪惡，歸向祂。你必須向祂認罪和悔改。

每當你犯罪，聖靈便會使你知道自己的罪。神很想你常留在與祂有正確關係的地方。倘若你對聖靈的提醒沒有反應，神就會管教你。神管教的目的是要引領你回轉到與祂有相交團契的地步。假如你對神的管教沒有立刻作出回應，祂便會施行更嚴厲的報應，使你注意（參利26章），這些報應可能會臨到你的家庭、教會、整個宗派或者甚至整個國家。當神審判祂的子民的時候，祂也會對他們赦免和「醫治他們的地」：

> 我若使天閉塞不下雨，或使蝗蟲吃這地的出產，或使瘟疫流
> 行在我民中，這稱為我名下的子民，若是自卑、禱告，尋求
> 我的面，轉離他們的惡行，我必從天上垂聽，赦免他們的
> 罪，醫治他們的地。（代下7：13-14）

➡ **根據歷代志下7：14的應許，回答以下問題：**

1. 當神對祂的子民施行審判的時候，他們應當做哪四件事，來尋求與神恢復相交團契呢？

_____

_____

2. 神應許當祂的子民回轉歸向祂，祂就會做哪三件事？

_____

_____

神為恢復我們與祂的相交團契所作的補救方法，是包括有謙卑、禱告、尋求祂的面（尋求經歷祂的臨在）和悔改（轉離罪）。祂應許過會垂聽我們，赦免我們，並醫治我們的地！在民數記6：24-26中，神吩咐祭司要給以色列人這種美好的祝福：

> 願耶和華賜福給你，保護你。
> 願耶和華使祂的臉光照你，賜恩給你。
> 願耶和華向你仰臉，賜你平安。

下面表格內所列的是研習神為我們的罪作出補救的課文總結。我另外增添了一些你或會用得著的原則和經文：

為罪作出的補救

- 將自己謙卑下來，不要為自己找藉口，也不要驕傲。
- 禱告。神垂聽悔罪的禱告。
- 向神認罪。同意祂的看法，承認那是錯謬的。向全部因你的罪而直接受影響的人認罪，並懇求他們的寬恕。（太5：23-24）
- 悔改。離開罪惡的途徑，回轉歸向神和回到祂的道路上。
- 尋求神的面。尋求更新你與神的團契相交。跟祂說話，聽祂的聲音。
- 倘若你的罪繼續成為你的難題，就請你向一位或多位基督徒朋友說出你的罪過，請他們為你禱告，使你從罪中得到釋放。（雅5：16）
- 為罪哀傷。求神幫助你明白祂對你的罪有何感受。祂所渴望的是你會為罪哀傷。倘若你為罪而心裡傷痛，你重犯的機會便會減少。（詩51：17）
- 對神順服。抵擋魔鬼。清潔自己的心。（雅4：7-10）
- 靠著神赦免、洗淨、和醫治的應許，向神懇求。（代下7：14；約壹1：9）
- 藉著耶穌復活的大能，過得勝的生活！

➡ **重溫今天的功課。**禱告求神幫你找出一兩句祂期望你明白、學習、或付諸實踐的課文內容或經文，並回答以下問題：

在今天研讀的課文中，哪些字句或經文對你最有意義？

_____

_____

將這些字句或經文改寫為你回應神的祈禱。

_____

_____

神期望你做甚麼來回應今天所學習的？

_____

_____

在下面的橫線上寫出本單元的背誦金句，並溫習其他單元的金句。

_____

_____

_____

_____

_____

本課撮要

- 團契相交是由聖靈創立和維持。
- 與主內弟兄姊妹的團契交情破裂，其實是與神團契交情破裂的指標。
- 罪破壞與神的團契交情的。
- 神的管教和審判是出於祂對我們的愛。

第 2 天　團契相交的要素（上）

與神團契相交乃是體驗
神臨在的經歷。

與神的團契相交（愛的關係、親密的相交），乃是得救和得永生的基本要素（約17：3）。神主動邀請你進入與祂相愛的關係中，祂把聖靈放在你裡面，使你與祂能有正確的關係。沒有任何人為的方法與步驟能維繫人和神的相交的。與神團契相交乃是體驗神臨在的一種經歷。雖然神採取第一步，但你必須回應神，才可完全體驗祂的臨在。

➡ 以下七項實況是幫助你藉著經歷去認識神。現在考一考你的記憶。請在橫線上填上適當的字，然後翻開本書的封底內頁核對答案。

1. ＿＿＿＿ 常常在你身處的環境中作工。
2. 神尋求與你建立一種持續相愛的 ＿＿＿＿ 是實在而 ＿＿＿＿ 的。
3. 神邀請你 ＿＿＿＿ 祂的 ＿＿＿＿ 。
4. 神是藉著 ＿＿＿＿ 、透過聖經、＿＿＿＿ 、環境、和 ＿＿＿＿ 對你說話，向你啓示祂自己、祂的 ＿＿＿＿ 、和祂的方法。
5. 神邀請你與祂同工，往往會使你面臨 ＿＿＿＿ 的危機，這是要你以 ＿＿＿＿ 和實際行動去回應。
6. 你必須在你生活中有重大的 ＿＿＿＿ ，來配合神的工作。
7. 透過 ＿＿＿＿ 的 ＿＿＿＿ ，你會逐漸認識神，祂也會藉著你去完成祂的工作。

請注意，這裡的最後三項實況其實就是你對神的回應：

- 你必須以行動表明對祂的信心。
- 你必須為祂作出重大的調整。
- 你必須順從祂。

當你回應神的呼喚，就會從經歷中深入認識祂。對神忠心服從，會使你經歷到祂的臨在，這就是團契相交。

持續與神相交並非隨便發生的，這種相交是可以受到破壞的。有時看來似乎是很好的意圖，卻可以成為我們與神以及與弟兄姊妹相交的威脅。要認識有甚麼事情會危害相交的關係，就須先認識一下與神真正團契相交的要素：

```
┌─────────────────────────────────────────┐
│              團契相交的要素               │
│    1.  我們必須用我們的全人去愛神。        │
│    2.  我們必須順服於神的管治主權。        │
│    3.  我們必須從真實和個人化的途徑去經歷神。│
│    4.  我們必須完全信靠神。                │
└─────────────────────────────────────────┘
```

團契相交的要素

愛神

耶穌對他說：「你要盡心、盡性、盡意愛主你的神。」這是誡命中的第一，且是最大的。

——馬太福音22：37-38

1.　**我們必須用我們的全人（全心全意）去愛神。**「這是誡命中的第一，且是最大的」（太22：37-38）。如果你愛神，就會順從祂（約14：21-24）；如果你愛祂，你也會愛你的弟兄（約壹4：21；5：3）；如果你與神有美好的相交—— 你用你的全人去愛祂—— 你甚至會有能力去愛你的仇敵。

凡是叫你離棄對神「起初愛心」的事物，都會危害這種相交關係，這也是以弗所教會所面對的問題（啓2：1-7）。

➤ **閱讀約翰一書2：15-16，有甚麼事物會威脅到或爭奪你對神的愛？試列出來。**

_____

_____

_____

不要愛世界和世界上的事。人若愛世界，愛父的心就不在他裡面了。因為凡世界上的事，就像肉體的情慾，眼目的情慾，並今生的驕傲，都不是從父來的，乃是從世界來的。

——約翰一書2：15-16

你若愛金錢或其他事物多於愛神，你與祂的團契相交就會破裂。污穢的渴望和情慾都會奪去你的「起初愛心」。你甚至只會沈醉於已擁有的一切或你能夠做的事情上。倘若你對神的愛不夠純全，你與神的團契相交就會破裂；這種破裂隨之會反映在你與其他人的關係上。

一個人若愛其他事物多於愛神，他與神的團契相交就會破裂，他對其他人的愛也會受到損害。愛物多於愛神的人會變得吝嗇、貪婪；即使看到弟兄有需要，也會將所擁有的物資只留為己用，不會施出幫助他人。他甚至會將獻給神的十分一也留作自己使用。貪婪是十分危險的（弗5：5；約壹3：17）。

物質主義是很可怕的陷阱，把許多人對神的愛都奪去。教會有時也會因此變得自私貪婪，把神的資源只留為己用，而不願去幫助這個失喪又有需要的世界。

➤ **團契相交的第一樣要素是甚麼？**

1.　_____

列出兩樣因妨礙你對神的愛而威脅到你與神相交的事物。

_____

順服神

2.　**我們必須順服於神的管治主權。**神是你的主人，因為祂對你的愛是完全的愛，所以祂要求你絕對的服從。基督既是教會的頭，祂便要求教會順服祂和遵從祂的旨意。你若要與神有正確的相交，就必須絕對降伏於祂的主權之下。

一個人若倚恃自己為生活的法則，憑自己的眼目判斷是非，那麼團契相交的經歷就不可能在他的生命中出現，也不可能在教會生活中出現，你將效忠的焦點轉移至基督以外的對象，可以說是靈性上的不貞。如果牧師、執事、舉足輕重的商人、或是任何委員會要嘗試來「掌管」教會，團契相交就會受到威脅。

問題通常都是出於個人本身（或教會本身）與神的關係。當一個人不肯放下自我來跟從基督，他與神的相交關係必會破裂；教會若由「自我」來控制，則所有其他權力之間的關係必會失控。在基督的身體裡，凡是固執己見，基督的權柄便會被奪去，無法作教會的頭。

相交的關係破裂，不單是因為信徒本身要起來作教會的頭，有時也因為教會期望由牧師、其他的個別信徒或群體來掌管。其實，沒有任何信徒或群體能發揮教會的頭的作用，使教會仍能成為健康的身體。儘管教會外表看起來很健康，但神卻看見那教會是否背叛了祂兒子的管治的，祂並會痛恨這種情況。教會裡的每個信徒都須將自己整個生命順服於基督的主權，而基督就作為整個教會的頭。

教會裡的每個信徒都必須將自己整個生命順服於基督的主權，而基督就做整個教會的頭。

➤ 照你的意見，你們期望誰作為你們教會的頭呢？

_____

哥林多前書1至3章指出當時分黨分派情況（即是相交關係破裂）存在於教會之中，原因是有些信徒跟隨保羅，有些跟隨亞波羅，有些則跟隨彼得（磯法），保羅譴責這一種悖逆。他也指責任何企圖跟隨基督以外的其他對象的行為。他說跟隨他或跟隨亞波羅是幼稚、世俗、屬肉體的行為（林前3：1-4）。他說明教會必須要有「基督的心」（林前2：16），和單單跟隨基督。

教會要是由不肯順服基督主權的信徒組成，這個基督的身體就不可能有團契相交。同樣，在一些較大的基督教團體裡（例如教會的聯會或宗派），要是牧師或其他參與的人不肯順服基督的主權，不肯在基督的管治下在身體內發揮作用，則這個團體也同樣不可能有團契相交。在你生命中，或是在教會、或在較大的基督教團體裡，任何篡奪神在你生命中的主權的人、事、物都足以破壞你們與神的相交。任何人與神相交的關係一旦受破壞，他與其他信徒的相交關係也就自然會反映出這種景況。

➤ 照你的意見，你們會期望誰做你們宗派的頭？

_____

團契相交的第二樣要素是甚麼？

1. 我們必須以我們的全人去愛神。

2. _____

試述當基督的管治一旦受到阻礙，會如何使教會裡的團契相交受到威脅？

_____

_____

請你以完全誠實的態度去到神面前，省察一下到底誰是你生命的主？

☐ 耶穌基督

☐ 我自己

☐ 我的配偶

☐ 我的工作

☐ 金錢和物質

其他 _____

今天的課文比往日簡短，目的是讓你有足夠的時間禱告，你該用些時間為今天

的學習和以下的事項禱告：

- 求問神，在你的生命中是否有任何事物令你離棄對神起初的愛心？你是否愛這些事物多於愛神？倘若祂向你啟示這些事物是甚麼，你便應向神認罪，並重拾起初的愛心。
- 求問神，你是否將生命完全交予神掌管？
- 求問神，你是否讓耶穌發揮作你們教會的頭的功能？
- 為你的配偶、家庭、教會、或你們的宗派禱告，祈求每個人的心都由神來掌管。

➡ **重溫今天的功課。**禱告求神幫你找出一兩句祂期望你明白、學習、或付諸實踐的課文內容或經文，並回答以下問題：

在今天研讀的課文中，哪些字句或經文對你最有意義？

_____

_____

將這些字句或經文改寫為你回應神的祈禱。

_____

_____

神期望你做甚麼來回應今天所學習的？

_____

_____

本課撮要

- 與神團契相交也就是經歷神的臨在。
- 與神團契相交，乃是得救和得永生的基本要素。
- 我必須用我的全人去愛神。
- 我必須順服於神的管治主權。
- 教會除非是在基督的身體內由願意順服基督主權的信徒組成，這個基督的身體才可能有團契相交。

第 3 天 ▎團契相交的要素（下）

惟有與永活的基督相遇才會帶來功能顯著的團契相交。

昨天你學習過，若要與神有團契相交就須用你的全人去愛神，並且順服祂在你生命中的治理主權。若是你容讓許多的人、事、物和影響力在你的生命和教會中妨礙你與神的團契相交，你就是容許它們來分散你對祂的愛和干擾你對祂的跟隨。在今天的課文中，我們會多認識兩項團契相交的要素，以及你和神相交的障礙。

經歷神

3. **我們必須從實在和個人（個別）的途徑去經歷神。**你和神之間的團契相交是根據你與祂的個人經歷。沒有其他事物可以代替。你不能倚靠你的配偶、父母、

牧師、主日學老師、或教會其他信徒的經歷。你與神的團契相交必須是**實在**和**個人**的經歷。

當你容許任何人或事在你與神的關係上使你成為一個旁觀者，多過成為一個積極的參與者，這時團契相交就受到威脅。你必須直接與神相遇，否則你對神只會變得被動、冷漠，或者甚至退出一切的事奉。你必須不斷與神有直接的接觸，否則你與神的相交就會日漸冷淡。你再不會留意神對袖的教會、袖的國度、或對這失喪的世界的關注。

➤ **當教會發生一些甚麼事，就能引致人成為旁觀者多過成為積極的參與者？**

_____

_____

在哪一方面你已用一種「觀望式的宗教」取代了你在神裡面的個人和真實的經歷？

_____

雖然有些組織和活動節目的設計目的是推動福音外展、教會增長和參與事奉，但教會一不小心這些組織和活動也會導致信徒與神的關係變得膚淺和淡薄，它們只會幫助會眾體驗某種活動，而失去一種個人與活著的基督接觸。經過妥善安排的活動、計劃、方法、和查經聚會固然是寶貴，但卻不可取代聖靈個別帶領我們的獨特經歷。我的意思並不是說教會無需有組織，但教會必須小心，以致那組織本身是鼓勵信徒常常與神有親身經歷的。

他人經歷過的屬靈真理和實況不可單單流於認知的層面，因為神會親自向個別信徒啟示同樣的屬靈真理和實況。所以我們必須引導信徒也有這些親身的經歷，而不是倚靠他人的二手經驗。

比方說，某宗派的機構有機會為神進行一項事工，而這事工是個別教會無法獨力完成的。在這情況下，信徒個人和個別教會千萬不可將這機構的工作取代自己對神事工的親身參與。否則大家便會變得互不關心，靈性冷淡，不願負起責任參與其中。惟有當一個人與活著的基督相遇，結果才會一同進入一種滿有功效的團契相交中。

➤ **有些甚麼事工是宗派聯合能夠做得到，但個別教會大多無法獨力承擔的？**

_____

在哪一方面對事工的倚賴如果被錯誤運用，就會成為對信徒與神的真實和個人相交的障礙？

_____

對事工的倚賴和與神相遇並非是兩者任擇其一，而是要雙管齊下。宗派事工、課程活動、方法、研讀資料的編製等等，都是對教會極有幫助的工具。然而，這一切都不可成為個人與神接觸的代替品。每個信徒都需要經歷神在他們身上的作為。信徒若肯跟隨神的引領，藉聖靈的力量完成神的旨意，他們便會經歷到與神的團契相交。

假若課程活動和事奉成為最終的目標，而不是追求目標過程中的方法或手段，大家為活動而活動、或事奉只是表面上的成功指標；那麼團契相交便會有陷於不清不楚和喪失的危險。教會不可只關注自己工作在數字上的成果，教會必須小心留意自己做工作的內心動機，生命是否有改變？受過創傷的人在靈裡和情感上是否得著醫治？信徒是否親身經歷到活著的基督確實在教會裡動工？倘若沒有，信徒與神之間的個人關係必定是出了甚麼問題。

➤ **團契相交的第三樣要素是甚麼？**

1. 我們必須以我們的全人去愛神。

2. 我們必須順服於神的管治主權。

3. _____

教會裡有甚麼東西能取代了人與神之間那真實和個人的接觸？

_____

_____

在你過去有哪一樣東西是你曾讓它來取代了你與神之間的親身經歷的？試列舉一項。（例如：「我已奉獻金錢給教會，我就避免親身參與神藉著教會來完成的工作。我從沒試過在神要教會完成的工作上有親身的經歷。」）

_____

_____

_____

信靠神   4. **我們必須完全信靠神。**你必須倚靠聖靈去做一些只有神方能承擔的工作，你必須單單信靠神。

有一次以色列人面對困難，他們便想倚仗埃及人的兵力，而沒有倚靠神，神對他們說：

> 禍哉！那些下埃及求幫助的，是因仗賴馬匹，倚靠甚多的車輛，並倚靠強壯的馬兵，卻不仰望以色列的聖者，也不求問耶和華。（賽31：1）

➤ **教會裡有甚麼人或事可能成為眾人的倚靠對象呢？（例如，教會可能倚仗一些提供經濟穩定力量的有錢人，多過信靠藉著人供應一切經濟力量的神。）**

_____

_____

_____

將信靠之心放在神以外的任何事物上，會使你與神的相交關係破裂，靠賴以下的事物來完成神的工作，取代信靠神；這只會破壞你和祂之間的相交關係：

- 自我、自己的能力、自己的資源
- 其他人、他們的能力、他們的資源
- 計劃或方法
- 對人的操縱和壓制
- 壓迫手段或不道德的方法

● 欺騙

● 其他

　　神會提供人、關係、資源、方法、和計劃給教會使用。不過，教會若向試探投降，去倚仗這些多過信靠神，神就不喜悅。你的教會可能信靠了自己、牧師、精心策劃的研經課程、宗派組織、銀行、事工拓展的方法、政府、或是其他組織機構、人或物；倘若你們倚仗這些事物中的任何一種多過倚靠神去完成神的工作，這樣，你們與神以及與其他信徒的相交關係便會受到破壞。有時，宗教領袖會用壓迫手段使會眾遵行神的旨意，這同樣是否定了神親自帶領子民的能力。教會內出現衝突的時候，這些領袖也可能會倚靠人為的力量去處理教會的紛爭，而不會帶領會眾回到神那裡，單單信靠祂和祂的愛。

　　聖靈會藉著信徒彰顯祂自己，並給予他們能力去完成只有神方能成就的工作。是神使教會成長，聖靈使教會合一，基督使教會結出屬靈的果子。你和你的教會必須倚靠神，讓祂藉著你，用祂的方法，去完成祂的旨意。

　　不錯，神會呼召你與祂同工。祂會吩咐你做一些事情，藉此祂可以動工。祂往往會帶領你用一些計劃或方法，來幫助你籌組、運作，然後完成祂的旨意。祂會呼召你使用你的金錢、資源、技能、和才幹，但你若要結出恆久的果子，你使用這一切時必須倚靠神的帶領、供應、賜予、和能力。沒有祂，你不能作甚麼（約15：5）。神的臨在往往會締造和維持祂與人的相交，祂會藉著服從和信靠祂的人結出永久的屬靈果子。

> 我是葡萄樹，你們是枝子。常在我裡面的，我也常在他裡面，這人就多結果子；因為離了我，你們就不能作甚麼。
> —— 約翰福音15：5

➡ **團契相交的第四樣要素是甚麼？**

1.　我們必須以我們的全人去愛神。

2.　我們必須順服於神的管治主權。

3.　我們必須從實在和個人（個別）的途徑去經歷神。

4.　_____

你會容易信靠甚麼事物多於信靠神？試舉出一樣。

_____

再次用一些時間禱告。為今天的學習禱告，求神指出有甚麼事情，令你用其他處事方法取代了與祂的親身接觸，從而使你失去了親歷祂的機會。又求神指出有甚麼事情，使你信靠其他的人與事，而沒有倚靠神作你的供應者。

也為教會禱告，免得教會不知不覺地鼓勵了信徒採用一些宗教活動，取代了對神的親身經歷。求神幫助教會經常單單的倚靠祂。

➡ **重溫今天的功課。禱告求神幫你找出一兩句祂期望你明白、學習、或付諸實踐的課文內容或經文，並回答以下問題：**

在今天研讀的課文中，哪些字句或經文對你最有意義？

_____

_____

將這些字句或經文改寫為你回應神的祈禱。

_____

_____

_____

神期望你做甚麼來回應今天所學習的？

_____

_____

背誦或默寫本週的背誦金句。

本課撮要
• 我必須從真實和個人化的途徑去經歷神。 • 我必須完全信靠神。

第4天 ｜ 彼此相助

我們必須彼此幫助，學習服從基督的一切命令。

基督徒是彼此需要對方的。正因如此，神才將我們放在教會（基督的身體）中。當我們經歷過神在信徒群體中間的工作，我們便會認識神。離開了教會，我們便無法這樣認識祂。基督住在每個信徒裡面（約17：23，26；西1：27），信徒也在基督裡面（約17：21；林後5：17）。我們需要彼此相助，讓我們持續與神以及與其他信徒有正確的相交。

➡ **活著的基督既然住在每個信徒裡面，下面哪一項是正確的？**

☐ 1. 神藉著並在其他信徒裡面工作時，我不能經歷祂。

☐ 2. 神藉著並在其他信徒裡面工作時，我可以經歷祂。

離開這身體，你便無法與身體的各肢體聯絡，因而你也就無法成為一個完全的人。

神藉著其他信徒工作時，你是可以藉著彼此的關係經歷神。神可以藉著你向我說話，祂也可以隨時透過教會內任何信徒說話。因這緣故，我們是彼此互相需要對方的。神創造我們，是要我們像一個身體那樣合作，要是與其他信徒沒有親密的關係，我們便無法成為健康的身體。離開這身體，你便無法與身體的各肢體聯絡，因而你也就無法成為一個完全的人。與神相交時，有一點是極其重要的，就是與基督身體團契相交。

在門徒職分上彼此幫助

在耶穌給祂的教會的使命中，祂說：「你們要去，使萬民作我的門徒……凡我所吩咐你們的，都教訓他們遵守」（太28：19-20）。耶穌不是說：「凡我所吩咐你們的，都教訓他們。」而是說：「凡我所吩咐你們的，都教訓他們遵守。」多麼大的使命！一個初信的信徒除非已學會了**遵守一切**耶穌所吩咐的，否則教會的責任還沒完成。

一個人可以藉著閱讀聖經，就學到基督所吩咐的。這固然是信徒起碼要做的。但學習**遵守**一切的吩咐倒是另一回事。神明白初信的人學習實踐或遵守耶穌的一切吩咐並不容易。因此，祂將信徒放在基督的身體內，跟隨基督是一生一世的學習，你不可能單憑自己就能學會跟隨祂。

保羅對提摩太說：「你在許多見證人面前聽見我所教訓的，也要交託那忠心能教導別人的人」（提後2：2）。保羅的教導是在群眾面前進行的，他與提摩太的關係並非只是單對單的門徒訓練，保羅的教導也需要靠群體來配合。

> 離開了新約教會這正發揮功能的身體，便沒有人能成為成熟的基督徒。

離開了新約教會這正發揮功能的身體，便沒有人能成為成熟的基督徒。為甚麼？因為神已在教會內安排了培育門徒的計劃，得救的人會被神呼召出來，加入那以基督為頭的屬靈身體。信徒本人只不過是身體的一部分，他絕對需要其他肢體的幫助，才可正常地發揮功能。

➡ 閱讀以下各項，然後思想為甚麼在基督身體裡學習跟隨基督，比單靠自己去成長好得多。選出你認為應該以團體方式進行門徒訓練的好原因。

- ☐ 1. 當我沮喪氣餒的時候，教會裡的其他人會鼓勵我繼續前進。
- ☐ 2. 入微地觀察愛神的人的生命，會激勵我也想親近神。
- ☐ 3. 看到他人的榜樣，我就能對於如何活出基督徒的生命有最佳的學習。
- ☐ 4. 當我偏離了真道，或是陷在錯誤的教導中，神會透過祂的話語、聖靈、和教會糾正我。
- ☐ 5. 在我落入罪中的時候，主內的弟兄姊妹會以愛心糾正我，叫我悔改，回到神那裡。
- ☐ 6. 神將屬靈的領受給予我身邊的信徒，聽到他的分享後，以及經過聖靈的印證，我便能從中得到同樣的領受。
- ☐ 7. 藉著教會內其他信徒的印證，我可以明白神的旨意，明白在基督身體裡我擔任的角色。
- ☐ 8. 當我經歷到神藉著我深深感動其他信徒，我會無比歡欣。
- ☐ 9. 當神使用我去建立教會，幫助其他信徒成長，臻於成熟，我會感到欣慰滿足。

列出其他原因，解釋為甚麼在信徒組成的身體裡學習跟隨基督，比單靠自己去成長好得多。

_____

_____

你修讀《不再一樣》課程時，有些靈性上的成長是你無法在獨自研讀的情況下得到的，但你卻可從小組學習的過程中得到這些幫助。試述一項在《不再一樣》小組學習中得著幫助的事項。

_____

_____

假如有一位朋友想參加《不再一樣》課程，你會怎樣向他解釋為甚麼小組學習比單獨研讀好得多？

_____

_____

> 祂所賜的，有使徒，有先知，有傳福音的，有牧師和教師，為要成全聖徒，各盡其職，建立基督的身體，直等到我們眾

神希望所有信徒邁向成熟，變成酷肖基督。神給予信徒的事奉機會、屬靈恩賜、或事奉上的裝備，都是為了建立基督的身體（弗4：11-13）。離開了身體，所有恩賜或事奉就會與環境脫節。可是，各肢體倘能按著神所安排的位置發揮功用，整個身體便會在愛中成長，滿有基督長成的身量。

人在真道上同歸於一，認識神的兒子，得以長大成人，滿有基督長成的身量。

—— 以弗所書4：11-13

➡ 本週的背誦金句告訴我們一些可以彼此相助的方法，希伯來書10：24-25怎麼說？試寫下來：

_____

_____

_____

_____

你可以怎樣「激發」其他信徒更愛神、更愛其他人和愛這失喪了的世界？試述一項做法。

_____

你可以怎樣「勉勵」其他信徒行善？試述一項做法。

_____

你與其他信徒一起敬拜、研讀聖經、和相交時，你可以怎樣「勸勉」他們？試述兩項做法。

_____

_____

　　《不再一樣》課程的設計是為幫助一般信徒在門徒訓練、組長訓練、傳福音方面得到裝備。除此課程之外，還有另一個名為《塑造主生命門徒訓練》（MasterLife: Discipleship Training）的課程，也是專為信徒在與神同行方面提供基本的操練。

➡ 以下是《塑造主生命門徒訓練》的課程簡介。請你仔細閱讀後向神禱告，求問祂是否希望你也修讀這課程，藉此幫助你繼續在靈裡成長。

　　《塑造主生命門徒訓練》：課程手冊由韋愛華（Avery T. Willis）撰寫。此課程的目的是要幫助信徒學習與基督結連，在生命中建立穩固的根基。課程提供「活出神話語」、「憑信心禱告」、「信徒相交」、以及「向世人見證」等方面的操練。另外，此課程亦指導你如何讓神透過你向其他人傳福音。《塑造主生命門徒訓練》課程已有超過一百一十五個國家使用，手冊譯成五十多種語言，為三十多個宗派的信徒使用。假如你的教會未能提供已領有《塑造主生命門徒訓練》課程證書的組長，或者需要查詢英文版或其他譯本的資料，可與浸信會出版社聯絡。

彼此幫助學習敬拜

　　你已學過與神團契相交的其中一項要素，就是必須在一種真實和個人化的途徑上去經歷神。若要與神繼續維持這種相交，你對祂的敬拜必須是與祂有真實和個人的接觸。

➡ 閱讀以下論述新約教會敬拜的經文，並將他們敬拜時所做的事情標示出來。

　　　　使徒行傳2：42，46-47 —— 都恆心遵守使徒的教訓，彼此交接，擘餅，祈禱……他們天天同心合意恆切的在殿裡，且在家中擘餅，存著歡喜、誠實的心用飯，讚美神，得眾民的喜愛。主將得救的人天天加給他們。

以弗所書5：19-20 —— 當用詩章、頌詞、靈歌，彼此對說，口唱心和的讚美主。凡事要奉我們主耶穌基督的名，常常感謝父神。

哥林多前書14：26，29-33 —— 你們聚會的時候，各人或有詩歌，或有教訓，或有啓示，或有方言，或有繙出來的話，凡事都當造就人……至於作先知講道的，只好兩個人或是三個人，其餘的就當愼思明辨。若旁邊坐著的得了啓示，那先說話的就當閉口不言。因爲你們都可以一個一個的作先知講道，叫眾人學道理，叫眾人得勸勉。先知的靈原是順服先知的；因爲神不是叫人混亂，乃是叫人安靜。

由於新約初期教會所發揮的是在靈裡團契的功能，所以沒有一個初期教會的信徒會壟斷神給予教會的恩賜。相反，會眾聚集一起敬拜的時候，每個人都有可能是一位在崇拜聚會中的奉獻者，大家付出的基本作用都是爲了建立整個基督徒群體的整體生命。

敬拜的生活倘能幫你改善與神的相交，那麼這些敬拜定能帶領你在實際和個人的經歷上去體驗神。但假如敬拜反令你變得被動，令你變成一個旁觀者，而沒有親自參與，或者敬拜只集中在人、程序安排方面，而沒有將焦點對準神；那麼，這些敬拜只會帶來冷漠、淡薄、疑惑、衝突、以及其他許許多多的問題。

➤ 根據你自己的感受，以下哪一項最能描述你在教會敬拜中的情況？

☐ 1. 我感到神的臨在。我感到神常常教導我。爲到神在我們中間所作的一切，我與其他人同感到歡欣喜樂。我受到鼓勵，渴望在未來一星期活得更像基督。

☐ 2. 我有時感到神在我身上和在我們的教會裡做了一些工作；但大多數時間我都感到自己在崇拜前與崇拜後並沒有太大分別。

☐ 3. 我極少體驗到神在崇拜中做甚麼。那些崇拜看來冷冰冰，而且很儀式化。

其他：＿＿＿＿＿＿＿＿＿＿＿＿＿＿＿＿＿＿＿＿＿＿＿＿＿＿＿

＿＿＿＿＿＿＿＿＿＿＿＿＿＿＿＿＿＿＿＿＿＿＿＿＿＿＿＿＿＿＿

崇拜之前，你通常用多少時間預備自己的心？

＿＿＿＿＿＿＿＿＿＿＿＿＿＿＿＿＿＿＿＿＿＿＿＿＿＿＿＿＿＿＿

如果你感到自己並非常常經歷著敬拜應有的體驗，便應求神教你禱告，爲負責崇拜的領袖、爲你自己的預備和參與向神祈求。神希望你爲教會內負責崇拜的領袖怎樣代求？

＿＿＿＿＿＿＿＿＿＿＿＿＿＿＿＿＿＿＿＿＿＿＿＿＿＿＿＿＿＿＿

＿＿＿＿＿＿＿＿＿＿＿＿＿＿＿＿＿＿＿＿＿＿＿＿＿＿＿＿＿＿＿

你認爲自己該怎樣爲崇拜有更好的預備？

＿＿＿＿＿＿＿＿＿＿＿＿＿＿＿＿＿＿＿＿＿＿＿＿＿＿＿＿＿＿＿

＿＿＿＿＿＿＿＿＿＿＿＿＿＿＿＿＿＿＿＿＿＿＿＿＿＿＿＿＿＿＿

＿＿＿＿＿＿＿＿＿＿＿＿＿＿＿＿＿＿＿＿＿＿＿＿＿＿＿＿＿＿＿

彼此幫助學習服從

不服從的女孩

有一次我去探訪一對夫婦，他們有一個三歲的女兒，每次父母說：「過來。」那小女孩總往另一方向走，她的父母和祖父母便會說：「看她多趣緻。」

有一天小女孩在前院玩耍，院子的閘門是打開的。她跑到兩部泊好的車子中間，她的母親看見街上有一輛車子駛來，於是高聲呼喚小女孩：「過來！」小女孩嬉笑著跑出街去，給迎面駛來的車子撞倒了。她是我第一次主持喪禮的死者。

你看到小孩犯錯了，你會否糾正他們或處罰他們？你要是愛他們，就該這樣做。希伯來書12：6描述神出於愛的管教。糾正、管教、和處罰能表達出完全的愛。我們必須彼此幫助，學習服從基督的一切命令。

➡️ 你見到主內的弟兄姊妹做了一些傷害他自己的事，你會怎樣做，以表達好像神所具有的那一種愛？選出你的做法。

☐　1.　我絕不會出言相諫，免得冒犯他。

☐　2.　我會保持開放態度，叫自己容忍他的錯誤。

☐　3.　我會含蓄向他暗示，希望他醒悟過來。

☐　4.　我會單獨約他，向他表示自己的關心，我會分享經文裡的教訓，幫他糾正過來。

☐　5.　我會直接與教會聯絡，建議把他逐出教會。

現今許多教會對於紀律問題都避重就輕，其中一個原因是過去曾有一段時間教會濫用紀律處分。其實，執行紀律（或稱管教）過寬或過嚴，都不能表現出愛和關懷（與上述第5項一樣）。作為教會的牧師，我努力叫自己千萬不可因為會眾靈性低落而煩惱。我想，這是神將我安放在這裡的原因。我一定要以愛幫他們復元過來，我發覺只要本著真愛去幫神的子民糾正錯誤，他們絕不會無動於衷的。

因為主所愛的，祂必管教，又鞭打凡所收納的兒子。
——希伯來書12：6

當神管教祂的兒女，是祂向他們顯明祂的完全的愛（來12：6）。我們若愛弟兄姊妹，就會以愛的態度去管教他們，幫他們回復與神的相交，這是彼此相助的途徑。但執行紀律或施教，必須是出於愛的精神。關於愛的管教，聖經有一些指引：

愛的管教

> 倘若你的弟兄得罪你，你就去，趁著只有他和你在一處的時
> 候，指出他的錯來。他若聽你，你便得了你的弟兄；他若不
> 聽，你就另外帶一兩個人同去，要憑兩三個人的口作見證，
> 句句都可定準。若是不聽他們，就告訴教會；若是不聽教
> 會，就看他像外邦人和稅吏一樣。（馬太福音18：15-17）

➡️ 在馬太福音18：15-17中，耶穌提出了四個步驟，教我們幫助悖逆的弟兄回轉，那四個步驟是甚麼？

_____

_____

_____

你還記得哥林多前書第13章有關愛的教導嗎？愛是恆久忍耐，又有恩慈，偏離正道的人可能需要更多的愛，才可回轉。愛的管教是要你首先單獨與這人接觸，任何管教都應依照神的指示去做。愛的管教需要多方的熱切禱告，不可倉猝跳進第二、第三或第四個步驟。你也是憑著神恩典而得救的罪人，終有一天你也需要主內

的朋友以愛心幫你糾正錯誤。以你希望受到的對待去對待別人，這樣做或可換來一個主內弟兄姊妹的長久情誼。

➡ **重溫今天的功課。禱告求神幫你找出一兩句神期望你明白、學習、或付諸實踐的課文內容或經文，並回答以下問題：**

在今天研讀的課文中，哪些字句或經文對你最有意義？

_____

_____

將這些字句或經文改寫為你回應神的祈禱。

_____

_____

神期望你做甚麼來回應今天所學習的？

_____

_____

本課撮要

- 基督徒是彼此需要對方的。
- 我們必須彼此幫助，學習服從基督的一切命令。
- 對神的敬拜必須是真實的和個別的與祂相遇。

第 5 天　作自我的屬靈總結算

神既在你身上開始了這工作，祂也必會親自使這工作圓滿地完成。

我深信那在你們心裡動了善工的，必成全這工，直到耶穌基督的日子。

—— 腓立比書1：6

回顧

幾個月前我們開始一起行走這段旅程。我曾禱告，求神讓你經歷到祂在你生命中動工，藉此使你更深入認識祂。今天，我希望你簡要地重溫一下過去十二單元的功課，並回顧神在你身上做過些甚麼。然後，我希望你也花一些時間，與神一起點算你現今的屬靈財產。假如神真的透過這課程在你身上動工，那麼祂其實是在裝備你，使你與祂有更親密的相交，並使你準備迎接天國的任務。我盼望此刻你能感到神的臨在以及祂在你生命中的行動。神在你身上開始了這工作，祂也必會親自使這工作圓滿地完成（腓1：6）！

➡ A. **請你根據以下提示，用自己的說話，將七項經歷神的實況寫下來。**

1. 神的工作 —— _____
2. 愛的關係 —— _____

_____

3. 神的邀請 —— _____

4. 神說話 —— _____

5. 信心危機 —— _____

_____

6. 重大調整 —— _____

_____

7. 服從祂 —— _____

_____

B. 哪一項實況對你最有意思？爲甚麼？

_____

_____

C. 重溫過去十二段的背誦金句，哪一段金句對你最有意義？爲甚麼？

_____

_____

D. 簡要地重溫每日課文最後部分的回應。有哪一段字句或經文，是神用來深深地觸動你的生命的？

_____

_____

E. 神怎樣將這字句或經文使用在你的生命中？

_____

_____

F. 試述你在研習《不再一樣》課程中一次最深刻的經歷神的體驗。

_____

_____

G. 神的哪一個名字對你成爲最有意義？怎樣成爲？

_____

_____

禱告求聖靈引導你的思想，幫你回答以下問題。

靈性檢討

H. 對於你與神之間那摯愛的關係，以下哪一項最能表達你的感受？（可選多項）

爲甚麼

☐	1. 日見甜蜜	☐	6. 需要調整一下
☐	2. 起伏不定	☐	7. 冷冰冰
☐	3. 歡欣沸騰	☐	8. 磐石一般的堅固
☐	4. 不冷不熱	☐	9. 深廣無邊
☐	5. 有如栽在溪水旁的樹		其他：_____

I. 對於你和教會（基督的身體）之間的關係，以下哪一項最能表達你的感受？（可選多項）

爲甚麼

☐	1. 改善的路途非常漫長	☐	6. 逐步改善
☐	2. 正在操練	☐	7. 情況良好
☐	3. 潰不成形	☐	8. 情況惡劣
☐	4. 正在休養生息	☐	9. 正接受深切治療
☐	5. 正受考驗		其他：_____

從今以後

J. 你最大的屬靈挑戰是甚麼？

_____

_____

K. 試述一樣最有意義的代禱事項，讓你的小組為你禱告，好叫你在靈裡有長進，並與神同行。

_____

_____

L. 你感到神要你下一步做些甚麼，使你繼續受訓成為耶穌基督的門徒？

_____

_____

M. 你感到神呼召你與祂一同承擔甚麼特殊的任務嗎？

_____

_____

其他

N. 你怎樣為你的教會、以及教會與基督的關係禱告？

_____

_____

O. 神希望你怎樣幫助其他人與祂同行？試選出神指引你的答案。

☐ 1. 見證神在我身上已做了和正做著的工作。

☐ 2. 幫助我正服侍的一群人去認識神和經歷神。

☐ 3. 帶領小組研習《不再一樣》課程。

☐ 4. 鼓勵其他人參加《不再一樣》課程。

☐ 5. 帶領小組研習《塑造主生命門徒訓練》。

☐ 6. 帶領小組研習其他的基督徒門訓課程。

其他：_____

用一些時間禱告，感謝神在以下情況中所做的工作：

- 在你生命中
- 在你的家庭中
- 在你的小組中
- 在你的教會中
- 在你所屬的宗派中
- 在這世界中

神滿有恩典，讓我與祂同工，正如祂在你身上所做的工作一樣。為了祂在我們身上所做的許多奇妙事情，我感謝祂，讚美祂。現在……

> 我憑著祂豐盛的恩典禱告，願祂透過在你裡面的聖靈，賜你力量，叫你憑著信心讓基督住在你心內。我又祈求神使你在愛裡扎根，得著建立，與所有聖徒一樣，滿有能力抓緊基督那廣闊高深的愛，並認識那超越我們理解的愛，使你充溢著神最豐盛的恩典。
>
> 祂能成就萬事，甚於我們的所想所求，因著祂在我們裡面動工的大能大力，願教會、和基督耶穌的榮耀傳至萬代，直到永永遠遠！阿們。

—— 以弗所書3：16-21（現代中文譯本）

附錄甲：聖經中有關神的名字和稱呼

FATHER聖父

a faithful God who does no wrong：信實的神

a forgiving God：寬恕的神

a fortress of salvation：拯救的山寨

a glorious crown：榮耀的冠冕

a jealous and avenging God：嫉妒與報仇的神

a Master in heaven：天國的主人

a refuge for his people：祂子民的避難所

a refuge for the needy in his distress：困苦悲傷者的避難所

a refuge for the oppressed：被壓迫者之避難所

a refuge for the poor：貧苦人的避難所

a sanctuary：至聖所

a shade from the heat：避炎熱的陰涼

a shelter from the storm：暴風雨中的庇護所

a source of strength：力量的源頭

a stronghold in times of trouble：愁煩時的幫助

an ever present help in trouble：困苦時隨時的幫助

architect and builder：設計者與建造者

builder of everything：萬有的建造者

commander of the Lord's army：神軍隊的指揮

Creator of heaven and earth：天地的創造者

defender of widows：寡婦的守衛者

eternal King：永久的君王

Father：父

Father of compassion：憐憫之父

Father of our spirits：我們心靈的父

Father of the heavenly lights：屬天亮光之父

father to the fatherless：無父者之父

God：神

God Almighty {El Sabaoth}：全能的神

God Almighty {El Shaddai}：全能的神

God and Father of our Lord Jesus Christ：耶穌基督的父神

God Most High：至高之主

God my Maker：我的創造主

God my Rock：我的磐石

God my Savior：我的拯救主

God my stronghold：我的堡壘

God of Abraham, Isaac, and Jacob：亞伯拉罕、以撒、雅各的神

God of all comfort：安慰之神

God of all mankind：全人類之神

God of glory：榮耀之神

God of gods：萬神之神

God of grace：恩典之神

God of hope：希望之神

God of love and peace：愛與和平之神

God of peace：和平之神

God of retribution：報應之神

God of the living：活人的神

God of the spirits of all mankind：全人類心靈之神

God of truth：真理之神

God our Father：我們的父神

God our strength：我們的能力

God over all the kingdoms of the earth：超乎地上國度的神

God the Father：父神

God who avenges me：向我施報的神

God who gives endurance and encouragement：
　　　給予忍耐和鼓勵的神

God who relents from sending calamity：災難中顯慈心的神

great and awesome God：偉大的神

great and powerful God：偉大與滿有大能之神

great, mighty and awesome God：偉大、全能的神

he who blots out your transgressions：祂抹去你的罪

he who comforts you：祂是安慰你的神

he who forms the hearts of all：造成所有心靈的神

he who raised Christ from the dead：使基督從死裡復活的神

he who reveals his thoughts to man：
　　　將自己心意彰顯給人類的神

Helper of the fatherless：無父者之幫助

him who is able to do immeasurably more than all we ask or imagine：
　　　一位能成就我們無法測度與想像之事的神

him who is able to keep you from falling：
　　　一位令你不至跌倒的神

him who is ready to judge the living and the dead：
　　　一位準備審判活人死人的神

Holy Father：至聖的父

Holy One：聖者

Holy One among you：你們中間的聖者

I AM：我是

I AM WHO I AM：自有永有

Jealous：嫉妒

Judge of all the earth：全地的審判者

King of glory：榮耀的君王

King of heaven：天國的君王

living and true God：又活又真的神

Lord {Adonai}：主（我的主，耶和華）

Lord Almighty：全能之主

Lord God Almighty：全能之主全能之神

Lord is Peace：神是平安

Lord {Jehovah}：主（耶和華）

Lord Most High：至高之主

Lord my Banner：主我的旌旗

Lord my Rock：主我的磐石

Lord of all the earth：全地之主

Lord of heaven and earth：天地之主

Lord of kings：萬王之主

Lord our God：我主我神

Lord our Maker：我們的創造主

Lord our shield：我們的盾牌

Lord who heals you：醫治你的主

Lord who is there：在這裡的主

Lord who makes you holy：使你成聖的主

Lord who strikes the blow：擊打的主

Lord will Provide：主必供應

love：愛

Maker of all things：萬物的創造者

Maker of heaven and earth：天地的創造者

Most High：至高

my advocate：我的擁護者

my Comforter in sorrow：我悲傷時的安慰者

my confidence：我的信心

my help：我的幫助

my helper：我的幫助者

my hiding place：我的藏身處

my hope：我的盼望

my light：我的亮光

my mighty rock：我能力的磐石

my refuge in the day of disaster：在我患難日子的避難所

my refuge in times of trouble：在我煩擾時的避難所
my song：我的詩歌
my strong deliverer：我有力的拯救者
my support：我的支持
One to be feared：一個令人懼怕的
only wise God：獨一智慧的神
our dwelling place：我們的居所
our judge：我們的審判官
our lawgiver：我們的立法者
our leader：我們的領袖
our Mighty One：我們大能的神
Our Redeemer：我們的救世主
our refuge and strength：我們的避難所和力量
Righteous Father：公義的父
righteous judge：公義的審判官
Rock of our salvation：拯救我們的磐石
Shepherd：牧者
Sovereign Lord：掌管萬有之主
the Almighty：大能者
the compassionate and gracious God：有憐憫有恩典的神
the Eternal God：永恆的神
the consuming fire：毀滅之火
the everlasting God：永恆的神
the exalted God：被高舉的神
the faithful God：信實的神
the gardener (husbandman)：園主（農夫）
the glorious Father：榮耀之父
the Glory of Israel：以色列的榮耀
the God who saves me：拯救我的神
the God who sees me：看守我們的神
the great King above all gods：超乎諸神之上的偉大君王
the just and mighty One：公正、滿有大能的一位
the living Father：永活的父
the Majestic Glory：尊貴的榮耀
the Majesty in heaven：天上威嚴的神
the one who sustains me：支持我的那一位
the only God：獨一的神
the potter：陶匠
the rock in whom I take refuge：我避難的磐石
the spring of living water：活水之泉源
the strength of my heart：我心中的力量
the true God：真神
you who hear prayer：垂聽禱告的神
you who judge righteously and test the heart and mind：
　　斷定公義與試煉人心思意念的神
you who keep your covenant of love with your servants：
　　與你的僕人堅守慈愛之約的神
you who love the people：愛世人的神
your glory：你的榮耀
your praise：你的讚美
your very great reward：你莫大的賞賜

JESUS 聖子耶穌

a banner for the peoples：百姓的旌旗
a Nazarene：拿撒勒人
all：完全
Alpha and Omega：始與終
Ancient of Days：遠古的日子
Anointed One：受膏者
apostle and high priest：使徒和至高的祭司
author and perfecter of our faith：我們信心的創始者與成終者
author of life：生命的創造者

author of their salvation：他們的救贖者
blessed and only Ruler：祝福與惟一的統治者
Branch of the Lord：神的枝子
bread of God：神的食物
bread of life：生命之糧
bridegroom：新郎
chief cornerstone：房角石
Chief Shepherd：大牧者
chosen and precious cornerstone：被揀選的珍貴的房角石
Christ Jesus my Lord：基督耶穌我主
Christ Jesus our hope：基督耶穌我們的盼望
Christ of God：主基督
consolation of Israel：以色列的安慰
covenant for the people：百姓的約
crown of splendor：榮耀的冠冕
eternal life：永生
Faithful and True：誠信真實
faithful and true witness：可信又真實的見證人
first to rise from the dead：首先從死裡復活的
firstborn from among the dead：首先從死裡復活的
firstborn over all creation：生於萬有之先
firstfruits of those that have fallen asleep：成為睡了之人初熟的果子
fragrant offering and sacrifice to God：馨香的祭物獻予神
friend of tax collectors and "sinners"：稅吏與罪人的朋友
God of all the earth：全地之神
God over all：超乎萬有之神
God's Son：神的兒子
great high priest：偉大至高的祭司（至尊榮的大祭司）
great light：大光
great Shepherd of the sheep：羊群的大牧者
guarantee of a better covenant：更美之約的中保
he who comes down from heaven and gives life to the world：
　　祂從天上來為要賜生命給人
he who searches hearts and minds：祂鑒察人的心思意念
head of every man：全人之首
head of the body, the church：教會之首
head of the church：教會之頭
head over every power and authority：掌管一切的力量與權柄
heir of all things：萬有的承受者
him who died and came to life again：死而復生的主
him who loves us and has freed us from our sins：
　　愛我們並使我們脫離罪惡的主
his one and only son：祂的獨生子
Holy and Righteous One：聖潔與公義的一位
Holy One of God：神的聖者
holy servant Jesus：聖潔的僕人耶穌
hope of Israel：以色列的盼望
horn of salvation：拯救之號角
image of the invisible God：看不見之神的像
Immanuel (God with us)：以馬內利（神與我們同在）
indescribable gift：不能形容的禮物
Jesus：耶穌
Jesus Christ：耶穌基督
Jesus Christ our Lord：耶穌基督我主
Jesus Christ our Savior：耶穌基督我的主
Jesus of Nazareth：拿撒勒人耶穌
judge of the living and the dead：審判活人死人的主
KING OF KINGS：萬王之王
King of the ages：萬代之王
Lamb of God：神的羔羊
light for revelation to the Gentiles：創世與啟示之光
light of life：生命之光
light of men：人類之光
light of the world：世界之光

living bread that came down from heaven：來自天上的生命之活糧
Lord and Savior Jesus Christ：救世主基督耶穌
Lord (Kurios)：主
Lord of glory：榮耀之主
LORD OF LORDS：萬主之主
Lord of peace：和平之主
Lord of the harvest：收成之主
Lord of the Sabbath：安息日之主
Lord (Rabboni)：主
man accredited by God：神差派而來的人
man of sorrows：憂傷的人
Master：主人
Mediator of a new covenant：新約的中保
merciful and faithful high priest：慈悲、信實之大祭司
messenger of the covenant：新約的使者
Messiah：彌賽亞
morning star：晨星
my friend：我的朋友
my intercessor：我的代求者
one who makes men holy：一位使人成聖的神
one who speaks to the Father in our defense：在父神面前為我們辯護者
one who will arise to rule over the nations：被提升而統治萬國者
our glorious Lord Jesus Christ：我們榮耀的主耶穌基督
our God and Savior Jesus Christ：我們救世主耶穌基督
our only Sovereign and Lord：我們至高獨一之主
our Passover lamb：我們逾越節的羔羊
our peace：我們的平安
our righteousness, holiness, and redemption：
　　　我們的公義、聖潔與救贖
Physician：醫生
Prince and Savior：王的兒子與救世者
Prince of Peace：和平之子
Prince of princes：王子中之王子
Prince of the hosts：主人之子
ransom for all men：萬人的贖價
refiner and purifier：精鍊者與純潔者
resurrection and the life：復活與生命
righteous Judge：公義的審判官
righteous man：義人
Righteous One：正義者、公義者
Rock eternal (rock of ages)：永恆的磐石
ruler of God's creation：神創造物的統治者
ruler of the kings of the earth：地上萬王之統治者
Savior of the world：世人的拯救主
second man：第二人
Shepherd and Overseer of your souls：靈魂的牧人與監督
Son of Man：人子
Son of the Blessed One：祝福者之子
Son of the living God：永活神的兒子
Son of the Most High God：至高神之子
source of eternal salvation：永恆拯救之源頭
sure foundation：可靠的根基
Teacher：夫子
the Amen：阿們
the atoning sacrifice for our sins：我們罪孽的贖罪祭
the Beginning and the End：始與終
the bright Morning Star：明亮的晨星
the exact representation of his being：存在的明證
the First and the Last：首先的與末後的
the gate (door)：門
the good shepherd：好牧人
the Head：頭
the last Adam：第二位亞當
the life：生命

the Living One：活著的
the living Stone：活石
the Lord Our Righteousness：我們公義的主
the man from heaven：從天上來的人子
the man Jesus Christ：為人的基督耶穌
the most holy：至聖者
the One and Only：獨一的主
the only God our Savior：獨一的神我們的拯救者
the radiance of God's glory：神的榮光
the rising of the sun (Dayspring)：升起之太陽
the stone the builders rejected：
　　　建造者遺棄之石頭（匠人所棄的石頭）
the testimony given in its proper time：世人的見證
the true light：真光
the true vine：真葡萄樹
the truth：真理
the way：道路
the Word (logos)：神的話語
true bread from heaven：天上真正之糧
wisdom from God：來自神之智慧
witness to the peoples：人的見證
Wonderful Counselor：奇妙策士
Word of God：神的話語
Word of life：生命之言
your life：你的生命
your salvation：你的拯救

HOLY SPIRIT 聖靈

a deposit：憑據
another Counselor：另一勸慰師
breath of the Almighty：全能者之呼吸
Holy One：聖潔的一位
Holy Spirit：聖靈
Holy Spirit of God：神的聖靈
seal：印記
Spirit of Christ：基督的靈
Spirit of counsel and of power：勸慰與能力的靈
spirit of faith：信心的靈
spirit of fire：靈火
Spirit of glory：榮耀的靈
Spirit of God：神的靈
spirit of grace and supplication：恩典與祈求的靈
Spirit of his Son：神兒子的靈
Spirit of holiness：聖潔的靈
Spirit of Jesus Christ：基督耶穌的靈
spirit of judgment：判斷的靈／辨別的靈
spirit of justice：正直的靈
Spirit of knowledge and of the fear of the Lord：
　　　知識的靈與敬畏神的靈
Spirit of life：生命之靈
Spirit of our God：我們神的靈
Spirit of sonship (adoption)：聖子的靈
Spirit of the living God：永活神的靈
Spirit of the Lord：主的靈
Spirit of the Sovereign Lord：至高主的靈
Spirit of truth：真理的靈
Spirit of wisdom and of understanding：智慧與明白的靈
Spirit of wisdom and revelation：智慧與啟示的靈
the gift：恩賜
the promised Holy Spirit：應許的聖靈
the same gift：相同的恩賜
Voice of the Almighty：大能者之聲音
Voice of the Lord：主的聲音

《不再一樣》

小 組 立 約 書

　　本人＿＿＿＿＿＿＿＿＿＿現與《不再一樣》小組各學員簽訂契約，承諾遵行以下守則：

1. 每週出席《不再一樣》小組學習之前，完成該星期之課文研習。

2. 恆切爲小組內各學員禱告。

3. 除非由於控制範圍以外的緊急事故，以致我無法出席小組學習，否則我必定參與所有小組學習。倘無法出席，我將儘快與小組組長或指定之學員安排補課。

4. 以坦誠開放的態度參與小組學習。

5. 對小組內各人分享的私隱不予外洩。

6. 用耐心對待主內的弟兄姊妹和教會。正如神對待我們一樣，直至我們成爲祂想望的樣式。我會信靠神令其他人接受祂的旨意，我不會嘗試操縱他人、或強迫他人接納我認爲最好的想法。我會單單見證神可能對我們所說的話，並安心觀察聖靈怎樣使用這些見證。

7. 每週最少爲我的牧者和教會禱告一次。

其他：＿＿＿＿＿＿＿＿＿＿＿＿＿＿＿＿＿＿＿＿＿＿＿＿＿＿＿＿＿＿

＿＿＿＿＿＿＿＿＿＿＿＿＿＿＿＿＿＿＿＿＿＿＿＿＿＿＿＿＿＿＿＿＿

＿＿＿＿＿＿＿＿＿＿＿＿＿＿＿＿＿＿＿＿＿＿＿＿＿＿＿＿＿＿＿＿＿

＿＿＿＿＿＿＿＿＿＿＿＿＿＿＿＿＿＿＿＿＿＿＿＿＿＿＿＿＿＿＿＿＿

＿＿＿＿＿＿＿＿＿＿＿＿＿＿＿＿＿＿＿＿＿＿＿＿＿＿＿＿＿＿＿＿＿

簽署：＿＿＿＿＿＿＿＿＿＿＿＿＿＿　日期：＿＿＿＿＿＿＿＿＿＿＿＿

《不再一樣》小組學員：

＿＿＿＿＿＿＿＿＿＿＿＿＿＿　　＿＿＿＿＿＿＿＿＿＿＿＿＿＿

＿＿＿＿＿＿＿＿＿＿＿＿＿＿　　＿＿＿＿＿＿＿＿＿＿＿＿＿＿

＿＿＿＿＿＿＿＿＿＿＿＿＿＿　　＿＿＿＿＿＿＿＿＿＿＿＿＿＿

＿＿＿＿＿＿＿＿＿＿＿＿＿＿　　＿＿＿＿＿＿＿＿＿＿＿＿＿＿

（本頁專供美加讀者使用）

專題研經課程

「**專題研經課程**」是美南浸信會出版的教育資料。內容以簡短的課程，供給成青年研經之用。本課程採用積點制及證書制，共有廿三個主題，包括五百多種課程。每完成一個課程得一個積點，積點可以累積以達到領取證書。證書又分爲高級組及普通組。學員要完成五至八個課程才能取得證書。有關「**專題研經課程**」的種類、內容、積點及證書的資格，均載於「**專題研經課程目錄**」中。此課程的目錄及材料可向各浸信會書局詢問及索取。

「**專題研經課程**」是由美南浸信會主日學部、女傳道部和弟兄會聯合贊助。

如何取得積點

本課程的編號是  ，題目爲「**不再一樣：改變生命的操練，察驗並活出神的旨意。**」

一、研習小組──詳讀本課程，並參加小組討論。若有缺席，則須完成個人練習。

二、個人研習──詳讀本課程，作完全部個人學習活動，然後寫研讀報告，交給教會的負責人。

填好「**專題研經課程**」積點申請表編號725（表格附本頁），寄往主日學部之積點及證書辦事處，地址爲：

CHURCH STUDY COURSE AWARDS OFFICE

BAPTIST SUNDAY SCHOOL BOARD

127 Ninth Avenue, North

Nashville, Tennessee 37234

U.S.A.

Tel.: (615) 251-2525

積點記錄，會存在主日學部存檔。

每半年主日學部會寄出一份記錄副本給各教會。

《不再一樣》*(EXPERIENCING GOD)* 尙有錄音帶和錄映帶等英文輔助材料，詳情查詢：

Customer Service Center, 127 Ninth Avenue, North;

Nashville, TN 37234, U.S.A.；或電1-800-458-BSSB

CHURCH STUDY COURSE ENROLLMENT/CREDIT REQUEST

FORM - 725 (Rev. 1-89)

MAIL THIS REQUEST TO ➡

CHURCH STUDY COURSE AWARDS OFFICE
BAPTIST SUNDAY SCHOOL BOARD
127 NINTH AVENUE, NORTH
NASHVILLE, TENNESSEE 37234

Is this the first course taken since 1983? ☐ **YES** If yes, or not sure complete all of Section 1. ☐ **NO** If no, complete only bold boxes in Section1.

SECTION 1 - STUDENT I.D.

Social Security Number

Personal CSC Number*

☐ Mr. ☐ Miss ☐ Mrs.

DATE OF BIRTH ➡ Month Day Year

STUDENT

Name (First, MI, Last)

Street, Route, or P.O.Box

City, State   Zip Code

CHURCH

Church Name

Mailing Address

City. State   Zip Code

SECTION 2 - CHANGE REQUEST ONLY (Current inf. in Section 1)

☐ Former Name

☐ Former Address   Zip Code

☐ Former Church   Zip Code

SECTION 3 - COURSE CREDIT REQUEST

Course No.   Title (use exact title)

不再一樣：改變生命的操練，
　　　　察驗並活出神的旨意

(Experiencing God: Knowing and Doing the Will of God)

SECTION 4 - DIPLOMA ENROLLMENT

Enter exact diploma title from current Church Study Course catalog. Indicate diploma age group if appropriate. Do not enroll again with each course. When all requirements have been met, the diploma will be mailed to your church. Enrollment in Christian Development Diplomas is automatic. No charge will be made for enrollment or diplomas.

Title of Diploma
不再一樣 (Experiencing God Diploma)   Age group or area

Title of Diploma   Age group or area

Signature of Pastor, Teacher, or Other Church Leader   Date

*CSC # not required for new students. Others please give CSC # when using SS # for the first time. Then, only one ID # is required.

操練靈命，生命不再一樣！

《一步一步學新約》　　《一步一步學舊約》

作者：李亞、赫德森　　　作者：李亞、赫德森

編號：ED112　　　　　　編號：ED110

這兩本書能助信徒研讀整本新約聖經及舊約聖經。每本書皆設十三個單元，每單元有五天研讀內容，清晰扼要地引介新約中的人物、時間、地點及各書卷的主題；並附有學習活動，評估學習果效。適合信徒培訓、小組研習或個人靈修之用。「小組聚會材料」載於本社網頁，供組長及導師瀏覽。

不再一樣系列

《不再一樣 —— 神在說話》

作者：亨利·布克比、李察·布克比

編號：ED109

布克比牧師「不再一樣」系列對信徒「重新認識神」、「聆聽神的聲音」和「立志與神建立親密的愛的關係」，起了很重要的作用。本書對有關神向祂的子民說話的重要真理給予更廣泛的指引，是《不再一樣》的「精粹」。全書六週的簡短課程，十分適合小組作培訓或學習之用。本書內容淺白易明，為靈修輔讀或自學的上佳研習本。

《不再一樣的奮興》

作者：布克比、金科德

編號：ED108

此為一本栽培及復興信徒靈命的暢銷書，對信徒的生命有著積極的衝擊。內容圍繞「復興與靈性覺七個實況」，透過六單元，共三十課的研習材料，借古喻今，幫助經歷跌倒、軟弱的信徒重整生命方向，撤掉纏累生命的惡習，建立與神和好的關係。每課備有經文、信息教導和習作，可作教會培訓、小組訓練及個人靈修之用。

《不再一樣的工作間》

作者：駱邁克、金科德

編號：ED113

透過六個研習單元，包括：1. 天國的工作方案、屬世的工作方案；2. 神原定的工作間；3. 被罪敗壞的工作間；4. 基督重整的工作環境；5. 天國的工人；6. 天國的工作。讓你明白神把工作交給你，不只是為了讓你賺取金錢，而且還有更大的使命。主耶穌已在你的工作間預備了一個偉大的工作方案 —— 救贖。你的工作間正是你和主耶穌的禾場，祂要邀請你與祂同工，在這片廣博的禾場上展開救贖工作。從今你可願意重整自己的生命，並配合神的救贖計劃和方法，為你的工作間帶來改變，使人得著救贖，讓神得著榮耀，自己得著更新！

《不再一樣 —— 愛在生命改變時》

作者：布克比、金科德

編號：ED107

布克比牧師在本書中教導信徒如何更深入認識神，與祂建立恆久而相愛的關係，學習聆聽祂啟示的方式，與神同工等。布克比牧師鼓勵你從今天起立志經歷神，你的生命會不再一樣，煥然一新。